『トシ、1週間であなたの医療英単語を100倍にしなさい。できなければ解雇よ。』

田淵アントニオ

はじめに

　教科書も小説みたいに読めたらいいなと思いませんか？
　本書は、そんな単純な思いつきから企画されました。

　専門用語に限らず、基本暗記が必須になる単語の記憶法は星の数ほど出版されています。
　それこそ、さまざまな創意工夫を凝らして…。

　これをお読みのあなたはおわかりかと思いますが、本書は医療英単語を効率的に覚えることを目指しています。
　そのやり方は、まさに王道そのものです。
　運動も食事制限もしないで健康的にダイエットなんてできないように、楽して覚えられる方法なんかはありません。
　そういう意味で、どんな学習法でも最後までやり抜くことさえできれば、必ず力が身につくのです。

　本書では、何千という接頭辞や接尾辞、語根などを解説しながら、ひたすら専門用語の問題をあなたにぶつけていきます。
　本書は、正直分厚いです。もちろん、医療英単語の知識を身につけたいと思っている人には、役立つ知識が満載です。逆を言えば、普通の日常生活では役に立たない知識で満たされています。
　普通なら、容赦ない医療英単語のパンチの雨あられにKOされてしまうかもしれません。

　しかし、ご安心ください。
　本書には、あなたが最後までやり遂げるためのさまざまな仕掛けが用意されています。

　7日間の学習スケジュールを実現するための魅力的な主人公トシとソフィーが織りなすストーリー。

医療英単語の知識を効率よく身につけるための単語構成システムの解説。
　疲れた心と頭をリフレッシュさせるオリジナルハーブティーレシピ。
　文字を消せる赤いセロファン、美しい解剖図や挿絵のアートワークに、栞としても使えるおかしな取扱説明書。
　その他にも、思わずニヤリとしてしまう雑学知識など、気がつけば、あなたはトシとソフィーに導かれるまま、本書を読破してしまっていることでしょう。

　ここで、本書をやり遂げるためのおまじないをひとつ。

　医療の専門職の方もそうでない方も、英語の専門用語の知識を深めたい方も、学生の方も、生涯学習に英語を選んだ方も、本書をやり遂げた後にかなえたい願いごとをひとつ考えてみてください。
　そして、次のページに、七夕の短冊のようにその願いごとを書き記しておきましょう。本書を読破するまで、決して誰にも見られないように気をつけること。

　想像してください。
　この分厚い学習書を読破したら、知識が100倍になる以上に、あなたの身に何か素敵な出来事が起こるような気がしませんか？
　そう、本書には、頑張った後のあなたの「ささやかな願いごと」をかなえてくれる力がきっとあります。

　まずは本書を信じてください。
　私がこの本と出会ったあなたの力を信じているように。

　最後に、本書の単語選定に多大なる協力をいただいたコロラド大学の鈴木繁氏に心からの謝意を込めて。

　　2009年6月　リスボンにて

　　　　　　　　　　　　　　　　　　　　　田淵 アントニオ

本書をやり遂げたら、きっとかなう！

私の願いごと

登場人物紹介

トシ（トシユキ・オオハシ）

腫瘍免疫学が専門の日本人医師。32歳独身。
ポスドクとして、ニューヨークに留学中。
ふとしたことから、医療英単語の知識を
100倍にする羽目に…。

ソフィー

トシの先輩ポスドク。フランス出身。33歳独身。
トシに医療英単語の知識を100倍にする方法を
伝授する。

ボス

トシとソフィーが所属するラボのボス。47歳。
トシに医療英単語の知識を100倍にする指令を出す。

ヘンドリック

ラボの中ボス。ドイツ出身。
優秀な研究者でハンサムで好人物。

その他の登場人物

ラジュ　　　　インド出身のポスドク。
クリスティアン　ポーランド出身の技術者。

目次

- 001　Prologue
- 013　1日目 「とりあえず光あれ!!」
  頭とお尻に気をつけて!!
- 051　2日目 「神は空を作り、僕は空っぽな胸を満たす。」
  モチベーション維持の方法を考えて!!
- 097　3日目 「神は大地を作ったが、僕の足は地につかない。」
  単語の構成要素を意識して発音しましょう。
- 133　4日目 「神は太陽と月と星を、僕はハーブティーを作る。」
  ここからは五感を総動員!!
- 191　5日目 「神は魚と鳥を作り、僕はぐうの音を出す。」
  体調管理に気をつけて。
- 245　6日目 「神はついに人を作り、僕は人として決意する。」
  やり遂げた人間だけが頂きを見られるのよ。
- 305　7日目 「神は休むが、僕は休日を返上する。」
  最後は自分を信じること。
- 357　Epilogue
- 365　Index

Prologue

Prologue 1

　僕の名前はトシユキ・オオハシ。

　ニューヨークでポスドク[1]をやっている。年齢は32歳。日本人。血液型はO型。ちなみに独身。誕生日は…やめておこう、30過ぎの独身男の誕生日なんて本人も覚えていたくない。

　日本では腫瘍免疫学（cancer immunology）が専門の医者だったけれど、ご多分にもれず、雑用に追われるのが目に見えていた目の前の就職と、どっぷりと研究三昧の日々を天秤にかけて、異国でのポスドクの道を選んだクチである。

　別に臨床が嫌いなわけではなかったけれど、やはり研究の方が好きだったのだ。

　ちなみに、僕は今、ラボから程近い喫茶店の隅の席でひとり途方に暮れているところだ。

　こぢんまりとした今のラボはまるで多国籍軍で、ポーランド、ドイツ、フランス、インドとさまざまな国からのフェローが肩を並べている。

　残念ながらどんな研究をしているか教えることはできない。地味な研究成果は時として莫大な成果につながる。それでなくとも、アメリカのバイオラボの情報流出対策の厳密さは、日本の比ではないことは知っての通りだ。

　日本の研究室の先輩から、アメリカじゃ上司との付き合い方も身の振り方に大きく影響するらしいぞと散々脅かされての渡米から早半年。

　夢と不安と希望が失敗したプースカフェ[2]みたいに混じり合っていた留学当初から比べれば、僕も大分こなれたニューヨーカーになりつつあったと思う。

　ラボでたった一人の東洋人である僕は、下手なりに英語を駆使して、多国籍軍内での実験器具の争奪戦にも慣れてきた頃だったのに、こんなことになるなんて。

先ほど、僕はボスのオフィスに呼び出され、そして、途方に暮れるような状況に陥ったのだった。

　話は数時間前にさかのぼる。
　僕がボスのオフィスをノックすると、いつもよりもさらにとげとげした声が聞こえてきた。
　ここしばらく細胞もご機嫌斜めで、なかなか彼女（ボス）の望むようなキレイなデータを出せないでいたのは事実だったけれど、まさか、それほど不興を買っていたとは想像もしていなかった。

「トシ、あなたとプロジェクトを共有する上で、コミュニケーションに不安を感じるという声があがっているの。あなたの意見は？」

「冗談でしょう、うまくやっていると思いますけど。アハハハハ…あれ…。」

　確かに、このコミュニケーションには不安を感じる。
　たった一人のエイジアンの陽気な受け答えはお気に召さなかったらしい。ミセス・ティングル[3]に似たボスの目は、残念ながら笑ってはくれなかった。

「トシ、1週間以内に、あなたの医療英単語の知識を100倍にしなさい。できなければ解雇よ。」

　この国で黙るのは敗北と同義だが、残念ながら日本人（僕は…と言った方がいいか）はこういう押しにはめっぽう弱い。
　Oh!　恐るべき競争の国アメリカ！
　格差と平等の国の厳しい現実。
　確かに、同僚たちと比べて僕の英語はうまくはない。しかし、業務にはほとんど支障はなかったはずだ。
　そもそも面接の時点で、僕の語学力については認識していたはず。専門知識に関しては、他のフェローに比べて正直僕の方が上のような

気もするし、実験だって僕の方が緻密だと思う。少なくとも、僕は、無菌室じゃなくても実験の前に手は洗う。

「いいこと、トシ。1週間後にテストをするわ。それにパスしなかったら…。」

かくして、僕は1週間で、自分の医療英単語の知識を100倍にしなくてはいけなくなったのである。

100倍なんていう恣意的な数字といい、こんな無茶苦茶な言いがかりは、日本でいうリストラ部屋行きと同じことじゃないか！！

こんな小さいラボだと、「キャリアセンター」とか「人材開発センター」とかいうスペースもないってことか。

100倍っていっても、僕だって日本では立派な医者をやっていたのだ、専門用語の知識は人並み以上にある。まぁ確かに、英語の論文が"それなりに"読めるけど、日常的に自由自在に使いこなせるってほどじゃない。

そもそも、医療英単語なんて、アメリカ人だってわからないじゃないか！！

こんな理不尽が許されていいのか！！

ぶつけたい言葉は頭から爪先まで駆け巡っているけれど、ぶつける相手がいないのだ。

そんなこんなで、僕は途方に暮れていたのである。

Prologue 2

「どうしたの？トシ。浮かない顔して。」

ふと顔を上げると、白衣の上からでも想像できる、まるでケルダールフラスコを逆さにしたような魅惑のプロポーションがそこにあった。

「まるで滅菌処理し忘れて、死滅した細胞みたいよ。」

「そっちの方が、まだマシかもしれないよ。」

頭上で存外無造作に束ねられたブロンドが小刻みにゆれている。
ラボの先輩ポスドク、ソフィーだった。フランス出身の彼女とは、好きな歌手がゲッシュ・パティ[4]ということで意気投合して以来、たまにランチを一緒に食べる仲ではある。
とはいっても、彼女が僕の手製弁当のライスボールを時折かすめ取っていくだけだったりするのだが。

思った以上に深刻な僕の表情に、彼女は黒縁の眼鏡の奥から大きな瞳を見開いて見せた。

「どうしたのよ、本当にデータ消しちゃったりでもしたの？」

* * *

僕がボスに呼び出され、1週間で医療英単語の知識を100倍にしなければならなくなった状況の顛末を話し終えるまでにかかった時間は、5分程度だったろうか。
泣き言に聞こえないように気を配っていたつもりだが、やはり、話を聞いてもらえるだけでも気持ちの整理ができる。
黙って聞いていたソフィーは最後のフレンチフライをつまみあげると、小さいため息と一緒に言葉を吐き出した。

「そういや、クリスティアンが言ってたわ。あなた、先週、ボスのデータの間違いを指摘したでしょ。ボス、えらくプライドを傷つけられたって当たり散らしてたって。」

クリスティアンはポーランド人の技術者だ。僕にはそんなこと一言も言ってなかったくせに。

確かにデータの誤りは指摘した。でも、間違ったデータのままである方がよかったはずもない。というより、研究技術者として当然の職務だと思う。

「間違ったことしてないって顔ね。」

「いや、僕の出したデータが彼女の期待していたデータと違うって言われたんだ。イライラしてたせいか、彼女、僕の機械の使い方が適切じゃないんじゃないかって言ってね。僕は同タイプの装置は日本でも使っていたので、間違っていないと答えたよ。そしたら、私が見本を見せてやるって話になってね。」

「で、彼女の操作方法が適切じゃないって指摘したわけね。トシ、あなたの前任者のドイツ人フェローが、同じようによかれと思った進言をして解雇されたのを知らなかったの？」

　まったくもって初耳だ。
　そもそも、希望するデータが出ないなんてことでイライラしてたら研究なんてできるもんじゃない。
　半ば呆然としている僕に、ソフィーはさらに追い討ちをかけた。

「前任者のドイツ人は、肘の高さまで積まれた過去のデータ10万件を、1週間以内にデータベースに打ち込めって言われたらしいけど、あなたは？」

Prologue 3

「トシ、あなたは優秀よ。こんなことで解雇されるのなんて馬鹿げてる。でも、私も立場は同じ、ボスに意見することはできないわ。要するに、あなたに残された時間は1週間しかない。この1週間で医療英単語を100倍マスターしなくちゃいけないってこと。」

「無理だよ。100倍だぞ。そもそも100倍なんて数字になんの根拠もないじゃないか。リストラの口実に過ぎないよ。そもそも僕だって、ポスドクで採用されるぐらいの専門知識は持っているんだから。」

「最初から無理だなんて思ってたら、実験なんてできないんじゃない？」

ソフィーは父親がアメリカ人、母親がフランス人のハーフで、フランス人特有の英語のフランス語読みがまったくないネイティブだ。

「トシ、あなたは日本で医師の免許を取った時、日本語の専門用語ってどう覚えたの？」

「それはもう、一所懸命に覚えたよ。まるで、英語の試験対策みたいにね。」

「あなたは、日本人なのに、日本語の専門用語をまるで英語の試験のように覚えたわけよね？」

彼女が何を言いたいのかがいまひとつ理解できない。確かにそうだが、それは日本語だからできたことだし、100倍の英語の専門用語を丸暗記するなんて、それこそあり得ない話だ。

「私は、もちろん英語はトシよりも上手よ。でも、専門用語なんて、まったく知らなかったの。私だって、覚えなきゃいけなかった。専門用語はネイティブでも自然に獲得できる言葉じゃないでしょ。」

僕の困惑した表情を見て取ったのか、ソフィーは、コーヒーを一口飲むと意味深な微笑を浮かべた。

「トシ、私、自分の英語の専門用語を簡単に100倍にする方法を知っているのよ。」

!!!
　なんだって!! 専門用語を100倍にする方法だって!?

「そう、私の家に伝わる父さん直伝の専門用語を覚える方法。トシ、あなたにそれをマスターするという覚悟があれば、道は開けるかもしれないわ。」

　僕は一瞬考え込んでしまった。
　数時間前に、医療英単語の知識を100倍にしろという無茶振りをされ、さもないと解雇という理不尽な宣告を受けた。
　そして、その数時間後、今度は同僚の美人ポスドクは、それを可能にする秘密の方法があるという。

　僕はうつむいていた顔を上げると、目の前のソフィーの顔を見つめた。1週間後に、この美人と会えなくなるのもつらい。

「どうすればいい? 7日しかないんだよ。」

　ジャック・バウアー[5]なら7倍の時間があるじゃないかと怒鳴りそうだ。
　正直、僕も生きるか死ぬかだ、こんなことで異国の地でまで、路頭に迷いたくはない。

「研究だって、やってもやらなくても結果が同じなんてことはないでしょ。何万回もの失敗のデータの上にしか、期待していた結果なんて現れないのよ。」

　うん、そうだ。
　わずか1週間でも、無理な話じゃないかもしれない。本当に100倍にできたかどうかのテストなんてできっこないはずだ。
　それに、このソフィーが個人授業をしてくれるというのだから…。

「そうだね、あきらめたら終わりだ。」

　僕がそう言い切ると、ソフィーもやさしい微笑みを浮かべた。

　「じゃあ、とりあえず、愛しい細胞ちゃんたちの世話をしてから始めることにしましょ。職場放棄せず、いいデータを出してボスのご機嫌を伺うことも大事よ。だって、私が教える方法なら、1日1〜2時間のペースでマスターできるんだから。」

1) ポスドク (postdoctoral fellow)

ポストドクター。博士号取得してすぐの任期付きの研究者のこと。英語圏では省略してPostdocと呼ばれることが多く日本でもポスドクが通称である。文部科学省が1996年からの5カ年計画で策定した「ポストドクター等一万人支援計画」により急激に人数が増加したが、ポスドク後のアカデミックポストがあまりに少なく、35歳を過ぎても恒久的な就職先がないといういわゆる"高齢ポスドク"の問題が指摘されている。2009年文部科学省がポスドクを採用した企業へ1人につき500万円を支給する施策を打ち出したが、正直なところ決定打になるとは思えない。

2) ブース・カフェ (Pousse-cafe)

比重の異なるリキュールを利用し、比重の大きいものから順に積み重ねて色の層を作るカクテル。扱う酒に制限はなく、特に7つの層になるものをレインボーと呼ぶ。作成にはかなりの手間と根気が必要である。Pousse-cafeはフランス語。意訳すれば"コーヒーの後で"。食後のコーヒーを飲んだ後に楽しむという意味らしいが、それじゃ食後の酒はほとんどがブース・カフェじゃないかとも思う。グチャグチャに混ぜて飲んでしまう方法と、層ごとにストローを差し込み、色を崩さないように飲むという2つの飲み方があるが、個人的には、美しく作りをあげたものをうち崩す快感を味わえる前者の飲み方がおすすめ。当然、単なるリキュールの積み重ねであり美味ではない。

3) ミセス・ティングル (Mrs.Tingle)

映画『スクリーム』シリーズを手がけたケヴィン・ウィリアムスン初監督の心理サスペンスコメディ、邦題『鬼教師ミセス・ティングル』(1999年)の主人公。ハーバード大学への奨学金獲得を目指す優等生と、それを阻もうとする鬼教師との壮絶な戦いを描く。特に、ミセス・ティングルの生徒の心を切り刻み、夢も希望も与えない言葉の暴力は必見である(『フルメタル・ジャケット』のハートマン軍曹には遠く及ばないが…)。正直、あえて紹介するほど目立った実績をあげた映画ではないが、主演のケイティ・ホームズ(生徒の方でミセス・ティングルではない)はトム・クルーズの再婚相手である。

4) ゲッシュ・パティ (Guesch Patti)

本名パトリシア・ポラス。1946年4月19日パリ生まれ。フランスの舞踊家・歌手・女優である。日本では一般的にはまず無名の存在といっていい。フランスでは80年代後半から90年代にかけて活躍したが、ソフィーとトシがお互いにファンであったのは非常にレアな偶然だ。ちなみに、ピーター・グリーナウェイ監督が清少納言の随筆『枕草子』をモチーフに映画化した『The Pillow Book』に出演、彼女の曲もサウンドトラックに使われている。この映画のあまりのとんでもジャパネスクな耽美展開は、ある意味必見である。

5) ジャック・バウアー (Jack Bauer)

アメリカのテレビドラマシリーズ『24 - TWENTY FOUR -』の主人公。演ずるのはキーファー・サザーランド。最終的にどんな過酷な任務でも達成することができる。学習に詰まった時は、ジャック・バウアーのように頑張れば必ず達成できるはずだ。ただし、ジャックはルールをよく破るが、本書の学習のルールは破らない方がいい。

1

1日目「とりあえず光あれ!!」

　時は第一次世界大戦中、連合国側の前線の塹壕の中での会話。

ポルトガル兵：(隣のフランス兵に)おい、100フランくれたら、1分以内にポルトガル語を1000語教えてやるけど、のるか？
フランス兵：そんなことできるものかい。
ポルトガル兵：できなければ、逆に100フランやるぜ。
フランス兵：本気か？ それじゃぜひ頼むよ。
ポルトガル兵：よし、じゃよく聞けよ。-tionで終わるフランス語はポルトガル語と同じで、ただ語尾がcaoで終わるところだけが違うんだ。caoはsaongと発音すればいい。そういう単語は1000語以上あるけど、フランス語と同じですべて女性形だ。な、1分かからなかっただろ。100フランはいただきだな。

アンドレ・モーロワ[1]伝

＊＊＊

　イースト・ビレッジにあるカフェ「エルマンズ」。
　ここは大学に近いこともあって、ボリューム満点のアメリカンフードを供してくれる学生向けのカフェだ。
　チーズバーガーにアップルパイ、大きなマグになみなみと注がれた薄めのコーヒー。
　話し込む学生たち、iPodを聴きながら参考書を開く音、なぜか勉強する邪魔にならないタイプの雑踏が包み込む。

ソフィーの教え①　頭とお尻に気をつけて!!
まず、医療英単語の構成システムをアタマに叩き込むこと。

S：私の父さんも医者だったんだけど、医療英単語の覚え方を教えてくれる時、まず最初にこう言ったの。
「大事なものは、頭とお尻だよ、ソフィー。女の子と同じさ」ってね。

T：確かに大事かもね。（視線が泳ぐ）

S：トシ、この頭とお尻ってどういうことかわかる？

T：いや、見当もつかないよ。

S：まず、それから学んでいかなくちゃね。時間がないから、私の説明をよく聞いて。
父さんが教えてくれた方法は、最初が肝心なの。
ひとくちに医療英単語といっても、その数は膨大よ。一語一語を覚えていくのは本当に大変。
もちろん、記憶力がいい人間なら時間をかけて覚え込むこともできるでしょう。でも、それじゃ1週間で100倍にはならない。

T：exactly.

S：でもね、英語の医学用語は、いくつかの構成要素に分解することができる。
早い話、医療英単語を構成するシステムを理解することで、そのほとんどを効率的に覚えることができるってわけ。

T：なるほど…。それはわかったけど、それと頭とお尻がどうつながってくるんだい？

S：そんなに焦らない。まずは、ひとつひとつ、単語構成の仕組みを見ていきましょうよ。

＊＊＊

1. 単語の基本は「語根」

単語の基本は **語根**(root)で、すべての単語は語根を持っています。

もちろん、医学用語にかかわらず、日常的に使われる一般用語も語根を持っています。
語根は単語の基礎となるもの。
たとえば、in/cision(切開)、ex/cision(切除)、circum/cision(環状切除)などの単語は、それぞれの語根として[cision]を共通に持っています。

別の例で見てみましょう。
suf/fix(接尾辞)、pre/fix(接頭辞)、af/fix(接辞)、fix/ation(固定)は、それぞれの語根として[fix]を共通して持っていますね。
同じように、tonsill/itis(扁桃炎)、tonsill/ectomy(扁桃摘出術)、tonsill/ar(扁桃の)の語根は[tonsill]です。

2. 2つ以上の語根が組み合わさると…「複合語」

複合語(compound)とは、2つまたはそれ以上の語根が組み合わさって1つの単語になっているものをいいます。
まず、覚えなくてはいけない単語構成システムの大原則です。

前述したように、単語の基礎は語根にあります。日常用語においても、2つ以上の語根から作られる複合語は多く存在しています。
中には、組み合わさる語根が単語そのものである場合もあります。
たとえば、over/dosage(過量投与)を見てみましょう。
語根である[over]と[dosage]はそれぞれ独立した単語ですが、組み合わさって over/dosage という複合語にもなります。
over/weight(過体重)、over/hydration(過水症)、

over/stimulation（刺激過度）などもこれと同様の複合語です。

* * *

T：語根ね。語根が組み合わさってできるのが複合語ね。だけど、overdosage、overweight、overhydration、overstimulationなんかは、改めて覚えるまでもない単語じゃないか？

S：そう言うだろうと思ったわ。
どんな学習法でも同じことがいえるけど、まずは、盲目的に信じないと成果なんて上がらないものよ。
じゃ、とりあえず、単語構成のシステムの大原則、理解したかどうかテストしていくけどいいかしら？

T：え？ いきなり！？

---

under（以下の、不足した）とnutrition（栄養）の2つの語根から、複合語を作ってください。
〔　　　　　　　　　　　　　　　　〕

undernutrition
under/nutrition　アンダーニュートリション｜栄養不足｜

---

cow（牛）とpox（発疹）の2つの語根から、複合語を作ってください。
〔　　　　　　　　　　　　　　　　〕

cowpox
cow/pox　カウポックス｜牛痘｜

T：ソフィー、僕を馬鹿にしてるのか？

S：まぁ、語根を並べた複合語は、シンプルだから間違えようがな

いかもね。他に効率がいい方法があるというなら、それはあなたが好きにやればいいことよ。

ただ、あなたには残された時間はほとんどない。

トシ、断じて私はあなたを馬鹿になんかしていないわ。だから、まずは私を信じて、話を聞きなさい。

では、次のシステムに行くわよ。

* * *

3.「語根＋母音」で連結形

複合語を構成する要素に、**連結形**（combining form）というものがあります。

連結形は「語根＋母音」で構成されています。

たとえば、cardi/o/graph/y（心拍記録）では、[cardi/o]の部分が連結形と呼ばれます。

steth/o/scop/e（聴診器）では、[steth/o]の部分が連結形です。

micr/o/scop/e（顕微鏡）、micr/o/phag/e（ミクロファージ、小食細胞）、micr/o/spher/o/cyt/e（小球状赤血球）などでは、[micr/o]の部分が連結形になります。

語根と連結形との組み合わせも複合語を作るのに使われます。

たとえば、cardi/o/graph/y（心拍記録）、steth/o/scop/e（聴診器）、micr/o/scop/e（顕微鏡）は「連結形（語根＋母音）＋語根」で構成される複合語です。

また、複合語は連結形と独立した単語とからも構成されます。

cardi/o/graph（心拍（動）記録器）は連結形と1単語から成り立つ複合語です。cardi/o/graphでは、[cardi/o]は連結形で、graphは独立した単語です。

S: 連結形は、複合語のバリエーションのひとつ。じゃ、理解できたかどうか、チェックするわよ！！

T: え？

S: クビになりたいの？

連結形[cardi/o]に次の単語を続けて、複合語を作ってください。

【 graphy 】
〔   〕
cardiography
cardi/o/graph/y カーディオグラフィ｜心拍(動)記録(法)｜

【 kinetic 】
〔   〕
cardiokinetic
cardi/o/kinet/ic カーディオキネティック｜心臓運動(性)の｜

【 myopathy 】
〔   〕
cardiomyopathy
cardi/o/myo/path/y カーディオマイオパシィ｜心筋症｜

連結形[hydr/o]に次の単語を続けて、複合語を作ってください。

【 meter 】
〔   〕
hydrometer
hydr/o/meter ハイドロミター｜(液体)比重計｜

【 therapy 】
〔　　　　　　　　　　　　　〕

hydrotherapy
hydr/o/therap/y　ハイドロセラピィ｜水治(療)法｜

【 thorax 】
〔　　　　　　　　　　　　　〕

hydrothorax
hydr/o/thorax　ハイドロソラックス｜水胸(症)｜

S：トシ。ここまでであなたが作った単語は、すべて複合語になっているのよ。
医学用語では、複合語は、たいてい連結形と語根と語尾（ending）で構成されているの。
たとえば、micr/o/scop/ic（顕微鏡の）では、[micr/o]は連結形で、[scop]は語根で、[ic]は語尾になるわ。
hydr/o/cephal/ic（水頭症の）では、[hydr/o]は連結形、[cephal]は語根、[ic]は語尾ということね。

じゃ、トシ、electr/o/phoret/ic という単語ではどうかしら？

T：electr/o/phoret/ic…聞いたことがない単語だねぇ。
えーと、[electr/o]が連結形で、[phoret]は語根になるのかな。
最後の、[ic]が語尾ということでいいかな？

S：Good！ electr/o/phoret/icは「電気泳動の」という意味の単語よ。[electr/o]は連結形、[phoret]は語根、[ic]は語尾で間違いないわ。
じゃ、その調子で、確認していくわよ！！

T：うわ、またかい？

S: まずは単語構成のシステムを体で覚えるの。話はそれからよ。

次の要素（連結形、語根、語尾）から単語を作ってください。
単語のそれぞれの要素の並び順に注意してください。

連結形 【 electr/o 】
語根　　【 ton 】
語尾　　【 ic 】
〔　　　　　　　　　　　　　　　　　　　　　　　〕
electrotonic
electr/o/ton/ic　エレクトロトニック｜電気緊張（性）の｜

語根　　【 chlor 】
連結形 【 hydr/o 】
語尾　　【 ic 】
〔　　　　　　　　　　　　　　　　　　　　　　　〕
hydrochloric
hydr/o/chlor/ic　ハイドロクロリック｜塩酸の｜

語尾　　【 ic 】
連結形 【 hydr/o 】
語根　　【 lyt 】
〔　　　　　　　　　　　　　　　　　　　　　　　〕
hydrolytic
hydr/o/lyt/ic　ハイドロリティック｜加水分解の｜

S: スムーズにできた？
ちなみに、語根に続く語尾は接尾辞というの。
この接尾辞も、重要な単語構成システムのひとつなのよ。

4.「接尾辞」…末尾に付いて意味を変える

接尾辞（suffix）は単語の末尾に置かれる要素です。
語根の後に接尾辞を付けることによって、単語全体の意味を変えることができます。

たとえば、[er]という接尾辞は、『〜する人』または[er]が末尾に加えられた動詞の「作用主体」を意味します。
absorb（吸収する）という語根は、その末尾に[er]を付けることで意味が変わります。absorb/er（吸収体）という単語では、[er]の部分が接尾辞です。
transplant/able（移植可能な）では、[able（〜できる）]の部分がtransplant（移植する）という単語の意味を変えています。ここでは、[able]の部分が接尾辞です。
transplant/able（移植可能な）、transplant/ed（移植された）、transplant/ation（移植）などの単語では、それぞれ[able]、[ed]、[ation]が接尾辞になります。

5.「接頭辞」…冒頭に付いて意味を変える

接頭辞（prefix）は単語の冒頭に置かれる要素です。
語根の前に接頭辞を付けることによって、その単語の意味を変えることかできます。

[extra]という接頭辞には『外の』『〜以外の』『〜以上の』という意味があります。たとえば、cellular（細胞の）という語根は、その前に[extra]を付けることによって、意味が変化します。extra/cellular（細胞外の）という単語では、[extra]は接頭辞です。
hemi/anopsia（半盲）という単語では、『半分』を意味する[hemi]の部分が、anopsia（視覚消失、全盲）の意味を変えます。

この場合は、[hemi]が接頭辞です。
im/plant（移植）、ultra/filter（限外ろ過器）、mono/cyte（単球、単核細胞）などの単語では、接頭辞はそれぞれ[im]、[ultra]、[mono]になります。

* * *

S: どう、トシ、ついてきてる？

T: うん、なんとかね。リズムよくやっていると癖になってくる気もする。どうせ、すぐ、練習問題をやらされるんだろうけど、これは手で書きながらやった方がいいんじゃないかな？
それとも書いてはいけないのかい？

S: さすがね、トシ。スペルを書きながらの方がより効率的よ。
じゃ、ここまでで、単語構成の基本システムについてはほぼ説明したので、総合的に復習してみましょう。

単語の基礎は〔　　　〕です。
語根（root）

2つまたはそれ以上の語根によって、1つの単語を構成している場合、できあがった単語は〔　　　〕と呼ばれます。
複合語（compound）

語根に母音が加えられた場合、できあがった単語の要素は〔　　　〕と呼ばれます。
連結形（combining form）

語根に続いて単語の最後に付く要素は〔　　　〕です。
接尾辞（suffix）

1

単語の冒頭に置かれ、その単語全体の意味を変える要素は
〔　　　　　〕です。

接頭辞（prefix）

S：これで、医療英単語を構成する基本システムの説明は終了よ。ここまでで、頭とお尻のなぞ掛けはわかった？

T：まぁね。語根を中心に、前に付くものと後ろに付くものがあるということだろ？

S：その通り。接頭辞とか接尾辞は、普通の語学学習でも聞いたことがあると思うけど、それだけじゃないの。連結形も含めて捉えていかないとね。

T：なるほど。この仕組みを覚えれば、後は応用で、どんどん単語が増えていくってわけだね？

S：ちょっと、待って。トシ。さすがに、それほど甘くはないわよ。どんなシステムにも例外ってあるでしょ。この単語構成の仕組みにも例外が存在するの。

＊＊＊

6. 単語構成システムの例外に対処するには

S：トシ、医学用語の単語構成システムは説明できる？

T：さすがに今やったばかりだからね。
単語の基本は「語根」で、語根が組み合わさってできるのが「複合語」。この複合語には、語根そのものがくっつくものと、「連結形」のように、語根と母音が組み合わさった形になるものがある。

忘れちゃいけないのが、「接頭辞」と「接尾辞」ってところかな？

S：その通り。さっきも言ったけれど、このシステムにも当然ながら例外が存在するわ。
例外を含む膨大な医療英単語をひとつひとつ覚えることは結構大変よ。でも、この単語構成システムを知っていれば、そうした例外の単語にも対処することができるの。
言い換えれば、単語構成の仕組みには例外はあるけど、基本的なシステムを知ることで、意味を記憶するのに役立つの。
ここで、父さんが言ってた学習のコツをひとつ伝えておくわ。

『目、口、耳、すべてが脳に通じている』

T：医学的には至極まっとうな見解だね…。

S：黙って聞いて、トシ。これから、さっきと同じように、何度も、あなたに問題を出してあげる。
その時に、必ずしてほしいことがあるの。
これは約束。疑問に思わず、私の言うことを信じてほしいの。

T：さもないと？

S：クビになりたい？
とにかく問題に答えて、解答を確かめる時には、必ずその単語を発音するのよ。日本人のあなたにわかりやすいように、解答には単語の発音をカタカナで示しておくわ。正確な発音じゃなくていいから、それを必ず声に出してほしいの。
必ず声に出すこと、それが大切。
まず、目で見て、口に出す。そして、その時、自分の発音をよく聞くのよ。
もちろん、あなたが言うように、紙に書いたらもっといいわ。

T：君の言う通りにするよ。ただ、それにどんな意味があるのか教えてくれないか？

S：実際に声に出して発音し、自分の発音を聞くことは、単語構成システムの例外を発見することにとても役立つからよ。
ちょっと、この模式図を見てちょうだい。

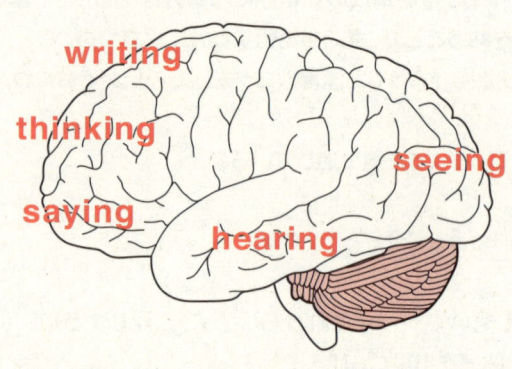

T：脳の機能部位が、何か関係あるの？

S：実はこの図自体にあまり意味はないのよ。私も脳は専門じゃないし、父さんも昔の人。
ただ、父さんが言うには、自分が単語を「話し（発音し）」ながら、目で「見て」、耳で「聞いて」いる時には、脳の記憶する部分も、活性化するんだっていうの。
要するに、「目、口、耳」をフルに使っている時が、最も効率的に単語の学習ができるってこと。

T：なるほど、脳神経学的に正しそうな意見にも聞こえるね。

S：まぁ、私の父さんは、内科のお医者だったんだけど、それは気にしないで。

T：……。まぁ、僕が英語を学んだ時も、シャドーイング[2]とか音読が効果的だったし、読んだ本にも、最新の脳科学云々って書いてあったよ。普通に考えて、単語を「話し（発音し）」、「聞き」、目で「見て」、意味を「考える」のを同時にすることに効果がないはずがないよね。

S：そう、まずは自分がやることを信じることが大事よ。
とにかく、医療英単語を学習するには、「目、口、耳、すべてが脳に通じている」を常に心に留めておいて。
単語を構成する仕組みとこの「目と口と耳と脳を使った」学習法を身につけることで、あなたの医療英単語を100倍にする準備が整ったってわけ。
これからが本番よ。しっかり、ついてきて！！

T：了解。

S：それじゃ、まず『 ／ 』（スラッシュ）の意味から説明しないとね。

T：うん、さっきから気にはなっていたんだけど。この『 ／ 』には、どんな意味があるの？

S：これまで説明なしで、単語をこの『 ／ 』で区切ってきたけど、これはね、語根、接頭辞、接尾辞などの構成要素で区切っているの。たとえば、ある単語の要素が［ A ／ B ］のように書かれている場合、［ A ／ B ］は語根とその連結形を表しているのよ。

T：なるほど、Aは語根でありABは連結形になるってことだね？

軽くうなずきながら、次にソフィーは、紙に"megal/o"と書いて見せた。

S：トシ、じゃあ、これは？

T：megal/oか。[megal]が語根で、[megal/o]が連結形ってことだよね。[megal/o]は「巨大な」、「大きい」を意味している。

S：あら、よく知ってるわね。

T：いや、今から1800万年前くらいに生息していた巨大なサメに、メガロドン(megalodon)というのがいてね。これが、15メートル以上の大きさがあってさ、僕の憧れなんだ。

S：へぇ、意外な面があるのねぇ。
まぁ、いいわ。トシの言うとおり、megal/oは、[megal]が語根で、[megal/o]が連結形。「巨大な」、「大きい」を意味しているの。
これは推測だけど、おそらく、megalodonのdonは、歯状突起のdentに関連してる思うわ。
だから、体が大きいからというより、最初に発見されたのが「大きい歯」だったんじゃないかしら？
違う？

T：すごいな、ソフィー。

S：この学習法をマスターすれば簡単に類推できるようになるの。
とにかく、反復練習あるのみ。いつのまにか自転車に乗れたように、自然に答えが出るようになってくるわよ。「目、口、耳、脳」を忘れないで。じゃ、さっそく練習を始めましょう。

---

dermat/o の場合、[dermat]の部分は〔　　　　〕にあたります。
語根

[dermat]は『皮膚』に関する単語の語根です。
[dermat/o]は〔　　　　〕にあたります。
連結形

[dermat/o]は『皮膚』に関する単語に付く連結形です。
[dermat]もしくは[dermat/o]を見た場合には、すぐに『皮膚』を思い出すようにしてください。

dermat/o/log/ist は、医学におけるある分野の専門家を指します。この単語の一部から、「皮膚」の病気を専門としている人(皮膚科医、皮膚病学者)を表していることがわかりますね。

[acr/o]は『先端』に関係する単語を作るのに使われます。
[acr]は語根であり、[acr/o]が連結形です。これは人体の場合、『上肢および下肢(四肢)』にあたります。

「上肢」に関する単語を作るには〔　　　　〕を使います。
acro

「下肢」に関する単語を作るには〔　　　　〕を使います。
acro

とにかく、単語中に[acr/o]があれば、どの部分に使われていようが、『先端』ということを思い出してください。
acr/o/para/lysis(先端麻痺)、acr/o/megal/y(先端巨大症)、acr/o/cyan/osis(先端チアノーゼ)、acr/o/dermat/itis(先端皮膚炎)などの単語もすべて「先端」に関係があります。

[megal/o]には『巨大な』という意味があります。
[megal/o]を含む単語は、常に何か『巨大な、拡張した』ものを意味することになります。たとえば、acr/o/megal/y は先端が拡張していること、つまり「先端巨大症、末端肥大症」を意味します。

人体の上肢が肥大したことを意味する単語は〔　/　/　/　〕です。
acromegaly
acr/o/megal/y　アクロメガリィ｜先端巨大症、末端肥大症｜

acr/o/megal/y は人体の特殊な障害です。
症候としては頭蓋骨の一部や、四肢の骨などが拡張したりします。
これらの症候を持つ患者は〔　　/　　/　　〕と診断されます。

acromegaly

acr/o/megal/y　アクロメガリィ｜先端巨大症、末端肥大症｜

[y]は単語を名詞化するための接尾辞です。よって、acr/o/megal/y は名詞になります。

T：ちょ、ちょっと待ってよ、ソフィー。さっきから、何度も、同じ答えの質問ばかりされているような気がするんだけど…。

S：あら、ご不満？

T：不満というか、なんだか、非効率な気がするんだけど。そもそも、acromegalyなんか基礎タームだ。

S：この"しつこさ"が、この学習のもうひとつのポイントなの。父さんが言ってたわ。
「もうわかった、からのもう一押し」だよって。この「もうわかった」からのもう一押しが、記憶を定着させるんだって。根拠は経験則に頼るしかないけどね。いずれにしても、嫌なら…。

T：クビになればいいって？

S：父さんは、私が飽きないようにって、記憶を一押しする医学の解説も交えてくれたわ。古い知識で偏ってるなって思う時もあったけど、知識定着のプロセスには役に立ったと思う。
私も同じような解説をつけたりするけど、これは、最新の医療知識の習得じゃなくて、1週間で医療英単語の知識を100倍に増やすためのプロセスだってことを忘れないで！！

それ、違うんじゃない？という引っ掛かりもまた記憶の鍵になるかもしれないから。

---

acr/o/dermat/itis は、「皮膚の先端の炎症」を意味します。赤く炎症を起こした手をしている人は「先端皮膚炎」にかかっている可能性があります。
［acr/o］が『先端』を意味する連結形で、［dermat］が『皮膚』を示す語根になっています。

acr/o/dermat/itis　アクロダーマタイティス｜先端(肢端)皮膚炎｜

acrodermatitis は毒ツタの生えた土地に入った時に、引き起こされます。赤く炎症を起こした足をしている人は、〔　　/　　/　　/　　〕にかかっているかもしれません。
acrodermatitis
acr/o/dermat/itis　アクロダーマタイティス｜先端(肢端)皮膚炎｜

患者が手、腕、足や脚の炎症にかかっていることを、一言では"〔　　/　　/　　〕にかかっている"といいます。
acrodermatitis
acr/o/dermat/itis　アクロダーマタイティス｜先端(肢端)皮膚炎｜

S：ここまでで、何か気づいたことはある？

T：acr/o/dermat/itis に関してはもう、バッチリだってことかな。

S：本当に？ acr/o/dermat/itis について、気がついたことはない？

T：acr/o/dermat/itis は、四肢の皮膚の炎症ってことだよね。

うーん、ということは、この最後の[itis]は『炎症』を意味する接尾辞ってことになるのかな？

S：グレイト！！ よくそこに気づけたわね！！
acr/o/dermat/itisでは、単語の最後に付く「接尾辞」、つまり[itis]の部分が『炎症』を意味しているの。
こんなふうに医学用語は各要素が意味を持っていて、全体として単語の意味を決定しているのよ。この"頭"と"お尻"に、「自覚的」になれるかどうかが、この学習法で一番大事なことなの。

＊＊＊

[cyan/o]は『青い』または『青色』を意味する単語に使われます。
acr/o/cyan/osis は、先端が青いことを意味します。青い色が含まれていること示す語根は[cyan]、連結形は[cyan/o]です。

[osis]は単語を名詞化する接尾辞で、物事が『ある状態にあること』を意味します。よって、先端が青い状態を表すためには、[osis]という接尾辞を用います。
こうして、acr/o/cyan/osis は、「先端チアノーゼ」を意味します。

〔　／　／　／　　〕（先端チアノーゼ）は酸素不足が原因で起こります。通常、手足に至る酸素の量に関係しています。心臓が酸素を含んだ血液を手足まで十分に送らない場合に、この症状が起きます。
acrocyanosis
acr/o/cyan/osis　アクロサイアノーシス｜先端チアノーゼ｜

喘息のために、肺か血液中に十分な酸素を取り入れることができない場合、〔　／　／　／　　〕（先端チアノーゼ）が起こり得ます。
acrocyanosis
acr/o/cyan/osis　アクロサイアノーシス｜先端チアノーゼ｜

para/lysis は運動力の消失、つまり「麻痺」を意味する単語です。「先端の麻痺」を意味する複合語は〔　/　/　/　〕です。

acroparalysis
acr/o/para/lysis　アクロパラリシス｜先端麻痺(症)｜

『先端』を意味する接頭辞は〔acr/o〕でしたね。

〔dermat/o〕は『皮膚』を意味する連結形です。
たとえば、dermat/itis は「皮膚の炎症」という意味です。
『炎症』を表す接尾辞は〔itis〕です。dermat/itis は、「赤く炎症を起こした皮膚」という意味があります。皮膚が炎症を起こしている場合に、医師は〔　/　〕という単語を用います。

dermatitis
dermat/itis　ダーマタイティス｜皮膚炎｜

単語を分析してみましょう。
dermat/itis は〔　　　〕(〔dermat〕)の炎症(〔itis〕)を意味します。

皮膚

dermat/osis は、皮膚のある状態を意味します。この場合は、異常な皮膚の状態、つまり「皮膚病」を意味します。
〔osis〕は、物事が『ある状態にあること』を表し、名詞化する接尾辞でしたね。

dermat/osis　ダーマトーシス｜皮膚病、皮膚症｜

では、〔osis〕を使って、「青い状態」(=チアノーゼ)を意味する単語を作ってください。
〔　　　/　　　　〕

cyanosis
cyan/osis　サイアノーシス｜チアノーゼ｜

[tom] [tome] [ec/tom/y] [o/tom/y] は、必ず『切断』という意味と関連しています。これは「切断された一片」を意味する《tomos》というギリシア語を語源にしています。
[ec/tom/y]（切除）、[o/tom/y]（切開）などがその例です。

derm/a/tome は医療器具です。医師が顕微鏡で検査する際に、患者の皮膚の薄片を必要とする場合に〔　/　/　〕を使用します。
dermatome
derm/a/tome　ダーマトーム｜皮膚採取器、採皮刀｜

[derm/o] は『皮膚』に関係する単語を作る別の連結形です。
scler/o/derm/a は「皮膚が硬くなること」を示します。

sclero/derm/a　スクレロダーマ｜強皮症、硬皮症｜

[leuk/o] は『白色』を意味します。
医学用語には白色に関係するたくさんの単語が存在します。
何か白いものを言い表す時は [leuk] または [leuk/o] を用います。
leuk/o/derm/a という複合語では、『白色』を意味する部分は
〔　　　〕になります。
leuk または **leuko**

人によっては皮膚に白い部分があることがあります。これらの白い部分は〔　/　/　/　〕（白斑）と呼ばれることがあります。
leukoderma
leuk/o/derm/a　リューコダーマ｜白斑｜

cyt/o/log/y は「細胞の研究」を意味します。
この単語で『細胞』を意味する部分は [cyt/o] になります。

cyt/o/log/y　サイトロジィ｜細胞学｜

血液中にはいくつかの種類の細胞があります。
そのひとつは、leuk/o/cyt/e です。文字通りには白い細胞、すなわち「白血球」を指します。

leuk/o/cyt/e　リューコサイト｜白血球｜

leuk/o/cyt/o/penia は、「白血球の減少」を意味します。
『減少』を意味する部分は［penia］です。

leuk/o/cyt/o/penia　リューコサイトピーニア｜白血球減少（症）｜

《penia》は「貧困」にあたるギリシア語です。「白血球の減少」を意味する単語は〔　／　／　／　〕です。
leukocytopenia
leuk/o/cyt/o/penia　リューコサイトピーニア｜白血球減少（症）｜

人体が十分な白血球を生産しない場合、
その患者は〔　／　／　／　〕にかかっているといえます。
leukocytopenia
leuk/o/cyt/o/penia　リューコサイトピーニア｜白血球減少（症）｜

赤血球は erythr/o/cyt/e といいます。［erythr］が『赤色』を意味する語根で、連結形は［erythr/o］になります。
〔erythr/o/　／　〕の患者は赤血球が不足している状態です。
erythrocytopenia
erythr/o/cyt/o/penia　イリスロサイトピーニア｜赤血球減少（症）｜

leuk/em/ia という単語を聞いたことがありますか？
［ia］は名詞を作る接尾辞、《em》は「血液」を意味するギリシア語からきています。文字通りには白い血液、すなわち「白血病」を意味する単語です。

〔　/　/　〕（白血病）は血液が実際に白くなるのではなく、血液中に白血球が多くなりすぎる症状をいいます。

leukemia
leuk/em/ia　リューキーミア｜白血病｜

acr/o/megal/y という単語において、『大きい』にあたる語根は[megal]でしたね。[megal]の連結形は[megal/o]になります。

[cardi/o]は『心臓』に関する単語の連結形です。
megal/o/cardi/a は心臓が異常に拡張すること、つまり「心臓肥大」を意味します。何らかの原因で心臓が大きくなりすぎた場合、"〔　/　/　〕になる"といいます。

megalocardia
megal/o/cardi/a　メガロカーディア｜心臓肥大｜

心臓肥大は心筋に関係があります。
どの筋肉でも運動すれば、より大きくなっていきます。もし心筋の運動が過大であれば〔　/　/　〕が起こるでしょう。

megalocardia
megal/o/cardi/a　メガロカーディア｜心臓肥大｜

酸素供給が不十分な場合、心筋に拍動数を高めさせることになります。不十分な酸素量は〔　/　/　〕の原因となる可能性があります。

megalocardia
megal/o/cardi/a　メガロカーディア｜心臓肥大｜

ひどい喘息が長く続くと、酸素の供給が止まることもあります。このような喘息は、もし発作が止まらないと〔　/　/　〕の原因となり得ます。

megalocardia
megal/o/cardi/a　メガロカーディア｜心臓肥大｜

megal/o/gastr/ia は、「大きな胃または拡張した胃」を意味します。
[megal]は『大きい』ことを、そして[gastr]は『胃』を意味する語根です。
[ia]は名詞を作る接尾辞です。

megal/o/gastr/ia　メガロギャストリア｜巨大胃症｜

胃が大きすぎて他の器官を圧迫すると、〔　/　/　/　〕として知られる、好ましくない状態になります。
megalogastria
megal/o/gastr/ia　メガロギャストリア｜巨大胃症｜

[ia]は『状態』を意味する名詞接尾辞です。
megal/o/gastr/ia が起こった場合、好ましくない"状態"が存在することになります。

man/ia は《mania》というギリシア語がそのまま残った単語で、「狂気の状態」を表す名詞です。よって、精神障害を表す単語の多くは mania を含む複合語になります。
mania が名詞であり、『状態』を表すことを教えてくれる接尾辞は〔　　　〕です。
ia

megal/o/man/ia は患者が妄想もしくは高遠な思想を抱く精神障害の症状です。もし、患者がひとりでに非常に肥大化した判断や評価をするような場合、その患者は〔　/　/　/　〕を現している可能性があります。
megalomania
megal/o/man/ia　メガロメイニア｜誇大妄想｜

megal/o/man/ia に取りつかれた人たちは、たとえば「私は神だ」とか「イエス・キリストだ」などと主張します。

こうした患者の症状のひとつは〔　/　/　/　〕と呼ばれます。
megalomania
megal/o/man/ia　メガロメイニア｜誇大妄想｜

megal/o/card/ia は「心臓肥大」を意味する単語でしたね。
[cardi]は『心臓』にあたる語根です。[cardi/o]は『心臓』に関する単語を作るのに使われる連結形です。
たとえば、card/itis は「心臓の炎症」を意味します。
[itis]は『炎症』を表す接尾辞です。

card/itis　カーダイティス｜心臓炎｜

[log/y]および[log/ist]は語根＋接尾辞（語尾）で、全体で1つの接尾辞として単語の最後に付き、それぞれ意味の違いを表すことができます。たとえば、
logos（「研究」を意味するギリシア語）
▶〜 log/y（〜の研究〈名詞〉）　▶〜 log/ist（〜の研究者〈名詞〉）
となります。

cardi/o/log/ist は〔　　　　〕の病気の研究をしている専門家です。
心臓
cardi/o/log/ist　カーディオロジスト｜心臓病専門医｜

cardi/o/log/ist は心臓病の診断をする人物です。心臓に変形あるいは欠陥があると判定する専門家は、〔　/　/　/　〕です。
cardiologist
cardi/o/log/ist　カーディオロジスト｜心臓病専門医｜

cadi/o/log/ist は心臓内の血流の異常を発見する専門の医者です。心臓にカテーテルを挿入する専門医は〔　/　/　/　〕です。
cardiologist
cardi/o/log/ist　カーディオロジスト｜心臓病専門医｜

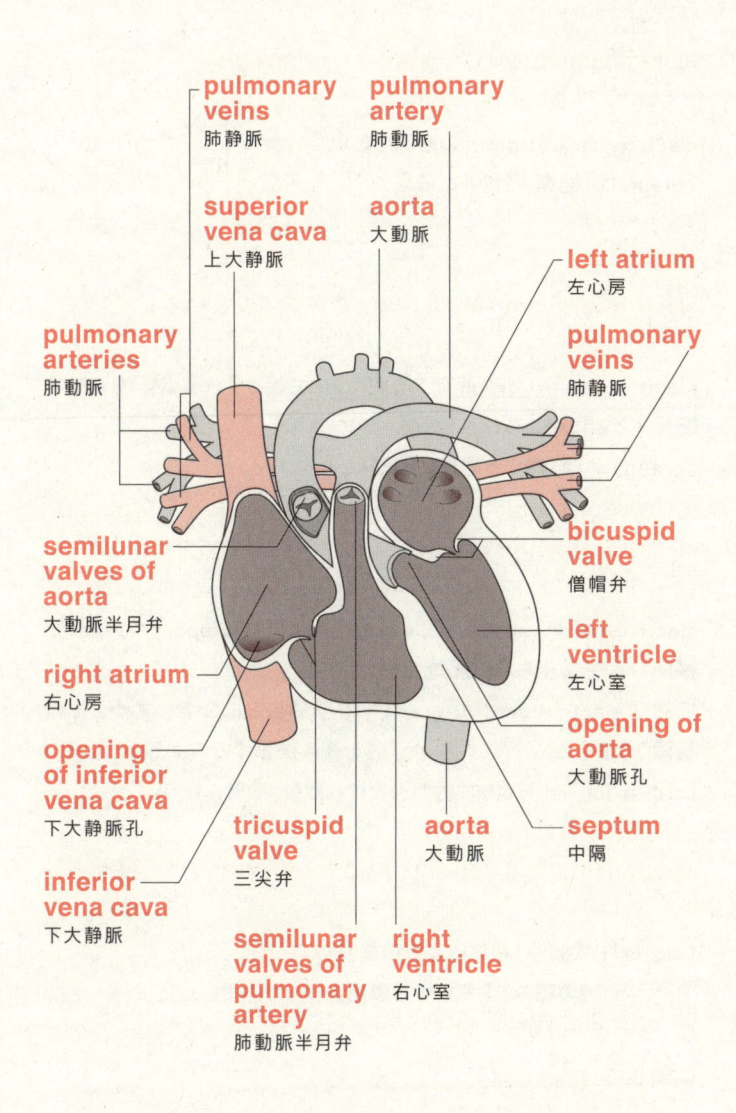

pulmonary veins 肺静脈

pulmonary artery 肺動脈

superior vena cava 上大静脈

aorta 大動脈

left atrium 左心房

pulmonary arteries 肺動脈

pulmonary veins 肺静脈

bicuspid valve 僧帽弁

semilunar valves of aorta 大動脈半月弁

left ventricle 左心室

right atrium 右心房

opening of aorta 大動脈孔

opening of inferior vena cava 下大静脈孔

tricuspid valve 三尖弁

aorta 大動脈

septum 中隔

inferior vena cava 下大静脈

semilunar valves of pulmonary artery 肺動脈半月弁

right ventricle 右心室

---

the heart 心臓

〔   /   /   〕は electr/o/cardi/o/gram を読みます。
cardiologist
cardi/o/log/ist　カーディオロジスト｜心臓病専門医｜

electr/o/cardi/o/gram の意味を書いてください。
[gram]は『記録』を意味します。
〔   〕
心電図
electr/o/cardi/o/gram　エレクトロカーディオグラム｜心電図｜

electr/o/cardi/o/graph は、心臓によって起こされる電気的波動を記録するのに用いられる「計器」です。
[graph]が『記録する器具』を意味します。

electr/o/cardi/o/graph　エレクトロカーディオグラフ｜心電計｜

electr/o/cardi/o/gram は、electr/o/cardi/o/graph/y（心電図記録法）によって得られた記録です。
技師は electr/o/cardi/o/graph/y を学ぶことはできますが、その基礎となる〔   /   /   〕を読み診断するのは、cardi/o/log/ist によって行われなければなりません。
elctrocardiogram
electr/o/cardi/o/gram　エレクトロカーディオグラム｜心電図｜

[alg/ia]は『痛み』を意味する接尾辞です。
では、「心臓の痛み」を意味する単語を作ってみましょう。
〔   /   /   〕
cardialgia
cardi/alg/ia　カーディアルジア｜心臓痛｜＝cardiodynia

ちなみに、gastr/alg/ia は「胃の痛み」を意味します。

megal/o/gastr/ia は「巨大胃症」を表す単語でしたね。
[gastr/o]は〔　　　〕を意味する連結形です。
胃
megal/o/gastr/ia　メガロギャストリア｜巨大胃症｜

gastr/ec/tom/y は、「胃の全部もしくは一部の切除」を意味します。
[ec/tom/y]は、接尾辞として用いることができます。[ec/tom/y]は『切除』を意味します。

gastr/ec/tom/y　ギャストレクトミィ｜胃切除(術)｜

gastr/ec/tom/y は外科的手法です。
胃潰瘍が進んだ場合、部分的な〔　／　／　〕の必要があることを医師は患者に知らせることになるでしょう。
gastrectomy
gastr/ec/tom/y　ギャストレクトミィ｜胃切除(術)｜

胃ガンの場合は、〔　／　／　〕を行うことが多くなります。
gastrectomy
gastr/ec/tom/y　ギャストレクトミィ｜胃切除(術)｜

では、「胃の炎症」を意味する単語を作ってください。
〔　　　／　　　〕
gastritis
gastr/itis　ギャストライティス｜胃炎｜
[itis]は『炎症』を表す接尾辞でしたね。

[duoden/o]は小腸の開始の部分、つまり『duoden/um（十二指腸）』に関する単語に用いられる連結形です。
duoden/um は胃と連結する小腸の部分を指します。

duoden/um　デュオデナム｜十二指腸｜

gastr/o/duoden/os/tom/y は、胃と十二指腸との間に新しい口（通路）を形成することを意味します。
[os/tom/y]は、『口をつくること』を意味する接尾辞として用います。

gastr/o/duoden/os/tom/y
ギャストロデュオディノストミィ｜胃十二指腸吻合（術）｜

[ostomy]をさらに分解してみましょう。
osti ＝口（通路）　　**tom/e** ＝切除　　**y** ＝〈名詞接尾辞〉

このように、[os/tom/y]は、『切ることによって口（通路）をつくること』を意味します。

外科医が十二指腸と胃の間の生来の連結部分を切除し、その後、新しい連結を行う場合、〔　／／　／／　／　〕をしていることになります。

gastroduodenostomy
gastr/o/duoden/os/tom/y
ギャストロデュオディノストミィ｜胃十二指腸吻合（術）｜

gastr/o/duoden/os/tom/y は外科的手法です。幽門括約筋、つまり胃から十二指腸へ行く食物量を調整する弁が機能を失った場合、〔　／／　／／　／　〕が行われることになります。

gastroduodenostomy
gastr/o/duoden/os/tom/y
ギャストロデュオディノストミィ｜胃十二指腸吻合（術）｜

小腸の開始の一部分が癌のため切除された場合、連結して新しい開口部をつくるため〔　／／　／／　／　〕を行わなければなりません。

gastroduodenostomy
gastr/o/duoden/os/tom/y
ギャストロデュオディノストミィ｜胃十二指腸吻合（術）｜

[o/tom/y]は、接尾辞として用いることができます。
これは直接語根に結びつきます。
たとえば、duo/den/o/tom/yは「duoden/um(十二指腸)の切開」を意味します。

duo/den/o/tom/y　デュオデノトミィ｜十二指腸切開(術)｜

duo/den/o/tom/yの単語の要素で、『切開』にあたる接尾辞は
〔　　　　〕です。
otomy

[o/tom/y]は『切開』を意味する接尾辞です。
duoden/umの内壁から腫瘍を取り除かなければならない場合は、
〔　／　／　／　〕が行われます。
duodenotomy
duoden/o/tom/y　デュオデノトミィ｜十二指腸切開(術)｜

外科医によるduoden/umの切開は、〔　／　／　／　〕を行っていると言い表します。
duodenotomy
duoden/o/tom/y　デュオデノトミィ｜十二指腸切開(術)｜

『炎症』にあたる接尾辞は[itis]です。
医師が十二指腸の症状をあげ、炎症にかかっていると言いたい場合には〔　／　〕という単語を用います。
duodenitis
duoden/itis　デュオディナイティス｜十二指腸炎｜

duoden/alは形容詞です。
[al]は形容詞接尾辞で、『〜に属する』『〜に関する』を意味します。

duoden/al　デュオディナル｜十二指腸の｜

1

duoden/al ulcer および duoden/al lesion という用語において形容される名詞は、ulcer と〔　　　〕です。

lesion

duoden/al ulcer　デュオディナル・アルサー｜十二指腸潰瘍｜
duoden/al lesion　デュオディナル・リージョン｜十二指腸病変｜

次の文章において、「duodenum に属する」という意味を表す形容詞は〔　　　〕です。
"Duodenal carcinoma was present."（十二指腸癌が存在した。）

duodenal

duoden/al　デュオディナル｜十二指腸の｜

duoden/um の形容詞形は〔　　　〕です。

duodenal

duoden/al　デュオディナル｜十二指腸の｜

接尾辞〔os/tom/y〕は、『新しい口（通路）をつくること』を意味します。duoden/um に新しい口をつくることを意味する単語は
〔　／　／　／　〕です。

duodenostomy

duoden/os/tom/y　デュオディノストミィ｜十二指腸開口（術）｜

duoden/os/tom/y には別の言い方もあります。もし、新しい口（通路）を胃との間につくるとすれば、〔　／　／　／　〕を行うことになります。

gastroduodenostomy

gastro/duoden/os/tom/y
ギャストロデュオディノストミィ｜胃十二指腸吻合（術）｜

『新しい口（通路）をつくること』を表す接尾辞は〔　　　〕です。

ostomy

＊＊＊

　普段していない頭の使い方をするとかなり疲れるもので、僕は自宅のマンションに戻ると、そのままソファーにへたり込んでしまった。
　今日はここまでにしましょうと言いながら、ソフィーが渡してくれた小さな紙袋。ガラスのテーブルの上でゆっくりと開くと、ハーブティーが入っていた。
　彼女がセレクトしてくれたもののようで、疲れているだろうからリラックスできるようにとの一言と美味しい入れ方が割と詳細に書かれたメッセージカードが添えられていた。

　詰め込みすぎて、cyanosisみたいな顔色になっているわよ、別れ際、お礼の夕食に誘った僕にそう言うと、彼女は笑いながら駆け足で帰っていった。

　時計を見るともう夜の9時になろうとしている。

　彼女は、もう一度ラボへ戻ると言っていたっけ。
　そういえば、彼女の担当するプロジェクトもなかなかいい結果が出ていないって話だ。

　僕のように特殊な状況でなくても、専門用語を短期間で身につけなければいけないような立場の人間もいるだろう。
　僕もどちらかといえば、日本人特有の、読めるけれどしゃべりは苦手のタイプに属する。
　それなりの医療英単語はすでに記憶している僕にしても、単純明快な力業だけに、ソフィーのレッスンは効果を実感できた。
　これが初めて医療英単語を学ぶ人間なら、より成果を実感することが出きるだろう。正直、僕としては、この歳になってポスドクの立場で一体何をやっているんだろうという気分はぬぐえない。
　アメリカでは上司との折合いに気をつけろとあれほど言われていたのにもかかわらず、型通りの状況に陥っている自分を省みて、

さらに落ち込んだ。

　しかし、ソフィーは、なぜこんなふうに僕を助けてくれるのだろう。
　捨てる神あれば…というものだろうか。
　胸の奥がチクリと痛んだ。なんだか遠い昔に感じたことがある痛みだ。
　これをcarditisとはいわないことぐらいは、こんな僕でもわかる。

『また、明日ね。』

　ソフィーの別れ際の言葉が特別な意味にも聞こえてしまうのは、遠い異国でひとり、逆境に置かれた寂しい独身男としては健全な反応といっていいだろう。
　まぁ、彼女とは何の約束もなくても、明日職場で顔を合わせるんだけれど。
　何はともあれ明日も頑張らないといけない。
　ソフィーと過ごす時間はあっという間に過ぎるけれど、1週間後には、その明日が来なくなるのかもしれないのだから。

　僕はソファーから立ち上がると、ハーブティーの袋をつかんでキッチンへと向かった。そして、やかんを火にかけると、ダイニングテーブルの上のノートPCの電源を入れた。

　僕の毎晩のルーチンワーク。
　日本からのメールと日本のニュースのチェック、そして、似たような留学をしている日本人たちのブログを見て回るのだ。留学中の独身男性の夜のお供はインターネットと相場が決まっている。
　そんなに酒を飲まない僕の夜の時間に、リラックスのためのハーブティーが加わった。
　穏やかな香りが狭い室内を満たし、確かに肩の力が抜けるような気がした。
　集中した後のリラックス、効果的な学習には、このメリハリが大事

なのはよくわかる。
　ソフィーの袋には、数種類のハーブが入っていた。
　これからの1週間、効率的な学習のためにも、ソフィーのカードに書かれた飲み方を試してみるとしよう。

1) アンドレ・モーロワ (André Maurois)
　フランスの小説家、歴史家 (1885年7月26日〜1967年10月9日)。小説、歴史、評論、伝記とさまざまな作品を残す。本名はエミール・サロモン・ヴィレルム・エルゾグというそうな。本書のエピソードはベルリッツの世界言葉百科 (新潮選書, 1983年) からの孫引きのため、正確な出典は不明。第一次世界大戦には英語通訳官として出征しているらしく、その時に得た知識だろうか。

2) シャドーイング (shadowing)
　英語学習法のひとつ。耳と口を鍛えると同時に、反応速度に磨きをかける訓練方法で、聴き取った英語をテキストを見ないで間髪入れずにすぐ後から繰り返していく。

ソフィーのハーブティーレシピ ＜第1回＞
ジャーマンカモミールティー

　ジャーマンカモミールの花言葉をご存知ですか？
　実は『逆境のエネルギー』といいます。このハーブは育てる時に踏めば踏むほどよく育つということからつけられたそうです。

　ハーブティーの入れ方は基本的にみんな一緒で、普通のお茶を入れる場合と大差ありません。1人分なら小さじ一杯、3〜5分で部屋中にハーブの香りが広がります。

　ジャーマンカモミールは、美しい青リンゴのような透明な黄緑色。その色にふさわしいさわやかなリンゴの香りが広がります。不眠やイライラした気分を解消するときにお勧めのリラックスハーブです。

　急なストレスに見舞われたり、仕事続きでまさにトシのような『逆境』にある人。学生でもつめ込み型の学習はストレスがたまるでしょう。お仕事をしながらの勉強であればなおさら…。
　本書の効率的な学習にも、ストレス緩和が重要です。
　ただし、消化促進、抗炎症作用…等々いわれていますがハーブは薬ではありませんので、ソフィーとしては香りでリラックスする切り替えのスイッチとして利用してほしいものです。

①ティーポットに人数分のハーブを入れます

②沸騰したてのお湯を静かに注ぎます

③ふたをして、3～5分間蒸らします

④茶こしを使って、カップに注ぎます

　さわやかな香りを嗅ぐだけでたまっていた疲れが取れる…、それを実感することができると思います。
　ストレートもよいですが、ソフィーは、疲れがたまってなかなか寝つけないときにミルクカモミールティーにして飲むこともありますよ。

2

2日目「神は空を作り、僕は空っぽな胸を満たす。」

　朝9時からラボへ出かけ、自分に与えられたプロジェクトを淡々とこなしてみた。
　ソフィーのハーブティーのおかげか、意外な快眠だったのだ。TVショッピングのようにあくまで"個人の感想"だが、プラセボ[1]にしても、香りのリラックス効果は確かにありそうだ。
　まぁ、別にハーブティーじゃなくてもいいから、神経を休ませるスイッチを入れることは大事なんだということだろう。

　半ば解雇通告を受けたような状態だが、IDカードもそのままだし、無菌室への出入りも制限はない。まぁ、やりかけの実験は山積みということもある。
　ほとんど保障がない立場のポスドクだが、研究技術者として途中の実験を投げ出す度胸も無責任さも生憎持ち合わせていないのだ。
　今日はボスが報告会で留守ということはわかっていたので、後ろ向きとは思いつつも、少しは気が楽だった。
　皮肉なことに、ボスが言うところの僕とコミュニケーションが取りにくいはずの同僚たちと和やかな会話を楽しみながら、順調に実験を進めることができ、既定の時間にラボを出ることができた。
　どうやら僕がボスからいきなりの最後通告を受けたことは、誰も知らないようだった。

　ソフィーの提案で、今日からラボから離れたところで、レッスンをすることになっている。二人でいるところをラボの仲間に見られて誤解されたくないってことだろうか。
　まぁいい。
　確かに、クビになりかけの男に肩入れしているのをボスに見られたら、彼女の立場も危ういかもしれない。
　客観的に見て、僕はかなりひどい状況にあるもの。僕だって、間違っても、ニューヨークで就職活動なんてしたくないし。

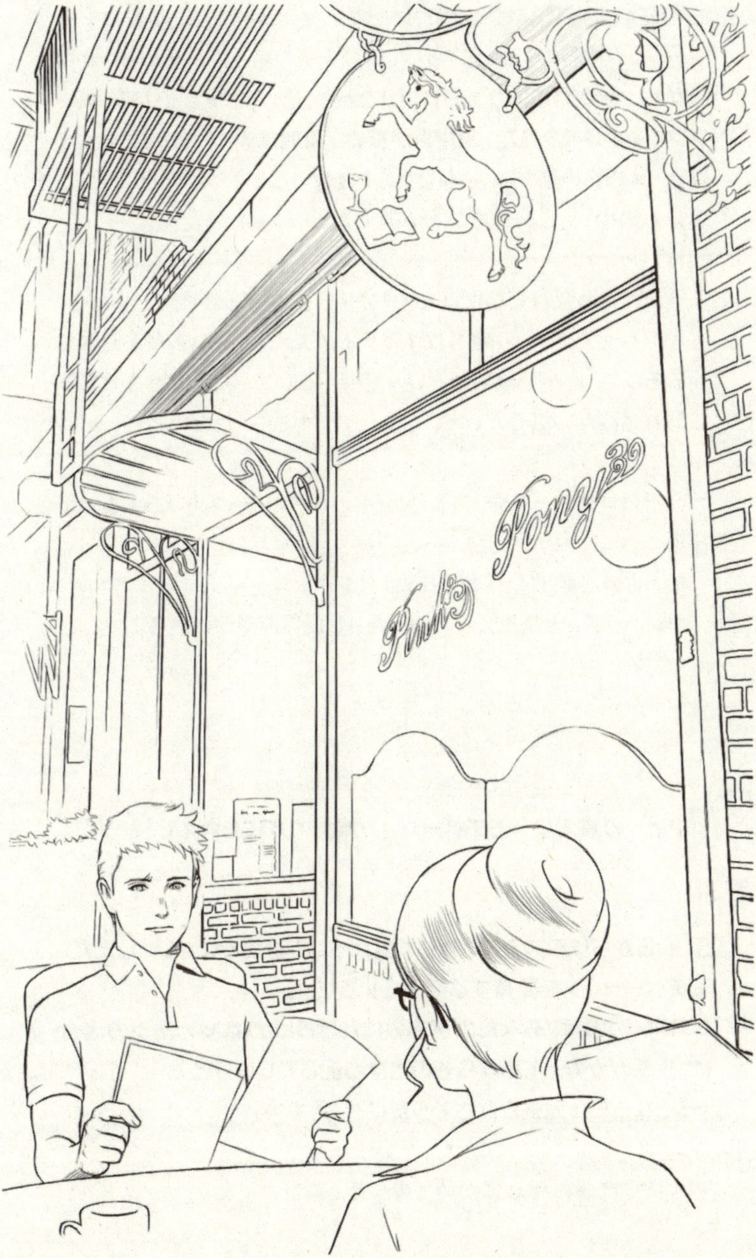
Pink Pony

解雇の危機と、美女の個人レッスン。もしかすると、学習のモチベーション維持の「飴と鞭」としては最上級の組み合わせかもしれないなどと、僕は自虐的な気分に浸りながら、僕よりも少しだけ背の高いソフィーの足元を見た。集中力が重要な研究施設で、音を立てるようなヒールの高い靴を履くような女性じゃないことはよくわかっている。
　ほんの少し、自虐的な気分が増した。

　今日の待ち合わせ場所は、ロウアー・イースト・サイド。
　マンハッタンという地名はネイティブアメリカンの言葉からきているそうで、皆が酔う場所という意味らしい。いっそ大酒を食らって倒れ込みたい気分だけど、そういうわけにもいかない。

　今日はロウアー・イースト・サイドのルドロー・ストリートまで足を運ぶ。
　最も古い老舗的存在のカフェ「ピンクポニー」。
　マンハッタンとは思えないゆったりした雰囲気が流れる。

＊＊＊

ソフィーの教え②　モチベーション維持の方法を考えて！！

**S : 今日からはシステムで新しく覚えることは出てこないわ。ただ、モチベーションを維持する努力をするだけ。
こればっかりは、あなたの意志力にかけるしかないわ。トシの場合は、生活がかかってるからその点は心配してないけど…。
トシ、なんだか元気がなさそうだけど、大丈夫？**

T : いや、自分の将来について少し考えただけだよ。

S : 6日後だって、"近い将来"よ。さぁ、どんなときもモチベーション

が大事よ。どんなにいい学習法だって、やる気が折れてはだめ。トシ、あなたは、こんなことでクビになっていいの?

T:OK。ありがとう、ソフィー。

S:じゃ、復習も兼ねた肩慣らしから始めましょ。まず意味がわからなくてもいいから、目の前の要素から単語を作ってみて。

T:やってみよう。

次の要素から単語を作ってください。

【encephal/o】【itis】
〔   /   〕
encephalitis
encephal/itis　エンセファライティス｜脳炎｜

【encephal/o】【malac/o】【ia】
〔   //   /   〕
encephalomalacia
encephal/o/malac/ia　エンセファロマレイシア｜脳軟化(症)｜

【encephal/o】【mening/o】【itis】
〔   //   /   〕
encephalomeningitis
encephal/o/mening/itis　エンセファロメニンジャイティス｜脳髄膜炎｜

【encephal/o】【myel/o】【path/o】【y】
〔   //   //   /   〕
encephalomyelopathy
encephal/o/myel/o/path/y　エンセファロマイエロパシィ｜脳脊髄障害｜

S:とりあえずの肩慣らしは済んだかしら? じゃ、どんどん進めていくわね。

* * *

接頭辞は単語の前に付いて、単語全体の意味を変えることができます。たとえば、hyper/troph/y、hyper/em/ia、hyper/emes/is では、接頭辞[hyper]はそれぞれ trophy、emia、emesis の意味を変えます。この場合、[hyper]を接頭辞と呼びます。

[hyper]は『正常なものを超えた』『正常以上の』『過剰な』という意味の接頭辞です。たとえば、あまりにも批判的(critical)すぎる人には hyper/critical という単語を用います。

hyper/thyroid/ism(甲状腺機能亢進症)は thyroid gland(甲状腺)の過剰な活動を意味します。
thyroid gland の過剰分泌している状態を表す接頭辞は
〔   〕です。
hyper

[hyper]は『過剰』を表す接頭辞、と覚えましょう。

emes/is は「嘔吐(vomiting)」を意味する単語です。
「過度の(度重なる)嘔吐」を意味する単語は〔   /   /   〕です。
hyperemesis
hyper/emes/is ハイパーエメシス|悪阻(おそ)|

hyper/emesis gravidarum(妊娠悪阻(おそ))は、入院による加療を要する妊娠時の併発症です。この症状として激しい嘔吐が起こることを
〔   /   /   〕といいます。
hyperemesis
hyper/emes/is ハイパーエメシス|悪阻|

胆嚢の疾患も度重なる嘔吐を引き起こします。これも〔　　/　　/　　〕
と称されます。
hyperemesis
hyper/emes/is　ハイパーエメシス｜悪阻｜

[troph/o]は『栄養』に関する連結形で、ギリシア語からきています。
「栄養過度による肥大」は〔　　/　　/　　〕と称されます。
hypertrophy
hyper/troph/y　ハイパートロフィ｜肥大、肥厚、栄養過度、過栄養｜

多くの器官は肥大化する可能性があります。心臓が腫瘍形成によらず
肥大している場合、その状態を心臓の〔　　/　　/　　〕といいます。
hypertrophy
hyper/troph/y　ハイパートロフィ｜肥大、肥厚、栄養過度、過栄養｜

[hypo]は、ちょうど[hyper]と正反対の意味の接頭辞です。
『正常以下の』『不全』『欠損』などを意味します。
たとえば、hypo/genesis は「発育不全」を意味します。

hypo/genesis　ハイポジェネシス｜発育不全(症)｜

hypo/genesis は多くの身体組織において起こります。
発育が不十分な場合には、〔　　/　　〕を患っていることになります。
hypogenesis
hypo/genesis　ハイポジェネシス｜発育不全(症)｜

[derm/o]は『皮膚』に関する連結形で、[ic]は形容詞を作る接尾
辞です。hypo/derm/ic は「皮膚の下の」という意味の形容詞になり
ます。

hypo/derm/ic　ハイポダーミック｜皮下の｜

hypo/derm/ic において、接頭辞は〔　　　〕で、その意味は『以下の』または『下の』です。接尾辞は[ic]で、形容詞であることを表しています。
hypo

皮下注射の針は、皮膚のすぐ下に注射するために短くできています。表面下に浅く行う注射は〔　/　/　〕needle を使用します。
hypodermic
hypo/derm/ic　ハイポダーミック｜皮下の｜

[hypo]は『以下の』または『下の』を表す接頭辞です。一方、[ic]という接尾辞は、単語を形容詞にします。

* * *

[aden/o]は『腺』に関する単語に用いられます。
その語根は[aden]であり、連結形は[aden/o]です。

[aden/o]を用いて、「腺の炎症」を意味する単語を作ってください。
ヒント：語根＋接尾辞のルールを思い出しましょう。
〔　　　/　　　〕
adenitis
aden/itis　アデナイティス｜腺炎｜

[itis]は『炎症』を表す接尾辞でしたね。

aden/ectom/y は、「腺の切除」を意味します。
『切除』を意味する部分は[ectom/y]、『腺』を意味する部分は[aden]です。
こうして、「腺の切除」を意味する単語は〔　//　/　〕になります。
adenectomy
aden/ec/tom/y　アデネクトミィ｜腺切除(術)｜

aden/ec/tom/y は外科的手法です。

もし腺に腫瘍ができた場合、その一部もしくは全部を切除する
〔　／　／　／　〕を行うことが多くなります。

adenectomy
aden/ec/tom/y　アデネクトミィ｜腺切除(術)｜

[oma]は『腫瘍(tumor)』にあたる接尾辞です。
[oma]を用いて、「腺の腫瘍」を意味する単語を作ってください。
ヒント：語根＋接尾辞のルールを思い出しましょう。
〔　　／　　〕

adenoma
aden/oma　アデノーマ｜腺腫｜

甲状腺が aden/oma になることがあります。この場合、患者の病歴には、次のように書かれるでしょう。
"…hyperthyroidism noted due to presence of a thyroid〔　／　〕."
(…甲状腺機能亢進症が甲状腺腫の存在により認められた。)

adenoma
aden/oma　アデノーマ｜腺腫｜

thyroid〔　①　〕(甲状腺腫)が発見された場合には、部分的な
〔　②　〕(腺切除)が行われます。

① adenoma　② adenectomy
thyroid aden/o/ma　サイロイド・アデノーマ｜甲状腺腫｜
aden/ec/tom/y　アデネクトミィ｜腺切除(術)｜

[path/o]は『疾患』を表す連結形です。
aden/o/path/y は「腺の疾患」を意味します。連結形＋語根＋接尾辞で構成されています。

aden/o/path/y　アデノパシィ｜腺症｜

発病した腺について診断が行われた結果、特定の病名がわからなかったり、表明されなかった場合に用いられる単語は
〔　/　/　〕です。

adenopathy
aden/o/path/y　アデノパシィ｜腺症｜

腺が軽度の炎症を起こしていること(adenitis)が発見された場合、
〔　/　/　〕(腺の切除)が指示されることはまずありません。

adenectomy
aden/ec/tom/y　アデネクトミィ｜腺切除(術)｜

aden/oma は「腺腫」です。[oma]は『腫瘍』にあたる接尾辞です。
一方、lip/oma は「脂肪を含んだ腫瘍」です。
[lip/o]は『脂肪』にあたる連結形です。
〔　/　〕が悪性(癌性)のことはほとんどありません。

lipoma
lip/oma　リポーマ｜脂肪腫｜

[carcin/o]は『癌』にあたる連結形です。
よって、carcin/oma は文字通り「癌腫」にあたります。
carcin/oma はほとんど身体のどの部分にも発生する可能性があります。

胃の癌は gastric〔　/　〕といいます。

carcinoma
carcin/oma　カーシノーマ｜癌腫｜

血流は carcin/oma を身体の他の部分に運びます。intestine(腸)は多量の血液の供給を受ける所であり、intestinal〔　/　〕(腸の癌)はきわめて危険です。

carcinoma
intestinal carcin/oma　インテスティナル・カーシノーマ｜腸の癌｜

spleen(脾臓)の癌は splenic 〔　/　〕といいます。
carcinoma
splenic carcin/oma　スプレニック・カーシノーマ｜脾臓癌｜

tonsil(扁桃)の癌は tonsillar 〔　/　〕です。
carcinoma
tonsillar carcin/oma　トンシラー・カーシノーマ｜扁桃癌｜

duodenum(十二指腸)の癌は duodenal 〔　/　〕です。
carcinoma
duodenal carcin/oma　デュオディナル・カーシノーマ｜十二指腸癌｜

『脂肪』にあたる連結形は[lip/o]でした。
では、『〜様』『類似』を意味する[oid]という接尾辞を用いて、
「脂肪様 または 類脂肪」という意味の単語を作ってください。
〔　　/　　　〕
lipoid
lip/oid　リポイド｜類脂｜
※"類脂"は、現在生化学領域では使われない。脂質と同義語。

muc/oid は「粘液(mucus)に類似した、粘液様の」を意味します。
[oid]は、『類似した』『〜様の』を意味する接尾辞でしたね。

muc/oid　ミューコイド｜ムコイド、ムコ蛋白｜

muc/oid の語根は[muc]です。
連結形は〔　　/　　〕となり、『粘液』を意味します。
muco

muc/oid は「粘液様の」という意味の形容詞で、結合組織の中に粘液
様の物質があることを意味します。

人体内には粘液様の蛋白質があります。この蛋白質は、性質上〔　／　〕と呼ばれます。

mucoid
muc/oid　ミューコイド｜ムコイド、ムコ蛋白｜

あらゆる粘液様のものは〔　／　〕と称されます。

mucoid
muc/oid　ミューコイド｜ムコイド、ムコ蛋白｜

muc/us は、muc/ous membrane（粘膜）の分泌物です。
[us]は名詞を作る接尾辞であり、[ous]は形容詞を作る接尾辞です。

muc/ous membrane は〔　／　〕を分泌します。

mucus
muc/us　ミューカス｜粘液｜

粘液は鼻の細胞から分泌され、空中の塵埃や細菌を防ぎます。
つまり、〔　／　〕は身体の保護手段のひとつといえます。

mucus
muc/us　ミューカス｜粘液｜

muc/ous membrane は、身体の開口部の内膜として存在し、保護の働きをします。muc/osa ともいわれます。

muc/osa　ミューコサ｜粘膜｜

＊＊＊

[laryng/o]は『larynx（喉頭）』に関係する単語を作るのに用いられる連結形です。
語根は[laryng]です。

[laryng/o]を用いて、「喉頭の炎症」を意味する単語を作ってください。
〔　　　　／　　　　〕

ヒント：『炎症』を表す接尾辞は？

laryngitis
laryng/itis　ラリンジャイティス｜喉頭炎｜

laryng/alg/ia は「喉頭の痛み（laryngeal pain）」を意味します。
[laryng]は語根です。
『痛み』にあたる接尾辞は〔　　　　〕です。

algia

ひどい風邪をひいて、患者が痛みを伴った laryng/itis（喉頭炎）になることがあります。喉頭の痛み、つまり「喉頭痛」は〔　　／　　／　　〕と呼ばれます。

laryngalgia
laryng/alg/ia　ラリンギャルジア｜喉頭痛｜

喉頭の癌や喉頭の神経の炎症は〔　　／　　／　　〕の原因となります。

laryngalgia
laryng/alg/ia　ラリンギャルジア｜喉頭痛｜

[os/tom/y]は『開口部をつくる』という意味を持つ接尾辞でした。
laryng/os/tom/y は、「喉頭に新しく開口部をつくること」を意味します。呼吸や発声のために新しい空気源が必要な場合、
〔　　／　　／　　／　　〕（喉頭開口術）が行われます。

laryngostomy
laryng/os/tom/y　ラリンゴストミィ｜喉頭開口(術)｜

鼻から喉頭への空気の流れが遮られると、〔　　／　　／　　／　　〕（喉頭開口術）が必要となります。

laryngostomy
laryng/os/tom/y　ラリンゴストミィ｜喉頭開口(術)｜

[os/tom/y]は『新しい開口部を永久的につくること』も意味します。永久的開口部が首を貫通して喉頭へつくられた場合、〔　／　／　／　〕（喉頭開口術）が行われたことになります。

laryngostomy

laryng/os/tom/y　ラリンゴストミィ｜喉頭開口(術)｜

laryng/os/tom/y において、『新しい開口部』にあたる接尾辞は〔　　　〕です。

ostomy

* * *

S：トシ、大丈夫？ そろそろ、頭が痛くなってきたんじゃない？

T：ん〜。まぁまぁかな。まだ、ティーブレークが必要なほどじゃないよ。

S：そう。ちなみに、頭の痛みは cephal/alg/ia ね。この場合、頭を示す語根はわかる？

T：cephal だろ。cephal(頭)＋ alg/ia(痛み)＝ cephal/alg/ia で、頭痛さ。
そして、僕の頭痛の種は、ポスドクの雇用安定と格差の問題さ。

S：私の経験から言うとね、3日目あたりで、頭痛に悩まされてくるの。でも、そこが山場で、理解できる用語とその単語構成システムを理解していくに従って、だんだん気持ちよくなってくるはずよ。

* * *

『頭』にあたる連結形は [cephal/o] です。

「頭部の痛み」を意味する単語を作ってください。
〔　　　　/　　　　/　　　　〕
ヒント：『痛み』を表す接尾辞は？

cephalalgia
cephal/alg/ia　セファラルジア｜頭痛｜

「頭痛」を意味する単語にはもうひとつ cephal/o/dyn/ia という単語があります。この単語は語根＋接尾辞の前に連結形が置かれた形をしています。これを見て頭痛がしても心配することはありません、気楽に次に進みましょう。

cephal/o/dyn/ia も、cephal/alg/ia も、いずれも〔　　　　〕という意味があります。

頭痛
cephal/o/dyn/ia　セファロディニア｜頭痛｜
cephal/alg/ia　　セファラルジア　｜頭痛｜

［alg/ia］と［dyn/ia］は一般に互換性がありますが、連結形には［dyn/ia］が続き、語根には［alg/ia］を付けます。
［dyn/ia］の形容詞形は［dyn/ic］であることから、「頭痛の」という意味の形容詞は、cephal/o/dyn/ic になります。

cephal/o/dyn/ic　セファロディニック｜頭痛の｜

cephal/ic は、「頭部の」を意味する形容詞です。
［ic］は形容詞を作る接尾辞でしたね。

事故による頭部の傷は、次のように病歴に書かれるでしょう。
"〔　　　/　　　〕lacerations present."（頭部裂傷あり。）

cephalic
cephal/ic　セファリック｜頭部の｜
cephal/ic laceration　セファリック・ラセレーション｜頭部裂傷｜

"lack of cephalic orientation"（頭部定位を欠く）という語句で、形容詞は〔　　/　　〕です。

cephalic

cephal/ic　セファリック｜頭部の｜

"〔　　/　　〕tumors noted"は「脳腫瘍が見受けられる」を意味します。

cephalic

cephal/ic tumor　セファリック・テューマー｜脳腫瘍｜

頭部の内側（inside）で、骨に囲まれている（enclosed）のが脳です。
［encephal/o］は『脳』に関係する単語に用いられます。

では、「脳の炎症」を意味する単語を作ってください。
〔　　　/　　　〕

encephalitis

encephal/itis　エンセファライティス｜脳炎｜

『腫瘍』にあたる接尾辞は［oma］でしたね。
［encephal/o］を用いて、「脳腫瘍」を意味する単語を作ってください。
〔　　　/　　　〕

encephaloma

encephal/oma　エンセファローマ｜脳腫瘍｜

「ヘルニア」にあたるギリシア語は《kele》です。
これから［cele/o］または［o/cele］という連結形が作られています。
したがって、encephal/o/cele は「脳組織のヘルニア形成」を意味する単語、と推測できるはずです。

encephal/o/cele　エンセファロシール｜脳ヘルニア｜

encephal/o/cele とは、脳の組織が、頭蓋内の圧力が高まることにより外へ押し出され突出した状態をいいます。

「脳組織のヘルニア形成」にあたる単語は、〔 / / 〕です。
encephalocele
encephal/o/cele エンセファロシール｜脳ヘルニア｜

脳組織が正常な位置から突出した状態を〔 / / 〕といいます。
encephalocele
encephal/o/cele エンセファロシール｜脳ヘルニア｜

malac/ia は「組織の軟化」を意味する単語です。
encephal/o/malac/ia は「脳組織の軟化」を意味します。
[malac/o]は連結形です。語根は〔　　　〕になります。
malac
malac/ia マレイシア｜軟化(症)｜

[malac/o]は『柔軟な』『軟化』を意味する連結形です。
encephal/o/malac/ia は[ia]で終わっています。[ia]は名詞を作る接尾辞です。「脳組織の軟化」を意味します。

encephal/o/malac/ia エンセファロマレイシア｜脳軟化(症)｜

脳の損傷を招く事故は、脳組織の軟化、すなわち〔 / / / 〕を起こす可能性があります。
encephalomalacia
encephal/o/malac/ia エンセファロマレイシア｜脳軟化(症)｜

oste/o/path/y は「骨の疾患」を意味します。
この単語から『骨』を表す連結形を書き抜いてください。
〔　　　／　〕
osteo
oste/o/path/y オスティオパシィ｜骨障害、骨症｜

[oste/o]は『骨』に関する連結形です。

[oste/o]を用いて、「骨の炎症」を意味する単語を作ってください。
〔　　　　／　　　　〕
osteitis
oste/itis　オスティアイティス｜骨炎｜

oste/o/malac/ia は「骨の軟化」を意味します。骨が本来の硬さを失うことを意味します。
oste/o/malac/ia の原因には、骨のカルシウム減少があります。
骨からカルシウムが減少し、その硬さが低下した場合、
〔　／／　〕が起こります。
osteomalacia
oste/o/malac/ia　オスティオマラシア｜骨軟化症｜

parathyroid gland（上皮小体、副甲状腺）の障害は、骨のカルシウム減少の原因となる場合があります。
この障害が起こった場合、〔　／／／　〕（骨軟化症）が生じます。
osteomalacia
oste/o/malac/ia　オスティオマラシア｜骨軟化症｜

「骨の疾患」を意味する単語は〔　／／／　〕になります。
osteopathy
oste/o/path/y　オスティオパシィ｜骨障害、骨症｜

[path/o]は『疾患』を意味します。
oste/o/arthr/o/path/y は、「骨と関節を含む疾患」を意味する名詞です。
[arthr/o]は、『関節』を意味する単語に用いられます。

oste/o/arthr/o/path/y　オスティオアースロパシィ｜骨関節症｜

oste/o/arthr/o/pathy を分析してみましょう。
oste/o ＝ 骨〈連結形〉　　arthr/o ＝ 関節〈連結形〉
path ＝ 疾病〈語根〉　　y ＝〈名詞接尾辞〉

これをつなぎ合わせると、〔　／　／　／　／　〕になります。
osteoarthropathy
oste/o/arthr/o/path/y　オスティオアースロパシィ｜骨関節症｜

[arthr/o]は『関節』を意味する連結形でしたね。
arthr/o/plast/y は「関節の外科的修復」であり、[plast/y]は『外科的修復』を意味します。形成外科医(plast/ic surgeon)が、新しく鼻をつくったり、顔面のしわをとったりすることを思い出しましょう。これらは外科的修復です。

関節が運動能力を失った場合、その治療法として〔　／　／　／　〕が行われます。
arthroplasty
arthr/o/plast/y　アースロプラスティ｜関節形成(術)｜

[arthr/o]を用いて、次の意味の単語を作ってください。
「関節の炎症」〔　　／　　〕
arthritis
arthr/itis　アースライティス｜関節炎｜

「関節の切開」〔　　／　／　　〕
arthrotomy
arthr/o/tom/y　アースロトミィ｜関節切開(術)｜

oste/o/chondr/itis は「骨と軟骨の炎症」を意味します。
この単語から、『軟骨』を意味する連結形を書き抜いてみましょう。
〔　　／　　〕
chondro

[chondr/o]は『軟骨』を表す連結形です。
[oste/o]は『骨』に関する連結形です。

oste/o/chondr/itis　オスティオコンドライティス｜骨軟骨炎｜

軟骨（cartilage）は耳、鼻の先端、肋骨の端に見られる丈夫な、弾力性のある結合組織です。関節の内膜にも軟骨が含まれています。
「軟骨痛」を意味する単語を作ってください。
〔　　　/　　　/　　　〕
chondralgia
chondr/alg/ia　　コンドラルジア　｜軟骨痛｜※語根＋接尾辞
chondr/o/dyn/ia　コンドロディニア｜軟骨痛｜※連結形を使用

chondr/ec/tom/y は「軟骨の切除」を意味します。

chondr/ec/tom/y　コンドレクトミィ｜軟骨切除(術)｜

chondr/o/cost/al は「肋軟骨の」を意味します。これを分析すると、
chondr/o 　＝軟骨〈連結形〉
cost　　　＝肋骨〈語根〉
al　　　　＝〈形容詞接尾辞〉
[al]は『〜の』『〜に関する』を意味する形容詞を作る接尾辞なので、この単語が形容詞であることがわかります。

「肋軟骨の」を意味する単語は〔　／／　／　〕になります。
chondrocostal
chondr/o/cost/al　コンドロコスタル｜肋軟骨の｜

連結形[cost/o]は『肋骨』に関する単語に用いられます。
inter/cost/al は「肋骨の間の」という意味です。
『〜の間の』にあたる接頭辞は〔　　　〕です。
inter

[inter]は『〜の間の』を意味する接頭辞、と覚えましょう。
では、「軟骨間の」を意味する単語を作ってください。
〔　　　　/　　　/　　〕
interchondral
inter/chondr/al インターコンドラル｜軟骨間の｜

inter/cost/al は肋骨の間の筋肉に関係があります。呼吸時に肋骨を動かすこれらの筋肉は〔　　/　　/　　〕muscle（肋間筋）です。
intercostal
inter/cost/al インターコスタル｜肋間の｜

〔　　/　　/　　〕muscle は空気を吸い込んだ時、胸腔を拡げ、空気を吐く時、収縮します。
intercostal
inter/cost/al インターコスタル｜肋間の｜

＊＊＊

S：トシ、そろそろ、疲れてきたでしょ？

T：正直、慣れるまでは大変かもしれない。周囲の視線にもさ。

S：まぁ、確かに周りから見れば普通じゃないわよね。私たち…（笑）。そういえば、この普通じゃないという ab/normal の［ab］は、どういう意味の接頭辞が知ってる？

T：…。まったく、休憩する時間もくれない気だな。

S：うふふ。そもそも、1週間で知識を100倍になんて、そもそもがアブノーマル、異常事態でしょ。アブノーマルなやり方じゃないと達成できないわよ。それじゃ、気分を変えて、この接頭辞［ab］の付いた単語から再開しましょ。

ab/normal は「正常からはずれた、それた」を意味する単語です。[ab]は『〜からはずれた』『〜からそれた』を意味する接頭辞です。ab/normal は日常用語としてもよく使われています。医学的にもよく使われる用語です。

ab/normal アブノーマル｜異常の、不規則の｜

ab/errant は errant の前に接頭辞[ab]をつけたもので、「常軌を逸した、異常な」という意味を持ちます。

ab/errant は、医学的には横道へそれて正常な経過や型からはずれる場合などに用いられます。たとえば、通常の経路をたどらない神経（迷走神経）は〔　/　〕nerve といいます。

aberrant
ab/errant アベラント｜異常の、迷走(性)の、異所の｜
ab/errant nerve アベラント・ナーヴ｜迷走神経｜

同じように、固有の経路をたどらない血管（迷走血管）は〔　/　〕vessel といいます。

aberrant
ab/errant vessel アベラント・ヴェッセル｜迷走血管｜

lymphatics（リンパ管）は往々にして〔　/　〕course（経路）をたどります。

aberrant
ab/errant アベラント｜異常の、迷走(性)の、異所の｜

ab/duct/ion は「正中線から遠のく運動」を意味します。
体側から手を上げた場合、ab/duct/ion が起こります。

ab/duct/ion アブダクション｜外転｜

手の指を広げた場合、4本の指について〔　/　/　〕が起こります。
abduction
ab/duct/ion　アブダクション｜外転｜

[ad]は『〜の方へ』『〜に向って』を意味する接頭辞です。
「正中線へ向う運動」は ad/duct/ion といいます。

ad/duct/ion　アダクション｜内転｜

ad/dict/ion は「ある習慣に陥ること」を意味します。アンフェタミンは習慣的に服用することにより、amphetamine ad/dict/ion（アンフェタミン型依存）にかかることがあります。
alcoholism は別名で alcohol〔　/　/　〕（アルコール中毒）といいます。
addiction
ad/dict/ion　アディクション｜嗜癖｜

ad/hes/ion は常態では離れている2つの組織がつながる場合に起こります。他の部位にくっついてしまうことを〔　/　/　〕といいます。
adhesion
ad/hes/ion　アドヒージョン｜癒着、癒合、粘着、付着｜

[abdomin/o]は『腹部』に関する単語を作るときに用いられます。
たとえば、abdomin/o/centes/is は「腹部の穿刺」を意味します。
単語の中に[abdomin/o]が含まれている場合はいつも『腹部』を思い出すようにしてください。
名詞は abdomen、形容詞は abdomin/al となります。

abdomin/o/centes/is　アブドミノセンティーシス｜腹腔穿刺｜
abdomen　アブドーメン｜腹｜
abdomin/al　アブドミナル｜腹の｜

centes/is（穿刺）はこれ自体でひとつの単語です。
「腹部の穿刺」を意味する単語を作ってください。
〔　　／／　　　／　〕

abdominocentesis

abdomin/o/centes/is　アブドミノセンティーシス｜腹腔穿刺｜

「心臓の穿刺」を意味する単語は、〔　　／／　／　〕です。

cardiocentesis

cardi/o/centes/is　カーディオセンティーシス｜心臓穿刺｜

[cardi/o]は『心臓』を表す連結形でしたね。覚えていますか？
abdomin/o/cyst/ic は「腹部および膀胱（または胆嚢）に関する」という意味です。この単語を分析すると、

abdomin/o　　＝腹部〈連結形〉
cyst　　　　＝膀胱、胆嚢〈語根〉
ic　　　　　＝〜に関する〈形容詞接尾辞〉

これらをつなぎ合せて単語を作ってください。
〔　　／／　　　／　〕

abdominocystic

abdomin/o/cyst/ic　アブドミノシスティック｜腹部膀胱の、腹部胆嚢の｜

[cyst/o][cyst]は、『膀胱』『胆嚢管』『嚢胞』に関する単語を作るのに用いられます。
「膀胱（胆嚢または嚢胞）の切開」を意味する単語は〔　／／　／　〕です。

cystotomy

cyst/o/tom/y　シストトミィ｜膀胱切開（術）、胆嚢切開（術）｜

「膀胱（胆嚢または嚢胞）の切除」を意味する単語は〔　／／　／　〕です。

cystectomy

cyst/ec/tom/y　システクトミィ｜膀胱切除（術）、胆嚢切除（術）｜
cyst/o/tom/y（膀胱切開）との違いを確認しましょう。

「膀胱のヘルニア形成」を意味する単語は〔　　/　/ cele 〕です。
cystocele
cyst/o/cele　シストシール｜膀胱ヘルニア、膀胱瘤｜

abdomin/o/thorac/ic は「腹部および胸郭に関する」という意味です。thorax は「胸」です。この単語を分析すると、
abdomin/o　＝腹部〈連結形〉
thorac　　　＝胸郭〈語根〉
ic　　　　　＝〜に関する〈形容詞接尾辞〉

これらをつなぎ合わせて単語を作ってください。
〔　　　　/　/　　　　/　　〕
abdominothoracic
abdomin/o/thorac/ic　アブドミノソラシック｜腹胸の｜

abdomin/o/thorac/ic は文字通りには、「腹部および胸郭に関する」を意味します。医師がこの部分に病変（lesions）があるのを発見したときは、〔　　/　/　　/　　〕lesions と表現します。
abdominothoracic
abdomin/o/thorac/ic　アブドミノソラシック｜腹胸の｜
abdomin/o/thorac/ic lesion
アブドミノソラシック・リージョン｜腹胸の病変｜

[thorac/o]は『胸郭』に関する単語を作るのに用いられる連結形です。これに形容詞接尾辞[ic]を付けると、「胸郭に関する」という意味の形容詞〔　　/　〕になります。
thoracic
thorac/ic　ソラシック｜胸郭の｜

「胸の切開術」を意味する単語は〔　　/　/　　/　〕です。
thoracotomy
thorac/o/tom/y　ソラコトミィ｜開胸（術）｜

〔　／　／　〕は排液のための「胸の外科的穿刺」を意味します。
thoracocentesis
thorac/o/centes/is　ソラコセンティーシス｜胸腔穿刺｜

centesis は『穿刺』という意味でしたね。覚えていますか？
すべての「胸の疾病」を意味する単語は〔　／　／　〕です。
thoracopathy
thorac/o/path/y　ソラコパシィ｜胸病質｜

[path/y]は『疾病』を意味します。

「胸の外科的修復」にあたる単語は〔　／　／　〕です。
thoracoplasty
thorac/o/plast/y　ソラコプラスティ｜胸(郭)形成(術)｜

「膀胱の外科的修復」にあたる単語は〔　／　／　〕です。
cystoplasty
cyst/o/plast/y　シストプラスティ｜膀胱形成(術)｜

hydr/o/cyst は「水嚢腫」(透明な水性嚢腫)を意味します。
[hydr/o]は『水の』に関する単語に用いられます。
hydr/o/cephal/us (水頭症)は、脳脊髄液が増加し、脳室が拡大する特徴があります。
頭の中に脳脊髄液がたまる状態を〔　／　／　〕といいます。
hydrocephalus
hydr/o/cephal/us　ハイドロセファラス｜水頭(症)｜

hydr/o/phob/ia は、「水に対して異常な恐怖感を抱くこと」を意味します。[phob/ia]は『異常な恐怖』を意味します。

あなたの医学辞典で phobia という単語を調べてみましょう。異常な恐怖(恐怖症)という言葉をどのくらい見つけることができましたか？

「水に対する異常な恐怖」は〔　/　/　〕といいます。
hydrophobia
hydr/o/phob/ia　ハイドロフォービア｜恐水病｜

狂犬病(rabies)には、飲み込みが困難になり水を極端に恐れる症状があるため、〔　/　/　〕とも呼ばれています。
hydrophobia
hydr/o/phob/ia　ハイドロフォービア｜恐水病｜

[therap/y]は『治療』を意味します。
水による治療は〔　/　/　〕です。
hydrotherapy
hydr/o/therap/y　ハイドロセラピィ｜水治(療)法｜

渦流浴(whirl pool bath)は、〔　/　/　〕(水治療法)の一種です。
hydrotherapy
hydr/o/therap/y　ハイドロセラピィ｜水治(療)法｜

＊＊＊

T：少し、伸びしてもいいかな？

S：どうぞ、同じ格好してると腰も痛くなるもの。適度に体を動かすのは悪くないわよ。
ちなみに、腰や腰椎に関する単語を作る語根を知ってる？

T：lumb/arだから、[lumb]かな。

S：さすが！！ じゃ、腰に気をつけながら切り換えていきましょ。

＊＊＊

[lumb/o] は『腰部』『腰椎』に関する単語を作ります。
lumb/ar は形容詞形で「腰部に関する」を意味します。

lumb/ar ランバー｜腰(部)の、腰椎の｜

ヒトの腰椎は5個あります。
背中の低部の痛みは〔　　／　〕pain と呼ばれます。
lumbar
lumb/ar ランバー｜腰(部)の、腰椎の｜

〔　　／　〕reflex（腰椎反射）と呼ばれる反射もあります。
lumbar
lumb/ar ランバー｜腰(部)の、腰椎の｜

『〜より上の』を意味する接頭辞は [supra] です。
supra/lumb/ar は「腰部より上の、腰上の」を意味します。
supra/cost/al は「肋骨より上の、肋骨上の」を意味します。
supra/pub/ic は「恥骨より上の、恥骨上の」を意味します。

[pub/o] は『pubis（恥骨）』に関する単語に付く連結形です。
恥骨（pub/ic bone）は pubis とも称されます。

pub/is ピュービス｜恥骨｜

恥骨上部は恥骨弓の上にあります。膀胱が恥骨上で切開された場合、
〔　　／　　／　〕region（恥骨上部）で切開が行われたことになります。
suprapubic
supra/pub/ic スープラピュービック｜恥骨上の｜

〔　　／　　／　〕reflex（恥骨反射）と呼ばれる反射もあります。
suprapubic
supra/pub/ic スープラピュービック｜恥骨上の｜

supra/pubic cyst/o/tom/y では、どんな手術が行われるかを考えてみましょう。
それは恥骨上部から膀胱を切開することを指します。
cyst/o/tom/y（膀胱切開術）を覚えていますか？

[pub/o] を用いて、「恥骨」を意味する名詞を作ってください。
〔　　　　　／　　〕
pubis
pub/is　ピュービス｜恥骨｜

[pub/o] を用いて、「恥骨の」を意味する形容詞を作ってください。
〔　　　　　／　　〕
pubic
pub/ic　ピュービック｜恥骨の｜

pelv/is（骨盤）は pelv/ic bones（骨盤の骨）から構成されています。

pelv/is　ペルヴィス｜骨盤、杯、盤｜

pelv/i/metr/y は、妊娠中骨盤の大きさを計るために行われます。
婦人の骨盤の大きさを計るため、医師は〔　　／　　／　　／　　〕を行います。
pelvimetry
pelv/i/metr/y　ペルヴィメトリィ｜骨盤計測（法）｜

また、心臓の大きさとその活動力を測定する方法を、
〔　　／　　／　　／　　〕といいます。
cardiometry
cardi/o/metr/y　カーディオメトリィ｜心臓計測（法）｜

[meter] は『計る器械』を指します。
たとえば、adip/o/meter は、皮下の脂肪を計る器械です。

adip/o/meter アディポミター｜(皮下)脂肪(測定)計｜

cyt/o/meter では血球数を計り、cephal/o/meter では頭蓋を計ります。胸を計る器械は〔 ／ ／ 〕です。
thoracometer
thorac/o/meter ソラコミター｜測胸器｜

〔throac/o〕が『胸』を表す連結形でしたね。

「骨盤上の」を意味する形容詞は、〔 ／ ／ 〕です。
suprapelvic
supra/pelv/ic スープラペルヴィック｜骨盤上の｜

〔supra〕が『上の』を表す接頭辞です。

〔crani/o〕は『頭蓋』に関する単語に用いられます。
crani/o/plast/y は「頭蓋形成術」を意味します。
「頭蓋骨の軟化」にあたる単語は〔crani /o／ ／ 〕です。
craniomalacia
crani/o/malac/ia クレイニオマレイシア｜頭蓋骨軟化(症)｜

malac/ia が「軟化」を意味します。

「頭蓋の一部切除」にあたる単語は〔 ／／ ／ 〕です。
craniectomy
crani/ec/tom/y クレイニエクトミィ｜頭蓋(骨)局部切除(術)｜

「頭蓋の切開」にあたる単語は〔 ／／ ／ 〕です。
crarniotomy
crani/o/tom/y クレイニオトミィ｜開頭(術)｜

頭蓋を計る器械は〔 / / 〕です。
craniometer
crani/o/meter クレイニオミター｜頭蓋計測器｜

crani/alは形容詞であり、crani/al bones（頭蓋骨）、crani/al cavity（頭蓋腔）、crani/al nerves（脳神経）などの用語があります。

crani/al クレイニアル｜頭側の、頭の、上方の｜

＊＊＊

S：トシ、ちょっとこの次のページの図を見てくれる？ ヒトの脳の主要な部分をまとめてあるの。トシが改めて覚えなきゃいけない単語は一切ないんだけどね。

T：確かに。

S：思い出してほしいのは、例の目、口、耳、脳を忘れないでって原則。図を見て、それぞれの単語を発音して、少し頭をリフレッシュしてみて。ひと息ついたら、続きをやりましょ。

＊＊＊

cerebr/um（大脳）は思考を司る脳の一部分です。
[cerebr/o]は『大脳』に関する単語を作るのに用います。

cerebr/um セレブラム｜大脳｜

感覚の解釈や運動の刺激もまた〔 / 〕で引き起こされます。
cerebrum
cerebr/um セレブラム｜大脳｜

cerebrum
大脳

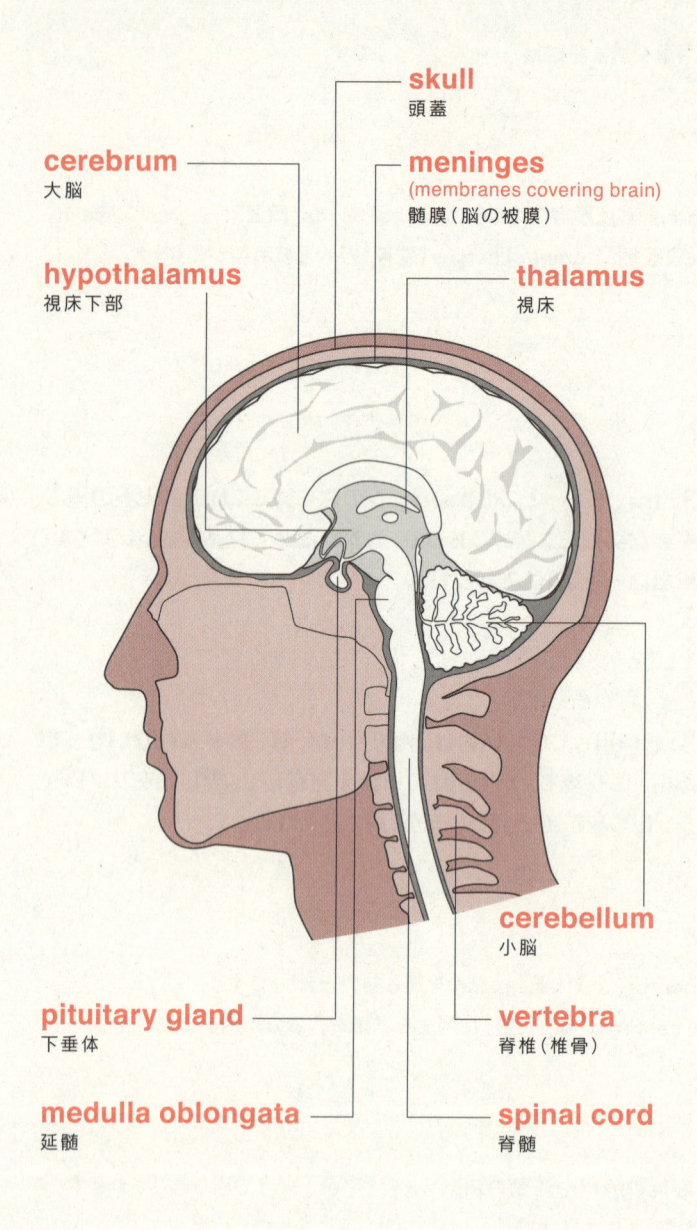

hypothalamus
視床下部

skull
頭蓋

meninges
(membranes covering brain)
髄膜（脳の被膜）

thalamus
視床

cerebellum
小脳

pituitary gland
下垂体

vertebra
脊椎（椎骨）

medulla oblongata
延髄

spinal cord
脊髄

the brain　脳

思考、感覚、運動は〔　　/　　〕の灰白質によって統制されます。
cerebrum
cerebr/um　セレブラム｜大脳｜

cerebr/um の形容詞形は〔　　/　　〕です。
cerebral
cerebr/al　セレブラル｜大脳の｜

[al]は単語を形容詞にする接尾辞でしたね。

〔　　/　　〕cortex（大脳皮質）、〔　　/　　〕fissures（大脳溝）、
〔　　/　　〕hemorrhage（脳出血）などの単語があります。
cerebral
cerebr/al　セレブラル｜大脳の｜

cerebr/oma は「脳腫(瘤)」を意味します。
[oma]が『腫瘍』を示す接尾辞でしたね。
cerebr/o/path/y は「脳障害、脳症」を意味します。
[path/y]は『疾病』を示す接尾辞です。
では、「脳から腫瘍を除去するために行う切開」を意味する単語を
作ってみましょう。
〔　　/　/　　　/　〕
cerebrotomy
cerebr/o/tom/y　セリブロトミィ｜大脳切開(術)｜

[otom/y]は『切開』を意味します。

cerebr/o/spin/al は、「脳および脊髄の」を意味します。
脳および脊髄を浸している液（脳脊髄液）は〔　　/　/　　/　　〕fluid と
呼ばれます。
cerebrospinal
cerebr/o/spin/al　セリブロスパイナル｜脳脊髄の｜

〔　/　/　/　〕meningitis（髄膜炎）と呼ばれる病気もあります。
cerebrospinal
cerebr/o/spin/al　セリブロスパイナル｜脳脊髄の｜

mening/itis は mening/es（髄膜）の炎症です。
髄膜は脳と脊髄を保護的に覆っている三層の膜です。

mening/itis　メニンジャイティス｜髄膜炎｜

mening/o/cele は「〔　　/　〕（髄膜）のヘルニア形成」を意味します。
meninges
mening/es　　　メニンジーズ　｜髄膜｜
mening/o/cele　メニンゴシール｜髄膜瘤、髄膜ヘルニア｜

＊＊＊

S：トシ、医学辞典って持ってきてないわよね？

T：うん？ ステッドマンの電子辞書ならノートPCに入ってるけど。

S：Stedman's Medical Dictionaries? グレイト！！ じゃ、mening/itisを引いてみてくれる？

T：mening/itis? 髄膜炎のことだよね、ちょっと待って。確か髄膜炎にもいろいろあるんだよね。

S：そうそう。mening/itis（髄膜炎）には多くの種類があるのがわかるでしょ。たとえば、結核菌は tuberculous mening/itis（結核性髄膜炎）の原因となる可能性がある。

T：mening/o/cocc/usの形もあるね。髄膜炎菌か。流行性髄膜炎を引き起こす細菌だな。

S: そうね、[cocc]はバクテリアに関する単語を作る語根だけど、複数形にする時に気をつけて。単数形だと cocc/us だけど、複数形になると cocc/i に変化するのよ。
じゃあ、[cocc]を語根に持つ単語から再開することにしましょう。

tuberculous mening/itis
テューバキュラス・メニンジャイティス｜結核性髄膜炎｜
mening/o/cocc/us メニンゴコッカス｜髄膜炎菌｜

＊＊＊

cocc/i は cocc/us（球菌）の複数形です。
[cocc]は『バクテリア』に関する単語を作る語根です。

肺炎（pneumon/ia）は多くの場合、肺炎球菌（pneum/o/cocc/us）が原因となります。この単語を構成する部分から、肺炎球菌は、
cocc/us という family（科）に属していることがわかるでしょう。

cocc/us　コッカス｜球菌｜*pl.* cocc/i

髄膜炎の一種は mening/o/cocc/us（髄膜炎菌）が原因となります。
これは〔　　／　　〕という family（科）の仲間です。
coccus
cocc/us　コッカス｜球菌｜*pl.* cocc/i

cocc/us には主に３つの類型があり、対をなして成長する球菌は dipl/o/cocc/us、ねじ曲った鎖の形で成長する球菌は strept/o/cocc/us、房の形で成長する球菌は〔staphyl/o／　　〕です。
coccus
dipl/o/cocc/us　　ディプロコッカス　｜双球菌｜
strept/o/cocc/us　ストレプトコッカス｜連鎖球菌｜
staphyl/o/cocc/us　スタフィロコッカス｜ブドウ球菌｜

[strept/o]は『ねじ曲った』という意味です。
strept/o/cocc/us は数珠のように、ねじ曲った鎖の形で成長します。もし、顕微鏡下のスライドを調べて、鎖状をなした球菌を見ることがあれば、それらは〔　／　／　／　〕です。

streptococcus
strept/o/cocc/us　ストレプトコッカス｜連鎖球菌｜

化膿を起こす原因のひとつに〔　／　／　／　〕pyogenes（化膿性連鎖球菌）があります。

streptococcus
strept/o/cocc/us pyogenes
ストレプトコッカス・パイオジーンズ｜化膿(性)連鎖球菌｜

《staphyle》は「ブドウの房」にあたるギリシア語です。
[staphyl/o]は『ブドウの房』を表す単語を作るのに用いられます。
staphyl/o/cocc/us はブドウの房のように、房状で成長します。

staphyl/o/cocc/us　スタフィロコッカス｜ブドウ球菌｜

癰（またはカルブンケル）の原因となる菌は、ブドウの房のように房状で成長します。よって、癰は〔　／　／　／　〕が原因で起こるといえます。

staphylococcus
staphyl/o/cocc/us　スタフィロコッカス｜ブドウ球菌｜

一般的な形態の食中毒は、〔　／　／　／　〕によっても引き起こされます。

staphylococcus
staphyl/o/cocc/us　スタフィロコッカス｜ブドウ球菌｜

口の奥の方でブドウの房のように垂れ下がっているのは、palatine uvula（口蓋垂）です。口蓋垂に関する単語を作るのにも、「ブドウの

房のような」を意味する連結形 [staphyl/o] を用います。

「口蓋垂の外科的修復」は〔　/　/　/　〕です。
staphyloplasty
staphyl/o/plast/y　スタフィロプラスティ｜口蓋垂形成術｜

次の文章が正しければ○、間違っていれば×を選んでください。
▶ staphyl/ec/tom/y は「口蓋垂切除(術)」を意味します。〔　　　〕
答.○

[ec/tom/y] は『切除(術)』を意味する接尾辞でしたね。
もう覚えましたか？

[py/o] は連結形で、『膿』または『化膿』を意味する単語に用いられます。py/o/cele は「膿瘤を持ったヘルニア」です。

py/o/cele　パイオシール｜膿瘤｜

staphyl/o/cocc/i の多くは py/o/gen/ic (化膿性)です。
py/o/gen/ic は「膿(pus)を産生する」を意味する形容詞です。

py/o/gen/ic　パイオジェニック｜化膿(性)の｜

次の文章が正しければ○、間違っていれば×を選んでください。
▶ py/o/rrhea は「膿(pus)の漏出」を意味します。〔　　　〕
答.○
py/o/rrhea　パイオリア｜膿漏(症)｜

py/o/thorax は「胸腔における膿の滞溜」を意味します。多くの場合、細菌の胸腔内への侵入が原因で〔　/　/　〕が起こります。
pyothorax
py/o/thorax　パイオソラックス｜膿胸｜

py/o/thorax は胸腔疾患に続いて起こることがあります。
肺炎は〔　/　/　〕を引き起こす胸部疾患のひとつです。
pyothorax
py/o/thorax　パイオソラックス｜膿胸｜

py/o/gen/ic bacterium は「膿(pus)を産生する細菌(化膿菌)」です。genesis は「形成」あるいは「創始」の意味があるのをご存知かもしれませんね。聖書の「創世記」は Genesis です。
この語句では、膿を産生するもの、化膿させるものを意味する形容詞は〔　/　/　/　〕です。
pyogenic
py/o/gen/ic　パイオジェニック｜化膿(性)の｜

py/o/gen/ic bacterium は、癤、つまりおできの中に見出されます。この癤が化膿したりします。この膿は〔　/　/　/　〕bacterium によって産生されたものです。
pyogenic
py/o/gen/ic　パイオジェニック｜化膿(性)の｜

ある種の staphyl/o/cocc/us は癤の原因となります。したがって、これらの staphyl/o/cocc/us は〔　/　/　/　〕bacterium です。
pyogenic
py/o/gen/ic　パイオジェニック｜化膿(性)の｜

[o/rrhea] は連結形ですが、接尾辞としても用います。その場合は語根に続く形になります。
[o/rrhea] は『流出』あるいは『漏出』を表し、膿の漏出は
〔　/　/　〕と称されます。
pyorrhea
py/o/rrhea　パイオリア｜膿漏(症)｜

alveolar py/o/rrhea (歯槽膿漏) は歯茎の病気です。この病名の中

で、「膿の漏出」を表す部分は〔　/　/　〕です。
pyorrhea
py/o/rrhea　パイオリア｜膿漏(症)｜
alveolar py/o/rrhea　アルヴェオラー・パイオリア｜歯槽膿漏｜

膿の漏出の症状がある salivary gland(唾液腺)の病気もあります。
これは〔　/　/　〕salivaris です。
pyorrhea
py/o/rrhea　パイオリア｜膿漏(症)｜
py/o/rrhea salivaris　パイオリア・サリヴァリス｜唾液腺の膿漏出｜

ot/o/rrhea は耳から膿が出ること(耳漏)を意味します。
[ot/o]は『耳』にあたる連結形です。

ot/o/rrhea　オトリア｜耳漏｜

ot/o/rrhea は ot/itis media(中耳炎)によって起こることがあります。
ot/itis は「耳炎」を意味します。
ot/itis は通常、耳の痛みを伴います。
耳の痛みを医学用語では、ot/o/dyn/ia または ot/alg/ia といいます。

ot/o/dyn/ia　オトディニア｜耳痛｜
ot/alg/ia　　オタルジア　｜耳痛｜

小児は耳の痛みを訴えることが多いものです。
医学的には、耳の痛み(耳痛)を〔　/　/　/　〕と言います。
otodynia または **otalgia**
ot/o/dyn/ia　オトディニア｜耳痛｜
ot/alg/ia　　オタルジア　｜耳痛｜

rhin/o/rrhea は鼻から膿が出ることを意味します。
[rhin/o]は『鼻』に関する単語に用いられます。

rhin/o/rrhea　ライノリア｜鼻漏｜

[rhin/o]を用いて、「鼻の炎症」を意味する単語を作ってください。
〔　　　　／　　　　　〕

rhinitis
rhin/itis　ライナイティス｜鼻炎｜

[itis]は語根[rhin]に付き、『炎症』を表します。

鼻かぜによって鼻から膿が出るのは、〔　　／　　〕（鼻炎）と称される症状です。

rhinitis
rhin/itis　ライナイティス｜鼻炎｜

para/nasal sinuses（副鼻腔）から鼻を通って膿が出るのは
〔　／　　〕の一形態です。

rhinitis
rhin/itis　ライナイティス｜鼻炎｜

[rhin/o]を用いて、次の意味の単語を作ってください。
「鼻の外科的修復」〔　　　　／　／　　　　／　〕

rhinoplasty
rhin/o/plast/y　ライノプラスティ｜鼻形成(術)、造鼻術｜

「鼻の切開」〔　　　　／　／　　　　／　〕

rhinotomy
rhin/o/tom/y　ライノトミィ｜鼻切開(術)｜

rhin/o/lith は「鼻の中の石または結石（鼻石）」です。
[lith/o]は『石』または『結石』にあたる連結形です。

rhin/o/lith　ライノリス｜鼻石｜

lith/o/genesis は「石または結石」の「産生または形成」を意味します。

lith/o/genesis　リソジェネシス｜結石生成、結石形成｜

[lith/o]を用いて、次の意味の単語を作ってください。
「結石を除去するための切開」〔　　　／／　　　／　　　〕
lithotomy
lith/o/tom/y　リソトミィ｜切石術｜

「結石の大きさを測定する器械」〔　　　／／　　　〕
lithometer
lith/o/meter　リソミター｜結石測定器｜

石または結石は身体中の多くの部分で形成されます。
chol/e/cyst（胆嚢）の病気の一因は、chol/e/lith（胆石）の存在です。
[chol/e]は『胆汁』にあたる連結形です。

chol/e/cyst　コレシスト｜胆嚢｜＝gallbladder
chol/e/lith　コリリス　｜胆石｜＝gallstone

大きさや形状にかかわらず、胆嚢の刺激や遮断が〔　／／　〕（胆石）
によって起こり得ます。
cholelith
chol/e/lith　コリリス｜胆石｜

chol/e/lith（胆石）は chol/e/cyst（胆嚢）の炎症の原因となる可能性が
あります。医学的にこの炎症は〔　／／　／　〕と称されます。
cholecystitis
chol/e/cyst/itis　コリシスタイティス｜胆嚢炎｜

chol/e/cyst/itis は痛み、発熱、嘔吐などを伴います。

脂肪性食品はこの症状を悪化させるので、〔　/　/　〕(胆嚢炎)の場合には避けるべきです。
cholecystitis
chol/e/cyst/itis　コリシスタイティス｜胆嚢炎｜

胆石が胆嚢炎を起こしている場合、2つの外科的手法があります。ひとつは胆嚢の切開、つまり〔　/　/　/　/　〕です。
cholecystotomy
chol/e/cyst/o/tom/y　コリシストトミィ｜胆嚢切開(術)｜

胆石があれば、通常は胆石を取り除くことが必要となります。これは〔　/　/　/　〕です。
cholelithotomy
chol/e/lith/o/tom/y　コリリソトミィ｜胆石摘除(術)｜

鼻の中の結石は〔　/　/　〕です。
rhinolith
rhin/o/lith　ライノリス｜鼻石｜

＊＊＊

　部屋に戻ると、昨夜と同じように、ハーブティーを入れた。
　ソフィーのくれた袋の中には数種類のハーブが個別包装されている。3種類あるだけでも、各種ストレートで飲むことを考慮すると、ブレンドを含めて全部で7通りの楽しみ方ができることになる。十分に1週間を癒してくれることだろう。

　今日はレモンバーベナと書かれたハーブをストレートで入れてみた。その名の通り、強いレモンの香りが沸き立つ。葉っぱなのに不思議だ。
　反射的に想像してしまう酸味から解放されたレモンの香りは、確かに疲れた頭をスッキリとさせてくれる気がした。

スッキリした頭で考えることでもないが、僕はかねてから、動機がある程度不純であることは、何事かをなすためには必要だと思っている。
　要するに、ソフィーの言う「モチベーションの維持」の問題だ。
　今の僕に不純なことを考えるような余裕があれば…の話だし、実際不純な気持ちでソフィーを見ているわけでもない。

　店を出る時に店内を振り返ると、意外にもほとんどの客席が埋まっていた。
　苦しそうに、時には楽しそうにわけのわからない単語を繰り返す東洋人と金髪美人の組み合わせは、他の席の客からは、さぞ奇妙に見えたに違いない。

　コリリソトミィ？　コリシスタイティス？　それともアクロメガリィ、いやいややっぱりアブノーマルでしょ！？

　途中うっかり発音するのを忘れてしまった僕は、ソフィーに何度も厳しく指摘された。
　やはり、しっかりと発音するのが重要らしい。
　　周囲がクロスワードパズルに夢中な異色カップルだとでも思ってくれていたらいい…。
　僕の精一杯の不純なモチベーション。
　実際、僕自身、一見危機的な状況にいるとは思えないほどに、思わず楽しい時間を過ごしてしまっていた。
　これで、ボスが求める100倍の医療英単語が身につくのかはわからない。しかし、ソフィーの学習が、確かに僕のセファラルジアをどこかへ運び去っていくのを感じた。
　彼女は同僚のピンチのためにシュバイツァー精神で助けてくれるだけであり、僕は自分の置かれた状況から考えても、不純な誘いをしたりすることは、彼女の献身的行為に対して失礼だろう。

　半年分だけのニューヨーク。勝手知ったる日本じゃない。

ひとりでいると、どうしても無駄な想像をしてしまう。

　店を出た時、薄闇の中に浮かんだソフィーと僕の影に目をやると、光との位置の関係か僕の影の方が少しだけ背が高く見えたことを思い出して、僕はひとり苦笑してしまった。

　何もしなくても明日がやってくるのなら、何かをやり遂げて明日を迎えてやろう。
　柄にもなくそんな気分になりながら、とりあえずノートPCの電源を入れた。
　そうだ、とりあえずメールチェックだけでも、やり遂げてみせよう。

　日本の妹から姪の初寝返りの写真付きメールが1通。
　日本の先輩から高齢ポスドクの愚痴メールが2通。
　留学中ブログのRSSの更新が3通きていた。

　どのメールも平和な日常を簡潔に完璧に伝えきっている。僕の状況にかかわらず世界は何事もなく回っているのを確認してから、僕はベッドにもぐり込んだ。

---

1) プラセボ (placebo)
　外見は本物の薬と同じだが、薬としての成分が入っていない偽の薬のこと。偽薬である。ちなみに、プラセボ効果とは偽薬を処方しても何らかの改善がみられること。人間の信じる心は偉大である。

ソフィーのハーブティーレシピ ＜第2回＞
レモンバーベナティー

　何種類かあるレモンの香りのハーブのうちのひとつ。
　レモングラスやレモンバームなどがあり、その中でも、軽い酸味を感じるハーブがこのレモンバーベナです。この3種類のレモン系のハーブをブレンドすることが多いですが、ストレートでも十分なリフレッシュ効果があります。

　ドライハーブはやさしく手で揉みくずしてから入れて下さい。
　お湯を注いだ途端に美しい緑色とさわやかな香気が広がり、時間とともに色が少し落ち着いてきます。

　味は少し野性味を感じるかもしれません。深く鼻の中をレモンの香りが吹き抜けて、それと対照的に舌の奥にゆっくりと酸味が染み込んでいきます。
　そしてレモンの香りが過ぎ去った後、独特のハーブの香りが漂うのを感じるでしょう。

　レモングラスは出しすぎると苦みが出ますが、レモンバーベナは大丈夫。
　神経が高ぶったり食欲不振気味のときにも、このさわやかな香りがあなたを助けてくれると思いますよ。

3

3日目「神は大地を作ったが、僕の足は地につかない。」

今日もボスは外での打ち合わせでお出かけの日だった。

最近、スポンサーからの急な呼び出しが続いている。なかなか望ましい結果が揃わないので、その説明に追われているのだろう。

どんな顔して対応すればいいのかもわからないので、正直気楽ではある。

しかし、そんなに忙しい最中で、なぜ、人手を減らすようなことを言い出したのか。

実験を早めに切り上げると、僕はソフィーと約束したカフェに向かった。彼女はきりのよいところまであと小一時間かかるとのことだったのだ。

ユニオンスクエアに点在するカフェ「Le Pain Quotidien」（フランス語で"毎日のパン"）。フランス語を店名にするのを、ソフィーはあまり好きではないらしい。ただ、チェーン店ながらここのチョコクロワッサンは絶品で、きれいな店内は落ち着いて学習ができる雰囲気だ。

薄いコーヒーを片手にテーブルに腰を下ろすと、隣の初老の紳士が読む新聞の記事が目に入る。

バイオ系の産業スパイ事件がトップニュースになっていた。

遺伝子情報を盗まれたのはかなり著名な研究者だが、彼のコメントでは持ち出された情報の価値は何億ドル規模だとかなんだとか。

ちなみに経済スパイの最高刑は禁固15年、罰金50万ドルだそうで、記事はその後に想定される高額の賠償請求についての予想で締めくくられている。

末端といえども僕も同じバイオ系の研究者として、決して対岸の火事ではない。

自分のやっていることの産業的価値は正直よくわからないが、僕のラボの情報も、スポンサーの競合相手から見れば莫大な価値が潜在的に存在しているのかもしれない。

　そういえば、面接の時、ボスが実験データや遺伝子や細胞株について厳格な機密保持が必要であると言っていた。多少でも疑わしい場合は、即刻、懲戒の対象になると…。
　日本でも当然厳格な機密保持は提唱されているが、アメリカほどの訴訟大国ではない。

　僕も下手に産業スパイなんかと間違われないようにしないといけない。

　ん…?

　少しでも疑わしい場合???　即刻懲戒の対象に?

『トシ、1週間以内に、あなたの医療英単語の知識を100倍にしなさい。できなければ解雇よ。』

　なんだかほんの少しだけ、本当にほんの少しだけど、いや〜な予感がしてきたような気がするのは気のせいだろうか?

　僕に産業スパイの疑いがかけられている?

　いやいやいや、そんな馬鹿な。
　人間追い詰められると、どうしても突飛な想像をしてしまう。特に僕はその傾向が強い。
　意味不明に挙動不審になりそうになる自分を抑えつつ、ソフィーが来るのをじっと待った。

＊＊＊

ソフィーの教え③　単語の構成要素を意識して発音しましょう。そうすることで、よりシステムを定着させることができます。

S：トシ、単語の各要素をつなげる順番には自信ついてきた？

T：さすがに慣れてきたとは思うけどね。

S：もし、自信があるなら、聞かなくてもいい話なんだけど、単語作りをするのが少し楽になる法則があるのよ。聞いてみたい？

T：意地悪するなよ、ぜひ聞かせてほしいね。

S：ううん、意地悪ってわけじゃなくて、ここまでやってきたら感覚的につかめてるんじゃないかってことを、あらためてまとめるだけよ。じゃ、早速「法則その1」。

【法則①】　約9割の確率で、最初に意味を示す単語の要素は
　　　　　単語の最後に付く。(注：和訳語の場合は逆)

T：ん、どういうこと？

S：実際に見ていくわね。
たとえば、inflammation of the bladder(膀胱の炎症)を例にすると…。
inflammationは、「炎症」ね。炎症を示す接尾辞は、[itis]。
次に(of the)bladderの部分。「膀胱の」を示す語根は覚えてる？
そう、[cyst]だったわね。答えはcyst/itisになる。
inflammation of the bladder(膀胱の炎症)の最初に意味を

示す部分、すなわち「炎症」を示す部分が最後にきているでしょ。

T：なるほど。

S：次の例ね。
one who specializes in skin disorders（皮膚病専門家）を考えてみましょう。
この場合、one who specializes、つまり「専門家」を示す接尾辞が、[log/ist]。
in skin disorders（皮膚病の）を示す連結形は[dermat/o]。
最初に意味を示す[log/ist]が最後に付いて、dermat/o/log/istになるわ。

T：ふむふむ。

S：じゃ、少し複雑な単語で見てみましょうか。
pertaining to the abdomen and bladder（腹部および膀胱に関する）を意味する単語は覚えてる？

T：abdomin/o/cyst/icだろ。

S：Good！！ じゃ、中身を分解してみましょ。
pertaining to（に関する）を示す接尾辞が[ic]、
(the)abdomen（腹部）を示す連結形が[abdomin/o]、
(and)bladder（および膀胱）を示す語根が[cyst]。
答えは、abdomin/o/cyst/ic。pertaining toの部分が最後にきているのがわかるわね。

T：なるほど。

S：それじゃ、次の法則ね。

【法則②】　人体の体系が含まれる場合は、単語は通常その体系の中で経過する器官の順序に従って作られる（ただし、最初に意味を示す単語の要素はやはり最後にくる）。

---

gastroenteritis、胃腸炎を例にするとわかりやすいわ。
gastr/o/enter/itisのように要素に分けてみるわね。

"inflammation of the stomach and small intestine"
（胃および小腸の炎症）
gastr/o ＝胃の　　　enter ＝小腸の　　　itis ＝炎症

この通り、胃と小腸の流れになっていて、この順序が逆転することはないの。

じゃ、次に、ほとんど使わないとは思うけど、hysterosalpingo-oophorectomy、子宮卵管卵巣摘除術を分解してみるわね。

"removal of the uterus、uterine tubes、and ovaries"
（子宮、卵管、卵巣の切除）
hyster/o ＝子宮の　　salping/o ＝卵管の　　-oophor ＝卵巣の
ec/tom/y ＝切除

これも、子宮、卵管、卵巣の順番に並んでる。単語を構成する順序が人体の経過する器官の順序から逆転することはないってこと。

T：正直、役に立つのかどうか微妙な知識だね…。

S：…。そ、それじゃ、ここからはいつも通りやっていきましょうか。

＊＊＊

[brady]は『遅い、緩徐、遅滞』を意味する単語に用いられます。
brady/cardi/a は、遅い心臓の活動、つまり「徐脈」を意味します。

brady/cardi/a　ブラディカーディア｜徐脈｜

異常に遅い心臓の活動を〔　　/　　/　　/　　〕（徐脈）といいます。
bradycardia
brady/cardi/a　ブラディカーディア｜徐脈｜

brady/phag/ia は食べるのが遅いこと、つまり「遅食」を意味します。
異常に遅い嚥下もまた、〔　　/　　/　　/　　〕と称されます。
bradyphagia
brady/phag/ia　ブラディフェイジア｜遅食(症)｜

brady/phag/ia から、『食べること』にあたる語根［phag］を見つけられます（phag/o については後述します）。

食事中に自分の食物をもてあそんでいる小児は〔　　/　　/　　/　　〕
（遅食）の一例を示しています。
bradyphagia
brady/phag/ia　ブラディフェイジア｜遅食｜

［kinesi/o］は『運動』または『動作』を意味する単語に用いられます。
たとえば、brady/kinesi/a は運動が遅いこと、つまり「運動緩徐」
を意味します。

brady/kinesi/a　ブラディキニージア｜運動緩徐｜

kinesi/alg/ia は「運動時の痛み」を意味します。身体のただれた部分
や、怪我をした部分などを動かした時には〔　　/　　/　　〕が起こります。
kinesialgia
kinesi/alg/ia　キネシアルジア｜筋運動痛、運動時の痛み、運動痛｜

骨折した腕を動かすと〔　/　/　〕が起こります。
kinesialgia
kinesi/alg/ia　キネシアルジア｜筋運動痛、運動時の痛み、運動痛｜

誰でも初めて馬に乗った後では、ほとんどのように体を動かしても、〔　/　/　〕が起こるものです。
kinesialgia
kinesi/alg/ia　キネシアルジア｜筋運動痛、運動時の痛み、運動痛｜

[log/y]は『〜の研究、〜学』を意味する接尾辞として用います。
すでに学んだ[log/ist]を覚えていますか？
「筋肉の運動の研究」を意味する単語は〔　/　/　/　〕です。
kinesiology
kinesi/o/log/y　キニシオロジィ｜運動学、キネジオロジー｜

身体がどのように運動するかについての科学は、〔　/　/　/　〕の領域に含まれます。
kinesiology
kinesi/o/log/y　キニシオロジィ｜運動学、キネジオロジー｜

[brady]は『遅い、緩徐、遅滞』を意味する単語に用いられ、
brady/kinesi/a は「運動緩徐」、
brady/cardi/a は「徐脈」を意味します。

[tachy]は『遅い、遅延』の反対を示す単語に用いられます。つまり、
[tachy]は『速い、急速』を意味します。
tachy/cardi/a は速い心臓の律動、つまり「頻拍、頻脈」を意味します。

異常に速い心臓の律動は〔　/　/　〕と称されます。
tachycardia
tachy/cardi/a　タキカーディア｜（心）頻拍、頻脈｜

[pne/o]はギリシア語の《pneia》からきており、『息』または『呼吸』を指します。[pne/o]は語中のどの部分にあっても、『息』または『呼吸』を意味します。

[pne/o]が単語の冒頭にきた場合、"p"は発音されない黙字になります。しかし[pne/o]が単語中のそれ以後にきた場合には、"p"は発音されます。

[brady]の部分は『遅い』を意味するので、brady/pne/a は「遅い呼吸、呼吸緩徐」を意味します。

発音してみましょう。"p"はこの場合、発音します。

「速い呼吸」にあたる単語は〔　／　／　　〕です。

tachypnea
tachy/pne/a　タキプニーア｜頻呼吸、呼吸頻数｜

筋肉の運動は血液中の炭酸ガスの量を増大させます。これが呼吸を速くすること、つまり〔　／　／　　〕を引き起こすのです。

tachypnea
tachy/pne/a　タキプニーア｜頻呼吸、呼吸頻数｜

[a]は『否定（無、不、非）』を意味する接頭辞です。
a/pne/a は文字通りでは「無呼吸」を意味します。

a/pne/a　アプニーア｜無呼吸｜

a/pnea は呼吸の一時的停止です。もし、血液中の炭酸ガスの減少がきわめて遅ければ、〔　／　／　〕を起こします。

apnea
a/pne/a　アプニーア｜無呼吸｜

もし呼吸が非常に遅いだけなら、それは〔　／　／　　〕と称されます。

bradypnea
brady/pne/a　ブラディプニーア｜(緩)徐呼吸、呼吸緩徐｜

『無』『不』『非』を意味する接頭辞は〔　　〕です。
a

《genesis》はギリシア語でもあり、英語でもあります。
これは『発生』『起源』または『開始』を意味します。
したがって、a/genesis は文字通りでは「無発生」、また意味が拡大されて、「無発育」を意味します。

器官が発育しない場合、医師は〔　/　〕という単語を用います。
agenesis
a/genesis　アジェニシス｜無発育｜

a/genes/is は身体のどの部分においても用いることができます。
手が発育しない状態のことを、〔　/　〕といいます。
agenesis
a/genesis　アジェニシス｜無発育｜

もし胃が形成されない場合、胃の〔　/　〕が起こったことになります。
agenesis
a/genesis　アジェニシス｜無発育｜

＊＊＊

S：次の単語は…と、dys/men/o/rrheaね。これは、「痛みを伴う月経」を意味してるんだけどね…。

T：「無発育」から随分飛躍するねぇ。

S：そう？ あんまり細かいことは気にしないで。
dys/men/o/rrheaの中の接頭辞[dys]に注目。これは『痛みのある、悪い、困難な』を意味してるの。

それで、dys/men/o/rrheaは「月経困難(症)」ということになるわね。
じゃ、この接頭辞[dys]に関する単語を見ていきましょうか。

＊＊＊

dys/men/o/rrhea は「痛みを伴う月経」を意味します。
『痛みのある、悪い、困難な』にあたる接頭辞は[dys]です。

dys/men/o/rrhea ディスメノリーア｜月経困難(症)｜

「嚥下困難、嚥下障害」を意味する単語は〔　／　／　〕です。
dysphagia
dys/phag/ia ディスフェイジア｜嚥下困難、嚥下障害｜

dys/troph/y は文字通りには「悪い発育」を意味します。

dys/troph/y
ディストロフィ｜ジストロフィ、異栄養(症)、栄養失調(症)、形成異常(症)｜

《pepsis》は『消化』にあたるギリシア語です。これによって、消化に関する単語に用いるべき語根や連結形がわかりますね。

dys/peps/ia は「消化不良」を表します。あまり急いで食事をしたりすると、〔　／　／　〕を起こしやすくなります。
dyspepsia
dys/peps/ia ディスペプシア｜消化不良｜

食事中に世界情勢の問題を考え込んだりすることは、〔　／　／　〕の原因となるかもしれません。
dyspepsia
dys/peps/ia ディスペプシア｜消化不良｜

「遅い消化、つまり消化緩徐」は〔　／　／　〕といいます。
bradypepsia
brady/peps/ia　ブラディペプシア｜消化緩徐｜

[my/o]は『筋肉』、[angi/o]は『血管』、[neur/o]は『神経』に関する単語に用いられます。
筋細胞が成長する基となる胚芽細胞は、my/o/blast といいます。
[blast]、[blast/o]は『胚、芽』を意味します。
血管が成長する基となる胚芽細胞は angi/o/blast です。

my/o/blast　マイオブラスト　｜筋芽細胞、筋原細胞｜
angi/o/blast　アンジオブラスト｜血管芽細胞｜

神経細胞が成長する基となる胚芽細胞は〔　／　／　〕です。
neuroblast
neur/o/blast　ニューロブラスト｜神経芽細胞｜

筋肉の痙攣は my/o/spasm といいます。
[spasm]は「痙縮、痙攣」を意味する単語に用いられます。

my/o/spasm　マイオスパズム｜筋痙攣｜

「血管の攣縮」を意味する単語は、〔　／　／　〕です。
angiospasm
angi/o/spasm　アンジオスパズム｜血管痙攣｜

[scler/o]は『硬い、硬化、強膜』との関連を意味する連結形であり、scler/osis は「硬化症」を指します。
したがって、筋硬化症は my/o/scler/osis となります。

my/o/scler/osis　マイオスクレロシス｜筋硬化(症)｜

筋線維を含む腫瘍は、my/o/fibr/oma といいます。
[fibr/o]は『線維』を表す連結形、[oma]は『腫瘍』あるいは『新生物』を意味する接尾辞です。
したがって、fibr/oma は「線維腫」を指します。
線維を含む血管腫瘍は、angi/o/fibr/oma です。

my/o/fibr/oma　マイオファイブローマ｜筋線維腫｜
angi/o/fibr/oma　アンジオファイブローマ｜血管線維腫｜

「神経線維を含む腫瘍」にあたる単語は〔　／／　／　〕です。
neurofibroma
neur/o/fibr/oma　ニューロファイブローマ｜神経線維腫｜

[arteri/o]は『動脈』に関する単語に用いられます。
動脈は心臓から出る血液を運ぶ血管です。
動脈の硬化を意味する単語は〔　／／　／　〕（動脈硬化症）です。
arteriosclerosis
arteri/o/scler/osis　アーティリオスクレローシス｜動脈硬化(症)｜

動脈壁が肥厚し、弾性を失って、動脈が固くなった状態を
〔　／／　／　〕といいます。
arteriosclerosis
arteri/o/scler/osis　アーティリオスクレローシス｜動脈硬化(症)｜

〔　／／　／　〕（動脈硬化）は、加齢とともに進行します。進行すると、動脈の血流が遮断されて、酸素や栄養が重要な組織に到達できなくなり、心筋梗塞や脳梗塞などの原因となります。
arteriosclerosis
arteri/o/scler/osis　アーティリオスクレローシス｜動脈硬化(症)｜

[hem/o]、[hemat/o]は『血液』を意味する単語に用いられます。血管の腫瘍は hem/angi/oma といいます。"o" が脱落することに注目しましょう。

hem/angi/oma ヘマンジオーマ｜血管腫｜

〔　／　／　〕は、血管を構成する組織からなる腫瘍です。先天的な過剰形成または血管拡張がおもな病変で、皮膚の中や体のその他の場所に生じます。
hemangioma
hem/angi/oma ヘマンジオーマ｜血管腫｜

hem/o/lysis は、通常、赤血球が崩壊することを意味します。
[lysis]は、『分解』『溶解』に関する単語に用いられます。

hem/o/lysis ヒモリシス｜溶血｜

血液の病気を診断、治療する専門家を〔　／／　／　〕といいます。
hematologist
hemat/o/log/ist ヒマトロジスト｜血液学者、血液病専門医｜

《sperma》は「種子」にあたるギリシア語です。
[spermat/o]は、『精子（sperm）』に関する単語に用いられます。
spermat/o/genesis は〔　　　〕を意味します。
精子形成
spermat/o/genesis
スパマトジェネシス｜精子形成、精子生成、精子発生｜

＊＊＊

S: ところで、ギリシア語で卵はなんていうか知ってる？

T：いや、知らないなぁ。

S：卵にあたるギリシア語は《oon》。[oo]は、「卵または卵子」を意味する語根よ。この"o"はふたつとも発音するわ。じゃ、問題。卵母細胞から成熟した卵子になるまで細胞内に起こる変化をなんというか？

T：「発生、形成」を意味するのが genesis だから、oo/genesis で合ってるかな？

S：その通り。oo/genesis は「卵子の形成・発育」を意味するのよ。では、ちょっとの間、オーオと発音してもらうわね。恥ずかしがって、発音するのをやめちゃ駄目よ。

＊＊＊

卵母細胞から成熟した卵子になるまで細胞内に起こる変化は
〔　／　〕です。
oogenesis
oo/genesis　オーオジェニシス｜卵子形成、卵子発生｜

実際には〔　／　〕（卵子形成、卵子発生）が完全に行われない限り、卵子が卵巣から放出されることはありません。
oogenesis
oo/genesis　オーオジェニシス｜卵子形成、卵子発生｜

卵巣（ovary）に関する単語に用いられる連結形は[oophor/o]です。単語の中に[oophor]があれば、『卵巣』と考えてください。
卵巣は卵子を熟成させ放出する器官です。約28日ごとに、卵子は
〔　　　〕（卵巣）から放出されます。
ovary
ovary　オーヴァリィ｜卵巣｜

oophorectomy の単語を細かく分解してみましょう。

oo ＝卵　（ギリシア語《oon》から）
phor/o ＝持つ（ギリシア語《phoros》から）
ect/o ＝外へ（ギリシア語《ektos》から）
tom/y ＝切る（ギリシア語《tomos》から）

こうして、「卵巣の切除」を意味する単語は〔　／　／　〕になります。

oophorectomy
oophor/ec/tom/y　オーオフォレクトミィ｜卵巣摘除(術)｜

[oophor/o]を用いて、次の意味の単語を作ってください。
「卵巣の炎症」〔　　／　　〕

oophoritis
oophor/itis　オーオフォライティス｜卵巣炎｜

「卵巣の切除」〔　　／　／　　〕

oophorectomy
oophor/ec/tom/y　オーオフォレクトミィ｜卵巣摘除(術)｜

oophor/o/pex/y は変化した卵巣の位置を正して固定することです。
[pex/y]は『固定』を意味する単語に用いられます。

oophor/o/pex/y は外科的手法です。
卵巣が変位した場合は、〔　／／　／　〕が行われます。

oophoropexy
oophor/o/pex/y　オーオフォロペクシィ｜卵巣固定(術)｜

脱出した(下がった または たるんだ)卵巣に対して行われる外科的手法は、〔　／／　／　〕と称されます。

oophoropexy
oophor/o/pex/y　オーオフォロペクシィ｜卵巣固定(術)｜

oophor/o/pex/y は名詞です。語尾に名詞接尾辞[y]が付いているのでわかりますね。

oophoropexy
oophor/o/pex/y　オーオフォロペクシィ｜卵巣固定(術)｜

[salping/o]は『卵管』または『耳管』に関する単語を作るのに用いられます。salping/os/tom/y は「卵管」の外科的開口術を意味します。

[salping/o]を用いて、次の意味の単語を作ってください。
「卵管の炎症」〔　　　　　/　　　　　〕
salpingitis
salping/itis　サルピンジャイティス｜卵管炎、耳管炎｜

「卵管の切除」〔　　　　/　　/　　　　/　　〕
salpingectomy
salping/ec/tom/y　サルピンジェクトミィ｜卵管摘除(術)｜

＊＊＊

S：ちょっといい?

T：う…ん？

S：気づいていると思うけど、複合語を作るとき、ハイフンで分けることがあるんだけど、どんなときに分けるかはわかる？

T：見るところ、語根か連結形のあいだに2つの似た母音が続く場合かなって思ってるけど。

S：そう、その通り。salpingo-oophorectomy がいい例ね。【salpig/o】の語尾の母音と、次の【oophor/ec/tom/y】の冒頭母音が同じ。こんなふうに、似た母音が続く場合に、ハイフンで

分けることがあるの。
これを参考にして、「卵管と卵巣の炎症」を意味する単語を作ってみてくれる?

T:OK。
卵管と卵巣の炎症ね、卵管を示すのが [salping/o] で、卵巣が [oophor]。炎症はおなじみの接尾辞 [itis]。
[salping/o] と [oophor] で同じ母音がつながるから…。
salpingo-oophoritis でどうかな?

S:正解。
salping/o-/oophor/itis、読みはサルピンゴ・オーオフォライティス。卵管卵巣炎の一丁上がり。
ここまでで、大分システムに慣れてきたんじゃない?
じゃ、また、しばらく頑張って!!

* * *

ハイフンを用いて、「卵巣と卵管とにまたがるヘルニア」を意味する単語を作ってください。
〔　　　　　／／　　　　　／／　　　　　〕

salpingo-oophorocele
salping/o-/oophor/o/cele
サルピンゴ・オーオフォロシール｜卵管卵巣ヘルニア｜

[hyster/o] は『子宮 (uterus)』に関する単語を作るのに用いられます。
hyster/ec/tom/y は「子宮の摘除」です。
同様に、hyster/o/spasm は「子宮の痙攣」です。

hyster/ec/tom/y　ヒステレクトミィ｜子宮摘除(術)｜
hyster/o/spasm　ヒステロスパズム｜子宮痙攣｜

子宮の病気一般は〔　/　/　〕と称されます。
hysteropathy
hyster/o/path/y　ヒステロパシィ｜子宮疾患｜

hyster/o/salping/o-/oophor/ec/tom/y は、
「子宮、卵管、卵巣の切除」を意味します。
この単語を分析すると、

hyster/o ＝子宮〈連結形〉　　salping/o ＝卵管〈連結形〉
oophor ＝卵巣〈語根〉　　　ec/tom/y ＝切除〈接尾辞〉

になります。

では、「子宮、卵管、卵巣の切除」を意味する単語を作ってください。
〔　/　/　/　/　/　/　〕
hysterosalpingo-oophorectomy
hyster/o/salping/o-/oophor/ec/tom/y
ヒステロサルピンゴ・オーオフォレクトミィ｜子宮卵管卵巣摘除(術)｜

「子宮の固定」を意味する単語は〔　/　/　〕です。
hysteropexy
hyster/o/pex/y　ヒステロペクシィ｜子宮固定(術)｜

「子宮のヘルニア」を意味する単語は〔　/　/　〕です。
hysterocele
hyster/o/cele　ヒステロシール｜子宮ヘルニア、子宮瘤｜

[blephar/o]は『眼瞼(eyelid)』に関する単語に用いられます。
blephar/o/ptos/is は「眼瞼の下垂」を意味します。
[ptos/is]は『下垂』を指します。

blephar/o/ptos/is　ブレファロプトシス｜眼瞼下垂｜

[blephar/o]を用いて、次の意味の単語を作ってください。
「眼瞼の炎症」〔　　　　／　　　　　〕
blepharitis
blephar/itis　ブレファライティス｜眼瞼炎｜

「眼瞼の切開」〔　　　／／　　　／　　　〕
blepharotomy
blephar/o/tom/y　ブレファロトミィ｜眼瞼切開(術)｜

「眼瞼の外科的修復」〔　　　／／　　　／　　　〕
blepharoplasty
blephar/o/plast/y　ブレファロプラスティ｜眼瞼形成(術)｜

「眼瞼の痙攣」〔　　　／／　　　　　〕
blepharospasm
blephar/o/spasm　ブレファロスパズム｜眼瞼痙攣｜

「眼瞼の下垂」〔　　　／／　　　／　　〕
blepharoptosis
blephar/o/ptos/is　ブレファロプトーシス｜眼瞼下垂｜

[nephr/o]は『腎臓』に関する単語に用いられます。
「腎臓の下垂」を意味する単語を作ってください。
〔　　　／／　　　／　　〕
nephroptosis
nephr/o/ptos/is　ネフロプトーシス｜腎下垂(症)｜

[nephr/o]におなじみの接尾辞[itis]をつけた nephr/itis は「腎炎」を意味します。

nephr/itis　ネフライティス｜腎炎｜

[nephr/o]を用いて、次の意味の単語を作ってください。
「腎臓の固定」〔　　　／　　／　　　　／　　〕
nephropexy
nephr/o/pex/y　ネフロペクシィ｜腎固定(術)｜

「腎臓組織の崩壊」〔　　　／　　／　　　　　〕
nephrolysis
nephr/o/lysis　ネフロリシス｜腎剥離術｜

「腎臓の結石」〔　　　／　　／　　　　　〕
nephrolith
nephr/o/lith　ネフロリス｜腎石、腎結石｜

「腎臓組織の軟化」〔　　　／　　／　　　　　／　　〕
nephromalacia
nephr/o/malac/ia　ネフロマレイシア｜腎軟化(症)｜

「腎臓の肥大」〔　　　／　　／　　　　／　　〕
nephromegaly
nephr/o/megal/y　ネフロメガリィ｜腎肥大(症)｜

泌尿器は、血中の老廃物を尿として体外に排出する働きがあります。
泌尿器系の図(p.118)を見ながら、確認してみましょう。
腎臓　＝ kidney　　　　（尿を作る）
腎盂　＝ renal pelvis　（尿を腎臓に集める）※腎臓の内側
尿管　＝ ureter　　　　（尿を膀胱に送る）
膀胱　＝ bladder　　　　（尿を蓄える）
尿道　＝ urethra　　　　（尿を体外に放出する）

[pyel/o]は『腎盂(renal pelvis)』を指します。尿管上端の扁平な漏斗状膨大部で腎杯を受け、先端は尿管に続いている部分をいい、尿を腎臓に集める働きをします。

kidney
腎臓

ureter
尿管

bladder
膀胱

urethra
尿道

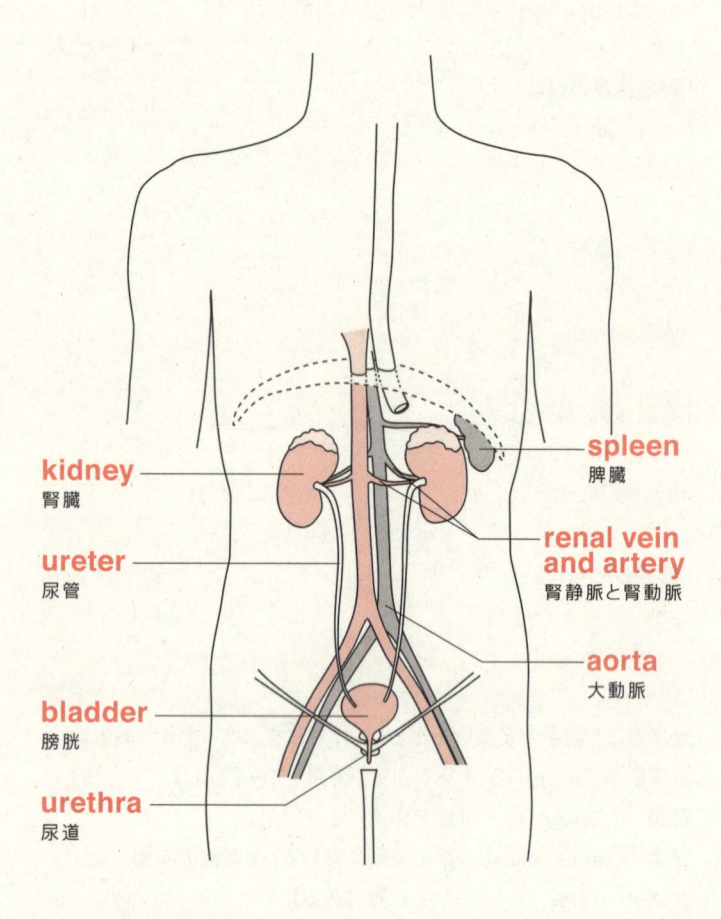

spleen
脾臓

renal vein and artery
腎静脈と腎動脈

aorta
大動脈

the urinary system and associated structures　泌尿器系とその関連器官

[pyel/o]を用いて、次の意味の単語を作ってください。
「腎盂の炎症」〔　　　　／　　　　　　〕
pyelitis
pyel/itis　パイエライティス｜腎盂炎｜

「腎盂の外科的修復」〔　　　／／　　　　／　　〕
pyeloplasty
pyel/o/plast/y　パイエロプラスティ｜腎盂形成術｜

「腎盂と腎臓の炎症」〔　　　／／　　　　／　　　　〕
ヒント：「腎盂と腎臓の病変(腎盂腎症)」＝ pyel/o/nephr/osis
pyelonephritis
pyel/o/nephr/itis　パイエロネフライティス｜腎盂腎炎｜

[ureter/o]は尿管を意味する連結形です。尿管下端が膀胱内に嚢状に拡張する病気を〔　　／／　　〕（尿管瘤）といいます。
ureterocele
ureter/o/cele　ユリーテロシール｜尿管瘤｜

[ureter/o]を用いて、次の意味の単語を作ってください。
「尿管のヘルニア形成」〔　　　／／　　〕
ureterocele
ureter/o/cele　ユリーテロシール｜尿管瘤｜

「化膿した尿管の症状」〔　　／／　　　／　　　〕
ureteropyosis
ureter/o/py/osis　ユリーテロパイオーシス｜尿管化膿症｜

「尿管と腎盂の炎症」〔　　　／／　　　／　　　〕
ヒント：「尿管と腎盂の形成術」＝ ureter/o/pyel/o/plast/y
ureteropyelitis
ureter/o/pyel/itis　ユリーテロパイエライティス｜尿管腎盂腎炎｜

「尿管と膀胱の間に新たに開口部を作る」
〔　　　/　/　　　/　/　　　　/　〕
ureterocystostomy
ureter/o/cyst/os/tom/y
ユリーテロシストストミィ｜尿管膀胱吻合(術)｜

ureter/o/rrhaph/y（尿管縫合術）にある[o/rrhaph/y]は厳密には接尾辞ではありませんが、接尾辞のように用いることもできます。[o/rrhaph/y]は『縫合』を意味します。

[o/rrhaph/y]を用いて、次の意味の単語を作ってください。
「尿管の縫合」〔　　　/　/　　　/　〕
ureterorrhaphy
ureter/o/rrhaph/y　ユリーテローラフィ｜尿管縫合(術)｜

「腎臓の縫合」〔　　　/　/　　　/　〕
nephrorrhaphy
nephr/o/rrhaph/y　ネフローラフィ｜腎縫着(術)｜

「膀胱の縫合」〔　　　/　/　　　/　〕
cystorrhaphy
cyst/o/rrhaph/y　シストーラフィ｜膀胱縫合(術)｜

「神経の縫合」〔　　　/　/　　　/　〕
neurorrhaphy
neur/o/rrhaph/y　ニューローラフィ｜神経縫合(術)｜

urethra（尿道）は膀胱から出る管で、尿を体外に排出する器官です。「尿道」を表す連結形は、[urethr/o]です。

urethra　ユリースラ｜尿道｜

[urethr/o]を用いて、次の意味の単語を作ってください。
「尿道の縫合」〔　　　/　/　　　　/　　〕
urethrorrhaphy
urethr/o/rrhaph/y　ユリースロラフィ｜尿道縫合(術)｜

「尿道の切開」〔　　　/　/　　　　/　　〕
urethrotomy
urethr/o/tom/y　ユリースロトミィ｜尿道切開(術)｜

「尿道の痙攣」〔　　　/　/　　　　　　〕
urethrospasm
urethr/o/spasm　ユリースロスパズム｜尿道痙攣｜

[o/rrhag/ia]は接尾辞としても用いることができます。
語根に続いて、単語の末尾に置かれます。
[o/rrhag/ia]は『出血』を意味します。

[o/rrhag/ia]を用いて、次の意味の単語を作ってください。
「尿管の出血」〔　　　/　/　　　　/　　〕
ureterorrhagia
ureter/o/rrhag/ia　ユリーテロレイジア｜尿管出血｜

「胃の出血」〔　　　/　/　　　　/　　〕
gastrorrhagia
gastr/o/rrhag/ia　ギャストロレイジア｜胃出血｜

＊＊＊

S:トシ、ちょっと深呼吸してみたら？　肺に酸素をいっぱい取り込んで、疲れた脳をリフレッシュさせましょ。

T:そうだね。今日のレッスンも、もうひと息って感じだし。しかし、

息という言葉もいろいろ意味があるよね。ひと休みの意味だったり、一呼吸するだけの短い間だったり、一気に何かする時にも使うものね。

S: それだけ呼吸が大事だってことよね。ちなみに、息や呼吸を指す連結形は[pne/o]。肺に関する連結形は[pneumon/o]になるわ。たとえば、pneumon/ec/tom/y（ニューモネクトミィ）は、「肺切除術」って感じね。

* * *

[pneumon/o]を用いて、次の意味の単語を作ってください。
「肺の切開」〔　　　/ /　　　　/　　〕
pneumonotomy
pneumon/o/tom/y　ニューモノトミィ｜肺切開（術）｜

「肺臓の疾患」〔　　　/ /　　　/　　〕
pneumonopathy
pneumon/o/path/y　ニューモノパシィ｜肺症（肺の病気）｜

「肺臓の出血」〔　　　/ /　　　/　　〕
pneumonorrhagia
pneumon/o/rrhag/ia　ニューモノレイジア｜肺出血｜

pneumon/ia（肺炎）は細菌またはウイルスなどによって起こる肺の急性炎症です。
pneumon/itis も肺炎を意味する言葉です。

pneumon/ia　ニューモーニア　｜肺炎｜
pneumon/itis　ニューモナイティス｜肺（臓）炎、肺実質炎｜

「肺の外科的穿刺」を意味する単語を作ってください。
〔　　／　／　　　／　　〕

pneumonocentesis
pneumon/o/centes/is　ニューモノセンティーシス｜肺穿刺(術)｜

「肺の炎症」を意味する単語を２つ答えてください。
〔　　　　／　　〕〔　　　　／　　　　〕

pneumonia、pneumonitis
pneumon/ia　ニューモーニア　｜肺炎｜
pneumon/itis　ニューモナイティス｜肺(臓)炎、肺実質炎｜

「胸壁への肺組織の固定化」は〔　　／／　／　　〕と称されます。
pneumonopexy
pneumon/o/pex/y　ニューモノペクシィ｜肺固定(術)｜

[melan/o]は『黒』を意味します。
melan/osis は文字通りには「黒い色素の沈着」を意味します。

melan/osis　メラノーシス｜黒色症、メラノーシス｜

黒い腫瘍、つまり「黒色腫」を意味する単語は〔　　／　　〕です。
melanoma
melan/oma　メラノーマ｜黒色腫、メラノーマ｜

melan/in は毛、皮膚、眼の脈絡膜に暗い色をつける色素です。
黒い色素を持った白血球(細胞)は〔　　／／　／　　〕です。
melanocyte
melan/o/cyt/e　メラノサイト｜メラノサイト、メラニン(形成)細胞｜

melan/o/derm/a は「黒皮症」という意味です。

melan/o/derm/a　メラノダーマ｜黒皮症｜

myc/osis は「真菌症」を意味します。
『真菌(fungus)』を意味する語根は[myc]、連結形は[myc/o]です。
単語中のどこでも[myc/o]があったら、『真菌』を思い出しましょう。

myc/osis　マイコーシス｜真菌症｜

myc/osis は真菌によって起きる疾病の総称です。「皮膚の真菌症」
は〔　／　／　〕となります。

dermatomycosis
dermat/o/myc/osis　ダーマトマイコーシス｜皮膚真菌症｜

「真菌学」を意味する単語を作ってください。
〔　　／　　／　　〕

mycology
myc/o/log/y　マイコロジィ｜(真)菌学｜

[pneumon/o]はギリシア語《pneumon(肺)》からきています。
[pneumon/o]は『肺』に関係のある単語にのみ用いられます。
一方、[pneum/o]はギリシア語《pneuma(空気)》からきています。
[pneum/o]は『空気』を意味する多くの単語に用いられますが、
『肺』を意味する単語にも使われます。

ここでは[pneum/o]を用いるのは、空気に関する単語に限ってみましょう。
たとえば、pneum/o/derm/a は「皮膚の下の空気のかたまり」を意味します。

pneum/o/derm/a　ニューモダーマ｜皮下気腫｜

「胸腔の中の空気のかたまり」を意味する単語は〔　／　／　〕です。
pneumothorax
pneum/o/thorax　ニューモソーラックス｜気胸(症)｜

胸腔内の空気と血清の蓄積は、pneum/o/ser/o/thorax といいます。

pneum/o/ser/o/thorax　ニューモシロソラックス｜水気胸｜

また、同じく胸腔内に空気や血液が蓄積すると〔　/　/　/　〕になります。
pneumohemothorax
pneum/o/hem/o/thorax　ニューモヘモソラックス｜気血胸｜

『口』にあたる連結形は[stomat/o]です。
stomat/itis は「口の炎症、口肉炎」を意味します。

stomat/itis　ストーマタイティス｜口内炎｜

[stomat/o]を用いて、次の意味の単語を作ってください。
「口中の痛み」〔　　/　　/　〕
stomatalgia
stomat/alg/ia　ストーマタルジア｜口腔痛｜

「口の出血」〔　/　/　/　〕
stomatorrhagia
stomat/o/rrhag/ia　ストーマトレイジア｜口内出血、歯肉出血｜

「口の真菌性」〔　　/　/　/　〕
stomatomycosis
stomat/o/myc/osis　ストーマトマイコーシス｜口腔真菌症｜

「口の病気一般」〔　　/　/　/　〕
stomatopathy
stomat/o/path/y　ストーマトパシィ｜口内病、口腔病｜

micr/o/scop/e（顕微鏡）は微小なものを調べる器械です。

口を調べる器械は〔　/　/　/　〕です。
stomatoscope
stomat/o/scop/e　ストーマトスコープ｜口腔鏡、口内鏡｜

『舌』にあたる連結形は[gloss/o]です。
gloss/itis は「舌の炎症、舌炎」を意味します。

gloss/itis　グロサイティス｜舌炎｜

gloss/ec/tom/y は舌の〔　　　〕を意味します。
切除
gloss/ec/tom/y　グロセクトミィ｜舌切除(術)｜

[gloss/o]を用いて、次の意味の単語を作ってください。
「舌の痛み」〔　　/　　/　　〕
glossalgia
gloss/alg/ia　グロサルジア｜舌痛｜

「舌に関する」「舌の」〔　　　　/al〕
glossal
gloss/al　グロサル｜舌の｜

「舌の下垂」〔　/　/　/　〕
glossoptosis
gloss/o/ptos/is　グロソプトーシス｜舌下垂、舌沈下｜

脳神経のひとつに hypo/gloss/al nerve（舌下神経）があります。
"舌下に、舌に"神経衝撃を送り、舌の運動を支配する役割を持つ神経です。

hypo/gloss/al　ハイポグロッサル｜舌下の｜
hypo/gloss/al nerve　ハイポグロッサル・ナーヴ｜舌下神経｜

[pleg/ia]は「麻痺」を意味する単語に用いられます。
「舌の麻痺」は〔　/　/　〕といいます。

glossoplegia
gloss/o/pleg/ia　グロソプリージア｜舌麻痺｜

cheil/itis は「唇の炎症、口唇炎」を意味します。
『唇』にあたる語根は[cheil]であることがわかりますね。
連結形は[cheil/o]となります。

cheil/itis　カイライティス｜唇の炎症、口唇炎｜

[cheil/o]を用いて、次の意味の単語を作ってください。
「唇の切開」〔　　/　　/　　/　〕
cheilotomy
cheil/o/tom/y　カイロトミィ｜(口)唇切開(術)｜

「唇の異常な状態あるいは病的状態」〔　　/　　〕
cheilosis
cheil/osis　カイローシス｜口角症、口唇症｜

gingiv/al は「歯肉に関する」を意味します。
『歯肉』にあたる連結形は[gingiv/o]です。

[gingiv/o]を用いて、次の意味の単語を作ってください。
「歯肉の炎症」〔　　/　　〕
gingivitis
gingiv/itis　ジンジヴァイティス｜歯肉炎｜

「歯肉組織の切除」〔　　/　/　　/　〕
gingivectomy
gingiv/ec/tom/y　ジンジヴェクトミィ｜歯肉切除(術)｜

「歯肉と舌の炎症」〔　　　　／／　　　　／　　　　　〕
gingivoglossitis
gingiv/o/gloss/itis　ジンジヴォグロサイティス｜歯肉舌炎｜

＊＊＊

「僕がまさか産業スパイに疑われているなんてことないよね？」

僕がそう尋ねた瞬間、ソフィーが思わず吹き出した。

「もし私が産業スパイなら、そんな告白はしないだろうけどね…。」

ごもっとも。
もしかしたらスパイなの？といたずらっぽい上目づかいで冗談にしてくれたソフィーの一言は、一瞬僕の気分を明るくしてくれた。
しかし、実際には、僕が産業スパイかどうかは問題ではないのだ。
要するに、ボスにネガティブな印象を持たれている理由の方が問題なのである。データミスの指摘云々が理由とはやはり思えない。
もしかすると、ボスは僕に何らかの疑いを抱いているが、確信が持てないでいる。そこで、僕に無理難題を与え、ボロを出すまで泳がせているのかもしれないのだ。
……。
しかし、そんな無駄なことをするだろうか？　しないよなぁ。

「ソフィー、君はボスのこと、どう思っているんだい？」
僕は単刀直入にそう聞いてみた。
僕が最初にこの理不尽な状況をソフィーに相談した時、彼女は、そんなまさか！！などと驚きもしなかった。というより、やはり…といった印象が強かった気がする。
普通、こんな異常事態なら、そのまま受け入れる前に、嘘でしょ、とツッコミを入れたくなるところじゃないだろうか？
だって、ボスの気まぐれだとしたら、彼女の身に降りかかること

も十分に想定される事態だ。そう考えると、ソフィーにはまるで自分の身には降りかからない確信でもあったかのようにまで思える。
　なんと、僕の滑稽な猜疑心がソフィー自身にまで飛び火しそうになってしまう。
　「研究者として優秀だと思っているわ。ううん、それだけじゃない。厳しいけど、それは若い研究者を成長させようという裏返しだとも思う。負けん気の強さは向上心と責任感の現れだし、周りが言うように唯我独尊ってわけでもないと思う。まぁ、私もあなたより1年長いだけの付き合いだけど…。
　私が、すぐあなたに協力しようと思ったのは、彼女が言うなら、きっと無意味じゃないことだと思ったからよ。」

　ふむ…。

　「でも、あなたの前任者の話といい、今回のあなたの件といい、正直彼女らしくないとは思ってるわ。確かに、あなたの英語はラボの中で一番下手くそだけど、専門知識も技術もハイレベルだってことは誰もがわかっていることだもの。」

　PCR[1]が心の小さな機微まで増幅できるのならいいのにね、そう付け加えるソフィーの顔は少しだけ哀しげに見えた。

　「トシ、あなたは彼女のこと、どう思うの?」

　僕は採用が決まった時のボスとの面接を思い出していた。

　面接時の僕のボスの第一印象は、1975年のアカデミー賞映画『カッコーの巣の上で[2]』の看護婦長ラチェッドみたいだな…だった。
　美人で、厳しい目つきで一切の矛盾を許さない意志の強さを感じさせたが、自分に自信がある故に他人への評価も厳しい。
　ただし、ラチェッドほどの理不尽なまでの頑迷さは感じなかった。

いずれにしても、面接に緊張しまくっていた日本人には、ジャック・ニコルソン演じるマクマーフィーのような奔放さも反抗心も皆無だったはずだ。
ただひとつだけ、確かに最後の質問はやらかしてしまったかもしれないけれど。

厳しい専門的な質問もほぼ終わり、半ば雑談的な質問の中で、最後に彼女は僕にこう尋ねた。

『何とかは社会の癌であるってよく使われる常套句よね。あなた、この言葉をどう思う？』

あの時、この突然の質問に僕はかなりとまどった。実は僕は前からこの比喩が嫌いだったのだ。
彼女の表情からは質問の意図が絞りきれなかったし、肯定するのが正解なのか、否定するのが正解なのか、正直検討もつかなかった。
面接の最高責任者の言葉を否定するような言い方をして採用されるとも思えない。
しかし…。
結果として、僕は反射的に正直な答えを選択していた。

僕は、癌が死に至る宿命的な病気だとは思っていません。そうしないための研究をしたいと思っているから、ここにいます。
この比喩は、今、癌と闘っている患者への冒涜であり、医者としても研究者としても絶対に使うべきものではありません。

僕にだって、それなりに主張したいこだわりはあるのだ。
言ってから数秒間続いた沈黙に僕が耐えきれたのは奇跡に近かった。
その間、彼女の表情はピクリとも変わらず、かえって、脇にいた中ボスの方が、突然の日本人の直接的な物言いに驚いていたよう

だった。

そして、その微妙な空気のまま面接は終了した。

内心かなり後悔していた僕のもとへ採用の電話がかかってきたのは次の日のことだ。

「トシ、どうしたの？ ボーッとして。」

ボスはあの時から僕のことを面白くない奴だと思っていたのだろうか…、それとも？

「いや、僕もボスは立派な人だと思うよ。」

僕はそう答えた。

---

1) PCR (polymerase chain reaction)
　ポリメラーゼ連鎖反応。微量のDNAを増やす技術のこと。この技術の開発者は1993年にノーベル賞を受賞している。

2) カッコーの巣の上で (One Flew Over the Cuckoo's Nest)
　1975年のアメリカ映画。第48回アカデミー賞作品賞、監督賞、主演男優賞、主演女優賞、脚色賞と主要5部門を独占したアメリカン・ニューシネマの傑作。マクマーフィー役はジャック・ニコルソン、看護婦長ラチェッド役はルイーズ・フレッチャー。ちなみに、カッコーの巣とは精神病院の蔑称である。トシは1年に1回、クリスマスシーズンになると必ずこの映画を観てしまう。

ソフィーのハーブティーレシピ＜第3回＞
ハイビスカスティー

　華やかな気持ちになれる美しいハーブティー。
　運動の後のレモンの蜂蜜漬けの美味しさを覚えている人も多いでしょう。
　あれはクエン酸の効果。
　ハイビスカスティーもクエン酸を豊富に含んだ、まさに疲労回復のハーブティーです。

　色は引きこまれそうなルビー色。
　舌を刺激する酸味は強すぎず、かといってやさしすぎず、適度な刺激をもって、疲れた細胞を目覚めさせてくれます。
　このルビー色はブルーベリーや黒豆などと同じアントシアニン。これは眼の疲れを癒すともいわれています。

　酸味が苦手な人は、蜂蜜をひと滴。
　ソフィーは、こっそりイチゴジャムを落として、ロシアンティーのようにして楽しむこともありますよ。

　勉強に疲れた時、ぜひ試してほしいハーブティーです。

4

4日目「神は太陽と月と星を、僕はハーブティーを作る。」

いつも通りラボに行き細胞の世話を焼いていると、廊下をボスが颯爽と歩いてくるのが見えた。

僕と一瞬目が合ったような気がしたが、特に何の文句も言わずに、中ボスのドイツ人の部屋へと入っていく。

ガラス越しに何か言い合っているらしい様子が見てとれたが、話の中で、中ボスが僕の方をチラッと見たような気がして仕方がない。

ボスが僕のことで何かを言ったのかもしれない。

僕の面接も担当した中ボスのヘンドリックは、ドイツ人は偏屈に違いないという僕の勝手な妄想を打ち砕いてくれた、非常に面倒見のいいできる男だ。

詳しくは知らないけれど、僕の前にやめたドイツ人は、中ボスのポスト争いで彼と競い合っていたとかいう話もあったようだが、正直ポスト争いをするには相手が悪かったのだろう。

『あなたとプロジェクトを共有する上で、コミュニケーションに不安を感じるという声があがっているの。』

しかし、僕とコミュニケーションが取りにくいなんて報告をしたのは誰なんだろう。

やはり、すべて根も葉もないボスの言いがかりなんだろうか？

クビにしたいのなら、もっと直接的なやり方がある気もする。

自分で言うのもなんだが、冷静に考えれば、僕はかなりの即戦力で使える人間であるはずだ。

というのも、このラボが最近使用し始めた実験設備が偶然にも、僕が日本で使用していたのと同じものなのだ。ただし、ちょっとした曲者で使いこなすには多少の時間がかかる。

僕はここでは新参者だったが、この実験設備の扱いには他の誰よりも慣れていたのは事実だ。
　それが、誰かのやっかみを買ったということもあるのだろうか！？
　ネガティブな妄想はこんなふうにいくらでも紡げるから困ったものだ。
　まさか、誰かが僕が産業スパイの可能性があるなんていう根も葉もない噂をボスに耳打ちしていたりはしていないだろうな！？

　まぁ、考えるだけ無駄なことだ。
　ボスはまだ中ボスとなにやら話し合っている。
　僕のような末端のポスドクは、ボスがひらめいたアイデアを満たす実験を、いかに素早く正確に実行するかが仕事なのだ。

　現場の刑事が主人公になれるのは映画やドラマの話で、実際には、現場の知らないところでもっと大きな事件が動いていたり、現場に知らされずに解決したりしているものなんだろう。
　研究職も同じようなものだ。
　ボスの言っている言葉の裏がわからなくても、指示に耳を傾けなければならない。スポンサーがいる以上"大人の事情"は実験以外には必ず存在するのだから。
　自分の思い通りの実験をしたければ下積みを経て、自分のラボを持つしかない。
　そして、僕はここでは単に日本で博士号を取得した研究技術者であり、研究担当者ではないのだ。

　データをまとめるために、自分のデスクに戻る。
　今日の細胞はなかなかいい結果を出してくれそうな気がする。

　自分のデスクとはいっても、ブースになっているわけではなく、書類の山で隔てられている隣のデスクはインド人フェローのラジュのテリトリーだ。

ラジュもデスクに戻って何やら、一冊の本に夢中になっているようだった。

　彼は王族筋のカーストらしいが、実際には奨学金で大学を卒業した苦労人だ。なんとかインドに戻る前に、アメリカでラボを持ちたいのだろう。

　彼の節制した生活態度には、僕も一目置いていた。

　ニューヨークの家賃の相場は確かに高いのだが、彼の暮らすスタジオを訪ねた時はそのあまりの古色蒼然さ（もちろん皮肉で）に驚いた記憶がある。

　そんな彼が、僕が戻ってきていることに気づかないくらい本に集中している様子だった。

　正直、少し鬼気せまるような雰囲気まで漂う。

4

　僕の椅子はどんなに気をつけていても、ガタンとわりと大きな音を立ててしまう。

　邪魔をしては悪いなと、あえてこっそりと腰を下ろしたのだが、それがかえって、ラジュを驚かせてしまう結果になった。

　ガタン！！　バタン！！

　驚いてラジュが飛び跳ね振り返った瞬間、読んでいた本が床に落ちた。

　瞬間、悪い悪いと謝りながら拾おうとする僕の手を遮るようにして、ラジュは本を拾いあげると、その表紙を隠すようにして立ち上がり、少し哀しそうな目で僕を見た。

　……？？

　どうして、ラジュがあんな本を読まなくてはならないのだろう。

　ラジュも多少のインド訛りはあるにせよ、ほぼネイティブの英語の使い手だ。インドでは臨床も経験している。

　だから、僕が不信に思ったのも無理はないだろう。

　そう、ラジュがあわてて隠した本の表紙は、医家向けの受験

参考書、しかも医療専門用語集にも見えた気がしたのだ。

＊＊＊

　ともかく、今日の場所へと向かう。
　アッパー・ウエスト・サイドの「カフェ・ラロ」。インターネット黎明期の映画でトム・ハンクスとメグ・ライアンが初めて出会った場所だ。観光客で満席のこの店は敬遠しがちだが、ちょうど隙間の時間だったらしく、人込みはそれほどでもない。実際に来てみれば、よくあるタイプのヨーロッパ風のカフェだ。

**ソフィーの教え④　ここからは五感を総動員！！
後は私がついてるから頑張って！！**

S：今日からは、本格的な練習に入るわよ。

T：うん？　これまでとどう違うんだい？

S：正直あまり変わらないけどね。単純に1日に覚える単語の数、問題数を増やしていくのよ。

T：これまで以上にってこと！？

S：実際、単語構成システムの説明やコツは大体説明してしまったの。後は、あなたのモチベーションをいかに維持するかってこと。とりあえず、問題にも少しずつ変化を持たせるつもり。

T：たとえば？

S：そうね、単語を作れ、だけじゃなくて、正誤問題とか、三択問題

とかも不意に混ぜる感じ。
今日から、トシには少し学習のスピードを意識してほしいの。昨日までよりも、リズムよく学習のスピードに乗った高揚感を感じられるようにね。音読なんかは速ければ速いほど脳が活性化する…らしいし。
そのためには、集中力を高めて、五感を総動員‼ ダレそうになったら、私がビシビシ声をかけるから‼
いい？

T：OK。遠慮なくビシビシ言ってくれた方が助かるよ。

＊＊＊

gastr/o/rrhag/ia は「胃出血」を意味します。
gastr/itis は「胃炎」を意味します。
gastr/ic は「胃の」を意味する形容詞です。
これらの単語から、語根[gastr]は『胃』に関する単語に付くことがわかります。

[gastr/o]を用いて、次の意味の単語を作ってください。
「胃拡張」〔　　　　／　　　　／　　　〕
gastrectasia
gastr/ectas/ia　ギャストレクテイジア｜胃拡張｜

「胃小腸下垂症」〔　　　／／　　　　／／　　　　　／　　〕
gastroenteroptosis
gastr/o/enter/o/ptos/is　ギャストロエンテロトーシス｜胃腸下垂(症)｜

「胃小腸の」〔　　　　／／　　　　／　　〕
gastroenteric
gastr/o/enter/ic　ギャストロエンテリック｜胃腸の｜

『小腸』にあたる連結形は[enter/o]です。
『大腸(結腸)』にあたる連結形は[col/o]です。
違いをよく覚えてください。

[enter/o]を用いて、次の意味の単語を作ってください。
「小腸の出血」〔　　　／／　　　／　〕
enterorrhagia
enter/o/rrhag/ia　エンテロレイジア｜腸出血｜

「脱腸」〔　　／／　　　　〕
enterocele
enter/o/cele　エンテロシール｜腸瘤、腹腔、腸ヘルニア｜

「小腸を検査する器械」〔　　　／／　　　　／　〕
enteroscope
enter/o/scop/e　エンテロスコープ｜腸鏡｜

次の文章が正しければ○、間違っていれば×を選んでください。
▶ enter/o/ptos/is は「腹腔内の腸が異常に下がること」を意味します。〔　　〕
答. ○
enter/o/ptos/is　エンテロプトーシス｜腸下垂(症)｜

▶ enter/o/centes/is は「小腸の穿刺」を意味します。〔　　　〕
答. ○
enter/o/centes/is　エンテロセンティシス｜腸穿刺(術)｜

▶ col/ic は「大腸または結腸の」を意味します。col/o/centes/is は「結腸の穿刺」を意味します。〔　　　〕
答. ○
col/o/centes/is　コロセンティシス｜結腸穿刺(術)｜

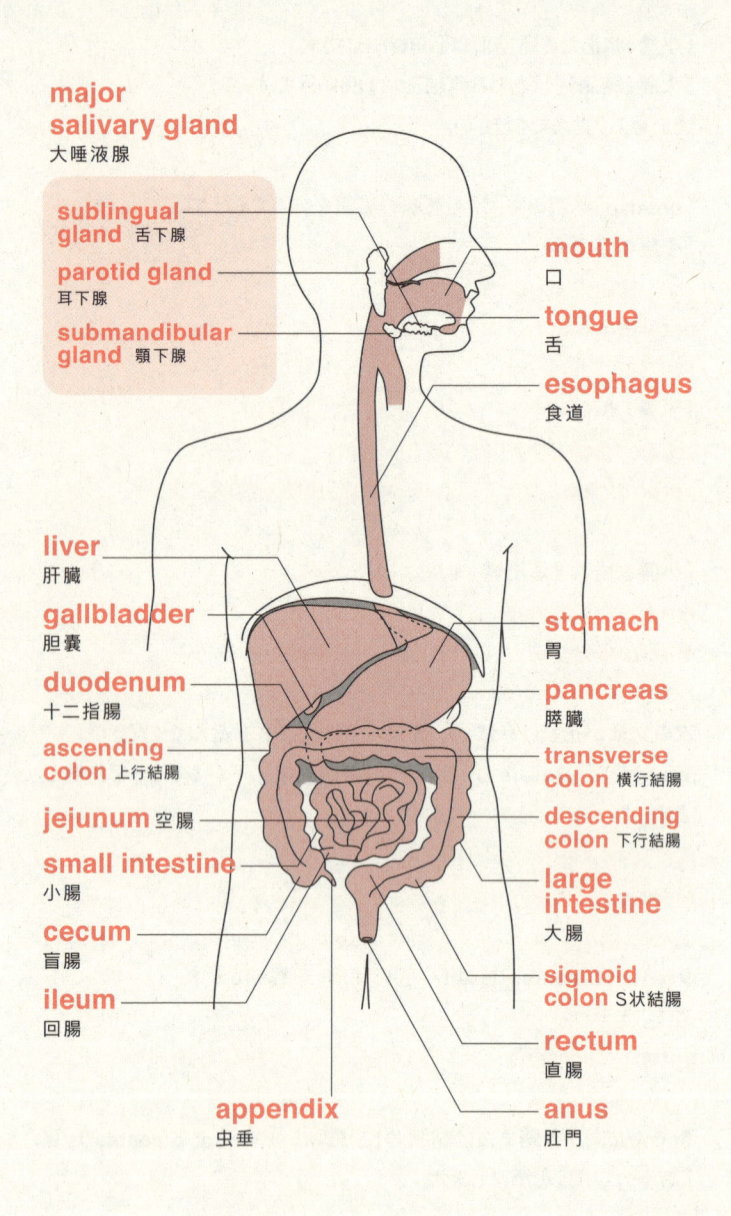

major salivary gland
大唾液腺

sublingual gland 舌下腺
parotid gland 耳下腺
submandibular gland 顎下腺

mouth 口
tongue 舌
esophagus 食道

liver 肝臓
gallbladder 胆囊
duodenum 十二指腸
ascending colon 上行結腸
jejunum 空腸
small intestine 小腸
cecum 盲腸
ileum 回腸

stomach 胃
pancreas 膵臓
transverse colon 横行結腸
descending colon 下行結腸
large intestine 大腸
sigmoid colon S状結腸
rectum 直腸

appendix 虫垂
anus 肛門

the digestive system 消化器系

[col/o]を用いて、次の意味の単語を作ってください。
「結腸の外科的固定」〔　　　/　/　　　/　〕
colopexy
col/o/pex/y　コロペクシィ｜結腸固定術｜

「結腸に新たに開口部をつくる」
〔　　　/　/　　　/　〕
colostomy
col/os/tom/y　コロストミィ｜人工肛門形成(術)、結腸造瘻(術)｜

「結腸下垂症」〔　　　/　/　　　/　〕
coloptosis
col/o/ptos/is　コロプトーシス｜結腸下垂(症)｜

『直腸』にあたる連結形は[rect/o]です。
rect/al は「直腸(rectum)に関する」を意味します。
rect/o/cele は「直腸のヘルニア、直腸瘤」です。

rect/o/cele　レクトシール｜直腸ヘルニア、直腸瘤｜

[rect/o]を用いて、次の意味の単語を作ってください。
「直腸の洗浄」〔　　　/　/　　　/　〕
rectoclysis
rect/o/clys/is　レクトクリシス｜直腸注入(法)｜

「直腸を検査する器械」〔　　　/　/　　　/　〕
rectoscope
rect/o/scop/e　レクトスコープ｜直腸鏡｜

「直腸鏡で直腸を検査する方法」〔　　　/　/　　　/　〕
rectoscopy
rect/o/scop/y　レクトスコピィ｜直腸鏡検査(法)｜

「直腸の形成術」〔　　　/ /　　　/ 　〕
rectoplasty
rect/o/plast/y　レクトプラスティ｜直腸肛門形成(術)｜

「直腸の縫合」〔　　　/ /　　　/ 　〕
rectorrhaphy
rect/o/rrhaph/y　レクトーラフィ｜直腸縫合(術)｜

「直腸と尿道に関する」〔　　　/ /　　　/ 　〕
rectourethral
rect/o/urethr/al　レクトユリースラル｜直腸尿道の｜

[proct/o]は、『肛門』『直腸』を意味する単語に用いられます。
proct/o/log/ist は「直腸・肛門の専門家」です。
proct/o/log/y は「直腸・肛門病学」です。

proct/o/log/ist　プロクトロジスト｜直腸病専門医、肛門病専門医｜
proct/o/log/y　プロクトロジィ　｜直腸病学、肛門病学｜

[proct/o]を用いて、次の意味の単語を作ってください。
「肛門と直腸の洗浄」〔　　　/ /　　　/ 　〕
proctoclysis
proct/o/clys/is　プロクトクリシス｜直腸灌注｜

「肛門の出口の麻痺」〔　　　/ /　　　/ 　〕
proctoplegia または **proctoparalysis**
proct/o/pleg/ia　　プロクトプリージア｜肛門括約筋麻痺｜
proct/o/para/lysis　プロクトパラリシス｜肛門括約筋麻痺｜

直腸・肛門専門医は〔　　/ /　　/ 　〕で直腸を検査します。
proctoscope
proct/o/scop/e　プロクトスコープ｜直腸鏡｜

proct/o/scop/e（直腸鏡）を使って行う検査は〔　/　/　/　〕と称されます。

proctoscopy
proct/o/scop/y　プロクトスコピィ｜直腸鏡検査(法)｜

「直腸と肛門の縫合」〔　/　/　/　〕
proctorrhaphy
proct/o/rrhaph/y　プロクトーラフィ｜直腸縫合(術)、肛門縫合(術)｜

「直腸の外科的固定」〔　/　/　/　〕
proctopexy または **rectopexy**
proct/o/pex/y　プロクトペクシィ｜直腸固定(術)｜
rect/o/pex/y　　レクトペクシィ　｜直腸固定(術)｜

［hepat/o］は『肝臓』に関する連結形です。
hepat/ic は「肝臓の」を意味します。
hepat/o/megal/y は「肝臓の肥大、肝腫」を意味します。

hepat/o/megal/y　ヘパトメガリィ｜肝腫(大)｜

［hepat/o］を用いて、次の意味の単語を作ってください。
「肝臓の検査」〔　/　/　/　〕
hepatoscopy
hepat/o/scop/y　ヘパトスコピィ｜肝(臓)検査｜

「肝臓病」〔　/　/　/　〕
hepatopathy
hepat/o/path/y　ヘパトパシィ｜ヘパトパシー、肝障害｜

「肝切開術」〔　/　/　/　〕
hepatotomy
hepat/o/tom/y　ヘパトトミィ｜肝切開(術)｜

「肝切除」〔　　　/　/　　　/　　〕
hepatectomy
hepat/ec/tom/y　ヘパテクトミィ｜肝切除(術)｜

「肝臓の縫合」〔　　　/　/　　　/　　〕
hepatorrhaphy
hepat/o/rrhaph/y　ヘパトラフィ｜肝縫合(術)｜

「肝臓のヘルニア」〔　　　/　/　　　〕
hepatocele
hepat/o/cele　ヘパトシール｜肝ヘルニア｜

「肝臓内の石」〔　　　/　/　　　〕
hepatolith
hepat/o/lith　ヘパトリス｜肝結石｜

[pancreat/o]は『膵臓』を意味する連結形です。
pancreat/ic は「膵臓に関する」を意味します。
pancreat/o/lysis は「膵組織崩壊」を意味します。

pancreat/o/lysis　パンクリアトリシス｜膵組織崩壊｜

[pancreat/o]を用いて、次の意味の単語を作ってください。
「膵臓結石(膵石)」〔　　　/　/　　　〕
pancreatolith
pancreat/o/lith　パンクリアトリス｜膵石｜

「膵臓疾患一般」〔　　　/　/　　　/　　〕
pancreatopathy
pancreat/o/path/y　パンクリアトパシィ｜膵疾患｜

「膵臓の一部または全部の切除」〔　　／　／　　　／　〕
pancreatectomy
pancreat/ec/tom/y　パンクリアテクトミィ｜膵切除(術)｜

「膵臓切開術」〔　　／　／　　　／　〕
pancreatotomy
pancreat/o/tom/y　パンクリアトトミィ｜膵切開(術)｜

次の単語の意味はa〜cのうちどれにあたりますか？
【 gastroenterocolostomy 】〔　　　〕
a) 胃腸結腸吻合術　　b) 腸胆嚢吻合術　　c) 食道胃吻合術
答. a
gastr/o/enter/o/col/os/tom/y
ギャストロエンテロコロストミィ｜胃腸結腸吻合(術)｜

【 esophagogastrostomy 】〔　　　〕
a) 胃腸結腸吻合術　　b) 腸胆嚢吻合術　　c) 食道胃吻合術
答. c
esophag/o/gastr/os/tom/y
エソファゴギャストロストミィ｜食道胃吻合(術)｜

【 enterocholecystostomy 】〔　　　〕
a) 胃腸結腸吻合術　　b) 腸胆嚢吻合術　　c) 食道胃吻合術
答. b
enter/o/chole/cyst/os/tom/y
エンテロコレシストストミィ｜腸胆嚢吻合(術)、腸胆嚢造瘻術｜

[jejun/o]は『空腸』に関する連結形です。
jejun/o/ile/os/tom/y は、「空回腸吻合術」を意味します。
空腸と回腸の間に新たに交通を作ることをいいます。

jejun/o/ile/os/tom/y　ジェジュノイレオストミィ｜空回腸吻合(術)｜

次の単語に関する器官名として正しいものをa〜cより選んでください。
【 duodenocholecystostomy 】〔　　　〕
a) 十二指腸と胃　　b) 胃と胆嚢　　c) 十二指腸と胆嚢

答. **c**

duoden/o/chole/cyst/os/tom/y
デュデノコレシストストミィ｜十二指腸胆嚢吻合(術)｜

次の単語の意味はa〜cのうちどれにあたりますか？
【 esophagogastroduodenoscopy 】〔　　　〕
a) 腸胆嚢内視検査
b) 食道胃十二指腸内視鏡検査
c) 食道十二指腸内視検査

答. **b**

esophag/o/gastr/o/duoden/o/scop/y
エソファゴギャストロデュオデノスコピィ｜食道胃十二指腸内視鏡検査｜

T：エソファゴギャストロデュオデノスコピィ、エソファゴギャストロデュオデノスコピィ、エソファゴギャストロデュオデノスコピィ…。正直、発音するのも大変だね。

S：なんだか現実に使わないものを学ぶ楽しさってない？　たとえば、趣味でラテン語を勉強している人とか。誰と会話するのかしらとか想像したり…。

T：残念ながら…その感性は持ち合わせてなかったみたいだよ。

S：そ、残念。まぁ、トシの場合は非常に現実的な問題だものね。じゃ、現実に話を戻すと、[esophag/o]が『食道』、[gastr/o]が『胃』、[duoden/o]が『十二指腸』を意味する連結形っていうことになるわ。こう捉えると、長い単語もすごく、わかりやすくなるわよね。

T：それは確かに。

S：じゃ、現実に立ち返ったところで、早速新しい語根にいきましょうか？
動脈（artery）は血液を心臓から送り出す脈管（vessel）よね。
その『動脈』に関する連結形は、[arteri/o]。『血管』を表す連結形が[angi/o]になるわ。
静脈（vein）は血液を心臓へ送り返す血管ね。
『静脈』にあたる連結形は[phleb/o]になる。

T：OK、『動脈』が[arteri/o]で、『血管』が[angi/o]、『静脈』にあたる連結形が[phleb/o]ってことだな。

S：そう。
たとえば、ご存知の通り、「動脈硬化」は arteri/o/scler/osis。
「静脈の硬化」は phleb/o/scler/osis になる。
ついでに言えば、[scler]には『硬い』という意味があって、[osis]は単語を名詞化する接尾辞。物事が『ある状態にあること』を意味してる。
こんなふうに、もうわかってるということでも、何度も反芻する機会があるのがこの学習法のいいところなの。発音するだけじゃなく、それぞれの語根の意味も頭の中で繰り返してみてね。

＊＊＊

『血管』を表す連結形は[angi/o]、
『静脈』を表す連結形は[phleb/o]です。

[phleb/o]を用いて、次の意味の単語を作ってください。
「静脈切除術」〔　　　　／　　／　　　　／　　〕

phlebectomy

phleb/ec/tom/y　フレベクトミィ｜静脈切除（術）｜

「静脈拡張症」〔　　　／　　　　／　　〕
phlebectasia
phleb/ectas/ia　フレベクテイジア｜静脈拡張(症)｜

「脈管拡張症」〔　　　／　　　　／　　〕
angiectasia
angi/ectas/ia　アンジエクテイジア｜血管拡張(症)、脈管拡張(症)｜

「静脈の外科的修復（静脈形成術）」
〔　　　／／　　　　／　　〕
phleboplasty
phleb/o/plast/y　フレボプラスティ｜静脈形成(術)｜

「静脈切開、瀉血(しゃけつ)」〔　　　／／　　　　／　　〕
phlebotomy
phleb/o/tom/y　フレボトミィ｜静脈切開、瀉血｜

接尾辞として用いることができる連結形としてもうひとつ、
[o/rrhex/is]をあげましょう。
[o/rrhex/is]は『破裂』を意味します。
たとえば、hyster/o/rrhex/is は「子宮破裂」を意味します。

hyster/o/rrhex/is　ヒステロレクシス｜子宮破裂｜

[orrhexis]を用いて、次の意味の単語を作ってください。
「腸破裂」〔　　　／／　　　　／　　〕
enterorrhexis
enter/o/rrhex/is　エンテロレクシス｜腸破裂｜

「心臓破裂」〔　　　／／　　　　／　　〕
cardiorrhexis
cardi/o/rrhex/is　カーディオレクシス｜心臓破裂｜

「肝(臓)破裂」〔　　　/　/　　　/　〕

hepatorrhexis
hepat/o/rrhex/is　ヘパトレクシス｜肝(臓)破裂｜

esthesi/a は「感覚、知覚」を意味する単語です。

esthesi/a　エスシージア｜感覚、知覚｜

次の単語から『感覚』を表す連結形を書き抜いてください。
【 esthesiometer 】
〔　　　　　　　　　〕
esthesio
esthesi/o/meter　エスシージオミター｜触覚計、知覚計｜

次の単語の意味をa〜cより選んでください。
【 esthesioscopy 】〔　　　〕
a) 胸腔鏡検査　　b) 胃鏡検査　　c) 皮膚感覚領検査
答. c
esthesi/o/scop/y　エスシジオスコピィ｜皮膚感覚領検査(法)｜

an/esthes/ia の【an】は何を意味しますか？〔　　　〕
a) 無　　b) ひとつ　　c) 〜以下の
答. a
an/esthes/ia　アネスシージア｜感覚(知覚)脱失、知覚麻痺、無感覚｜

[an]は接頭辞[a]の一形態です。
[an]は『無』を意味します。

＊＊＊

S: これから、自由に単語を分析してもらう問題も出すけどいい？

T: どういうこと？

S: たとえば、anesthesiology。これを分析してみて。

T: 分析？ ああ、要するに、単語の構成要素に分けてみろってことだね。
構成要素に区切るとすれば、こうかな？ an/esthesi/o/log/y。

S: それから？

T: この場合、[an]が『無』を意味する接頭辞だね。
次の[esthesi/o]が『感覚』を意味する連結形。
最後の[log/y]が『学問』を意味する接尾辞ってことになる。
アネスシジオロジィ、要するに麻酔学のことだね。

S: グレイト！！ 私が分析してって言ったときには、そういう確認の仕方をしてほしいの。ただ構成要素に分解するだけじゃなく、それぞれの意味を改めて確認すること。いい？
他にもいろいろな聞き方をしていくので、頑張ってついてきてね。

＊＊＊

次の単語を分析してください。
【 anesthesiology 】⇒〔   〕
an/esthesi/o/log/y
anesthesiology　アネスシジオロジィ｜麻酔学｜

次の単語の意味をa～cより選んでください。
【 dysesthesia 】〔   〕
a) 知覚過敏　　　b) 知覚減退　　　c) 知覚不全
答．c
dys/esthesi/a　ディスエスシージア｜知覚不全、異感覚(症)、異常感覚｜

【 hypesthesia 】〔　　　　〕
a) 知覚過敏　　　b) 知覚減退　　　c) 知覚不全
答. b
hyp/esthesi/a　ハイペスシージア｜知覚減退、触覚減退｜

[alg] [algesi] は『痛み』に関する単語に用いられます。
alg/esthesi/a は「痛みに対して過度に敏感な」という意味になります。
algesi/a は alg/esthesi/a の同義語です。

alg/esthesi/a　アルジェスシージア｜痛覚、痛覚過敏｜
algesi/a　　　アルジージア　　｜痛覚、痛覚過敏｜

次の単語を分析してください。
【 algesimeter 】　⇒〔　　　　　　　　　　　〕
algesi/meter
algesimeter　アルジシミター｜痛覚計、圧痛計｜

【 algesic 】〈形容詞〉⇒〔　　　　　　　　　　〕
alges/ic
algesic　アルジージック｜疼痛性の、痛覚過敏の｜

【 algesia 】〈名詞〉　⇒〔　　　　　　　　　　　〕
algesi/a
algesia　アルジージア｜痛覚、痛覚過敏｜

【 analgesia 】　　⇒〔　　　　　　　　　　　〕
an/algesi/a
analgesia　アナルジージア｜痛覚脱失(消失)(症)、無痛覚(症)、無痛(法)｜

【 hyperalgesia 】　⇒〔　　　　　　　　　　　〕
hyper/algesi/a
hyperalgesia　ハイパーアルジージア｜痛覚過敏｜

【paralgesia】 ⇒〔　　　　　　　　　　　　〕
par/algesi/a
paralgesia　パラルジージア｜痛覚異常(症)、錯痛覚(症)｜

［par/a］は、『周辺、傍側』を意味します。
たとえば、par/a/cyst/itis は「膀胱周辺の炎症」を意味します。

par/a/cyst/itis　パラシスタイティス｜膀胱傍結合組織炎｜

次の単語を分析すると、いくつの要素に分けられますか？
【paranephritis】〔　　　〕
答.4
par/a/nephr/itis　パラネフライティス｜副腎炎｜

次の単語の意味を a〜c より選んでください。
【paraplegia】〔　　　〕
a) 対麻痺　　b) 副腎痛　　c) 両腕麻痺
答.a
par/a/pleg/ia　パラプリジア｜対麻痺｜

［plegia］は『麻痺』を意味する接尾辞です。

次の単語を分析してください。
【paralysis】 ⇒〔　　　　　　　　　　　　〕
par/a/lysis
paralysis　パラリシス｜麻痺｜

【parasalpingitis】⇒〔　　　　　　　　　　　　〕
par/a/salping/itis
parasalpingitis
パラサルピンジャイティス｜卵管傍(結合)組織炎、耳管傍(結合)組織炎｜

【 paraphasia 】 ⇒〔   〕
par/a/phas/ia
paraphasia　パラフェイジア｜錯語(症)｜

【 aphasia 】 ⇒〔   〕
a/phas/ia
aphasia　アフェイジア｜失語(症)｜

【 dysphagia 】 ⇒〔   〕
dys/phag/ia
dysphagia　ディスフェイジア｜嚥下困難｜

【 bradyphagia 】 ⇒〔   〕
brady/phag/ia
bradyphagia　ブラディフェイジア｜遅食(症)｜

【 hyperphagia 】 ⇒〔   〕
hyper/phag/ia
hyperphagia　ハイパーフェイジア｜過食(症)、摂食亢進(症)｜

【 dysphonia 】 ⇒〔   〕
dys/phon/ia
dysphonia　ディスフォニア｜発声障害、発声困難｜

【 hypophonia 】 ⇒〔   〕
hypo/phon/ia
hypophonia　ハイポフォニア｜発声不全｜

[phas/o]は『話し方、言語』を意味します。
[phag/o]は『食べる』を意味します。
[phon/o]は『声』を意味します。

bradyphagia は〔　　　〕を意味します。
遅食(症)
brady/phag/ia　ブラディフェイジア｜遅食(症)｜

aphonia は〔　　　〕を意味します。
失声(症)
a/phon/ia　アフォニア｜失声(症)｜

phonic は〔　　　〕を意味します。
音声の、音の
phon/ic　フォニック｜音声の、音の｜

phonometer は〔　　　〕を意味します。
音声計
phon/o/meter　フォノミター｜音声計｜

次の単語を分析してください。
【 phonocardiography 】⇒〔　　　　　　　　　　〕
phon/o/cardi/o/graph/y
phonocardiography　フォノカーディオグラフィ｜心音図検査(法)｜

【 phonomyography 】⇒〔　　　　　　　　　　〕
phon/o/myo/graph/y
phonomyography　フォノマイオグラフィ｜筋音描写(法)｜

【 phonology 】⇒〔　　　　　　　　　　〕
phon/o/log/y
phonology　フォノロジィ｜音声学｜

my/o/card/itis は、「心筋の炎症」を意味します。
〔my/o〕は『筋肉(muscles)』を表す接頭辞として用いられます。

my/o/card/itis マイオカーダイティス｜心筋炎｜

[my/o]を用いて、次の意味の単語を作ってください。
「筋運動記録図」〔　　　／／　　　　　〕
myogram
my/o/gram マイオグラム｜筋運動(記録)図｜

「筋運動記録器」〔　　　／／　　　　　〕
myograph
my/o/graph マイオグラフ｜筋運動記録器、ミオグラフ｜

「筋運動描記法」〔　　　／／　　　／　〕
myography
my/o/graph/y マイオグラフィ｜筋運動描記(法)｜

次の単語を分析してください。
【 myasthenia 】 ⇒〔　　　　　　　　　　　　　〕
my/asthen/ia
myasthenia マイアシーニア｜筋無力症｜

【 myobradia 】 ⇒〔　　　　　　　　　　　　　〕
my/o/bradi/a
myobradia マイオブラディア｜筋収縮遅滞｜

【 myocardium 】 ⇒〔　　　　　　　　　　　　　〕
my/o/cardi/um
myocardium マイオカーディアム｜心筋層｜

【 myocarditis 】 ⇒〔　　　　　　　　　　　　　〕
my/o/card/itis
myocarditis マイオカーダイティス｜心筋炎｜

【 myofibroma 】　⇒〔　　　　　　　　　　　　　　　　　〕
my/o/fibr/oma
myofibroma　マイオファイブローマ｜筋線維腫｜

【 myofibrosis 】　⇒〔　　　　　　　　　　　　　　　　　〕
my/o/fibr/osis
myofibrosis　マイオファイブローシス｜筋線維症｜

【 myofibrositis 】　⇒〔　　　　　　　　　　　　　　　　　〕
my/o/fibros/itis
myofibrositis
マイオファイブロサイティス｜筋線維膜炎、筋細合組織炎｜

もう少しだけ[my/o]で始まる単語について学びましょう。

次の単語を分析してください。
【 myoid 】　　　⇒〔　　　　　　　　　　　　　　　　　〕
my/o/id
myoid　マイオイド｜筋様の、筋組織様の、類筋、筋様体｜

【 myolipoma 】　⇒〔　　　　　　　　　　　　　　　　　〕
my/o/lip/oma
myolipoma　マイオリポーマ｜筋脂肪腫｜

【 myopathy 】　⇒〔　　　　　　　　　　　　　　　　　〕
my/o/path/y
myopathy　マイオパシィ｜ミオパシー、筋障害｜

以上のように、[my/o]という連結形を見たときは
いつも『筋肉(muscle)』という言葉を連想しましょう。

[dipl/o]は『複』『重』『双』を意味します。
dipl/o/cardi/a は２つの心臓を持っていることを意味します。
dipl/o/genesis は同じ部分が「２つ」、あるいは同じ物質が「２つ」発生することです。

dipl/o/cardi/a　ディプロカーディア｜二心臓体｜
dipl/o/genesis　ディプロジェネシス｜重複奇形(形成)｜

dipl/o/blast/ic は「２つの胚葉を持った」という意味です。
この単語を参考にして、「(同時に)２つの音声を持つこと」を意味する単語を作ってください。
〔　　　/　　/　　　　/ ia 〕
diplophonia
dipl/o/phon/ia　ディプロフォーニア　｜二重音声｜
dipl/o/blast/ic　ディプロブラスティック｜二胚葉性の｜

[opia]は接尾辞として用いることができ、『視力』を意味します。
[opia]を使って、「複視、二重視」を意味する単語を作ってください。
〔　　　　/　　　　〕
diplopia
dipl/opia　ディプローピア｜複視、二重視｜

斜視(crossed eyes)は一種の〔　　/　　〕(複視、二重視)を起こします。
diplopia
dipl/opia　ディプローピア｜複視、二重視｜

単一の物体が二重になって見える状態を〔　　/　　〕(複視、二重視)といいます。
diplopia
dipl/opia　ディプローピア｜複視、二重視｜

[ambi]は『双』『両側』を意味します。
ambi/later/al は「両側の」という意味です。

ambi/later/al アンビラテラル｜両側の｜

次の空欄にあてはまるものを a〜c より選んでください。
▶ ambi/dextr/ous〈形容詞〉な人は、〔　　　　〕手が利きます。
a) 右　　　b) 左　　　c) 両方の
答. **c**
ambi/dextr/ous アンビデクストラス｜両利きの｜

dipl/o/bacteri/a は対(つい)でまたは2つで生じるバクテリアを指します。この単語を参考にして、対で成長する球菌(coccus)を意味する単語を作ってください。
〔　　　　／　　／　　　／　〕
diplococcus
dipl/o/cocc/us　ディプロコッカス　｜双球菌｜
dipl/o/bacteri/a　ディプロバクテリア｜双細菌｜

hyper/opia は「遠視」を意味します。
「青く見えること」を意味する単語は〔　　／　　〕です。
cyanopia
cyan/opia　サイアノーピア｜青(色)視(症)｜

[cyan]は『青』を指す語根でしたね。覚えていましたか？

[neur/o]は『神経』に関する単語に用いられます。
neur/alg/ia は「神経にそった痛み」を意味します。

neur/alg/ia　ニューラルジア｜神経痛｜

neur/o/arthr/o/path/y は「神経」および「関節」の病気です。

neur/o/arthr/o/path/y　ニューロアースロパシィ｜神経性関節症｜

neur/o/log/y は神経系を扱う医学の専門分野です。神経系の疾患を専門にする人は〔　／　／　　〕です。
neurologist
neur/o/log/ist　ニューロロジスト｜神経学者、神経科医｜

[neur/o]を用いて、次の意味の単語を作ってください。
「神経炎」〔　　　／　　　〕
neuritis
neur/itis　ニューライティス｜神経炎｜

「神経組織の破壊」〔　　／／　　　　〕
neurolysis
neur/o/lysis　ニューロリシス｜神経溶解、神経剥離（術）｜

「神経形成術」〔　　／／　　／　〕
neuroplasty
neur/o/plast/y　ニューロプラスティ｜神経形成術｜

neur/o/trips/y は「神経の手術的圧挫」を意味します。
『破砕』にあたる語根（通常摩擦か粉砕による）は[trips]です。

neuro/trips/y　ニューロトリプシィ｜神経挫砕術｜

trips/is は《trips/y》が原語（ギリシア語）です。
その意味は「摩擦」または「マッサージ」です。
意味が拡張して、[trips/is]は『破砕』または『粉砕』の意味を持ちます。
こうして、神経の手術的圧挫は〔　／／　／　〕です。
neurotripsy
neur/o/trips/y　ニューロトリプシィ｜神経挫砕術｜

lith/iasis（結石症）は、場合によって結石を破砕することが必要になります。結石の外科的破砕は〔　／　／　〕です。

lithotripsy
lith/o/trips/y　リソトリプシィ｜砕石術｜

myel/itis は「脊髄炎」または「骨髄炎」という意味があります。
この単語から、［myel］は『脊髄』および『骨髄』にあたる語根であることがわかります。

myel/itis　マイエライティス｜脊髄炎、骨髄炎｜

myel/o/blast は「骨髄芽球」という意味です。
ここから［myel］の連結形は［myel/o］であることがわかります。

myel/o/blast
マイエロブラスト｜骨髄芽球、骨髄芽細胞、ミエロブラスト｜

［myel/o］を用いて、次の意味の単語を作ってください。
「骨髄球の」〔　　／　／　　　／　〕
myelocytic
myel/o/cyt/ic　マイエロシティック｜骨髄球の、骨髄（球）性の｜

「脊髄のヘルニア形成」〔　　　／　／　　　　〕
myelocele
myel/o/cele　マイエロシール｜脊髄瘤、脊髄ヘルニア｜

「脊髄の欠陥のある（不良な）形成」
〔　　　／　／　　　／　　　／　〕
myelodysplasia
myel/o/dys/plas/ia　マイエロディスプレイジア｜脊髄形成異常（症）｜

［plas/ia］、［plas/is］は「形成における変異」を意味します。

こうした種類の形成の変異は自然に起こるもので、形成外科医の手によるものではありません。
dys/plas/ia は「欠陥のある、または不良な形成」を意味します。

dys/plas/ia ディスプレイジア｜形成異常(症)、異形成(症)｜

a/plas/ia はある器官が適切な発達ができないことを意味しています。つまり「形成不全」です。

a/plas/ia アプレイジア｜発育不全(症)、形成不全(症)、無形成(症)｜

「過成長」あるいは、「発達しすぎている状態」を意味する単語は〔　／　／　〕です。
hyperplasia
hyper/plas/ia ハイパープレイジア｜過形成、増殖、増生、肥厚｜

「減形成」または「形成不全」を意味する単語は〔　／　／　〕です。
hypoplasia
hypo/plas/ia ハイポプレイジア｜発育不全、形成不全、減形成(症)｜

myel/o/dys/plas/ia（脊髄形成異常症）の例と同様に、次の意味の単語を作ってください。
「軟骨の発育不全」〔　／／　　／　　／　〕
chondrodysplasia
chondr/o/dys/plas/ia
コンドロディスプレイジア｜軟骨形成不全(症)、軟骨異形成(症)｜

「骨および軟骨発育不全（または異形成）」
〔　／／　／／　／　／　〕
osteochondrodysplasia
oste/o/chondr/o/dys/plas/ia
オスティオコンドロディスプレイジア｜骨軟骨異形成症｜

「神経および脊髄の炎症」〔　　/　　/　　　　/　　　　〕
neuromyelitis
neur/o/myel/itis　ニューロマイエライティス｜神経脊髄炎｜

[psych/o]はギリシア語の《psyche》からきています。両語とも『心』または『精神』を意味します。
一般用語でも[psych]で始まる単語は多く見られます。たとえば、psych/o/ana/lysis は「精神分析」を意味し、psych/o/surgery は「精神外科」、そして psych/o/somat/ic は「心身の、精神身体の」を意味する単語です。

次の単語を分析してください。
【 psychosurgery 】⇒〔　　　　　　　　　　　　　　　〕
psych/o/surgery
psychosurgery　サイコサージェリィ｜精神外科｜

【 psychosomatic 】⇒〔　　　　　　　　　　　　　　　〕
psych/o/somat/ic
psychosomatic　サイコソマティック｜心身の、精神身体の｜

psych/iatry は精神障害を研究し、それを扱う医学の分野です。この分野を専門とする医師は〔　　/　　/　　〕と称されます。
psychiatrist
psych/iatr/y　　サイカイアトリィ　｜精神医学｜
psych/iatr/ist　サイカイアトリスト｜精神(科)医、精神医学専門医｜

psych/o/log/y は精神と精神過程を研究する科学です。この分野を研究する科学者は〔　　/　　/　　/　　〕と称されます。精神医学は心理学から分岐した分野です。
psychologist
psych/o/log/ist　サイコロジスト｜心理学者｜

psych/o/genesis は精神的特性の形成、つまり「精神発達」を意味します。「異常な精神状態一般」を意味する単語は〔　/　〕です。

psychosis
psych/osis　　　サイコーシス　｜精神病｜
psych/o/genesis　サイコジェネシス｜心因、精神発生学、精神作用｜

psych/o/neur/osis は主として精神が原因となる病気を指します。
psych/o/neur/o/tic〈形容詞〉な人とは、〔　/　/　/　〕にかかっている人です。

psychoneurosis
psych/o/neur/osis　サイコニューローシス｜精神神経症｜

〔　/　/　/　〕（精神療法、心理療法）は精神医学における治療法の1つです。

psychotherapy
psych/o/therap/y　サイコセラピィ｜精神療法、心理療法｜

辞書の中で、[psych]の付く単語を見つけ、興味をひく単語は何でも読んでみましょう。また、psych/iatr/ic および psych/o/ana/lysis の単語に続く部分も見てみましょう。
[psych/o]の付く単語はすべて「心あるいは精神」に関係があります。

《gnos》で始まる単語を知っていますか？《gnos》は『知識』を意味するギリシア語からきたものです。
たとえば、gnos/ia は「知覚力、認知力」を意味します。

gnos/ia　ノーシア｜知覚力、認知力｜

これまでにも医学用語辞典などの中に pro という見出しの部分があるのに気づいたことがあるかもしれませんね。
たとえば、pro/gnos/is は「ある病気の結果の予知または予後」を表していて、[pro]は『以前、前方』を意味する接頭辞になります。

pro/gnos/is　プログノーシス｜予後｜

白血病(leukemia)は、白血球に関係する重い病気です。
急性白血病の〔　/　/　〕(予後)は悪性(重症)です。
prognosis
pro/gnos/is　プログノーシス｜予後｜

procephalic は「前頭の」を意味します。
procephalic を分析してください。
〔　　　/　　　/　　　　〕
pro/cephal/ic
procephalic　プロセファリック｜前脳の、前頭の｜

prognostic は「予後の徴候」を意味します。
prognostic を分析してください。
〔　　　/　　　/　　　　〕
pro/gnos/tic
prognostic　プログノスティック｜予後の、予後徴候｜

[dia]は『通して』を意味します。
dia/gnos/is は文字通りには「～を通して知る」または「知ること」、つまり「診断」を意味します。

dia/gnos/is　ダイアグノーシス｜診断｜

ある病気の診断は、その症候を調べることによって行われます。
患者が悪寒、くしゃみ、水鼻など医師に告げた場合、医師は鼻風邪の〔　/　/　〕を下すでしょう。
diagnosis
dia/gnos/is　ダイアグノーシス｜診断｜

「認識(知識)なし」を意味する単語を作ってください。
〔　　/　　　　/　　〕

agnosia
a/gnos/ia　アグノージア｜失認、認知不能(症)｜

dia/rrhea の文字通りの意味は「通して流れ出る下痢」です。

dia/rrhea　ダイアリア｜下痢｜

dia/therm/y は「(組織)を通して熱を起こさせる」を意味します。[dia]は『通して』を、[therm]は『熱』を意味し、[y]は名詞の接尾辞です。

dia/therm/y　ダイアサーミィ｜ジアテルミー｜

[therm/o]は『熱』を意味する連結形です。
「熱を計る器械」は〔　　//　　〕になります。

thermometer
therm/o/meter　サーモミター｜温度計、寒暖計、体温計｜

[therm/o]を用いて、次の意味の単語を作ってください。
「熱の」〔　　　　/　〕

thermal
therm/al　サーマル　｜熱(性)の、温熱の｜

「熱に対する過敏」〔　　　　//　　　　/　〕

thermoesthesia または thermalgesia
therm/o/esthesi/a　サーモエスシージア｜温覚｜
therm/algesi/a　　サーマルジージア　｜温熱性痛覚過敏｜

「熱発生」〔　　　/　/　　　　〕
thermogenesis
therm/o/genesis　サーモジェネシス｜熱発生、熱産生、産熱、高温発生｜

「熱を利用して病気を治療すること（温熱療法）」
〔　　　/　/　　　/　〕
thermotherapy
therm/o/therap/y　サーモセラピィ｜(温)熱療法｜

「組織を通しての熱発生」〔　　　/　　　/　〕
diathermy
dia/therm/y　ダイアサーミィ｜ジアテルミー｜

温度目盛や体温の変化に関する単語を見つけたい場合は、辞典で [therm] または [therm/o] で始まる単語を探せばいい、ということになりますね。

micr/o/scop/e は微小なものを調べるための器械です。
「"通して"調べる器械」は〔　　/　　/　〕です。
diascope
dia/scop/e　ダイアスコープ｜ガラス圧診器｜

dia/scop/e は皮膚の上に乗せ、皮膚の変異を調べるための通して見る器械です。『通す』にあたる接頭辞は [dia] です。

***

[micr/o] は『小さい』ことを意味します。
「異常に小さい頭」を意味する単語を作ってください。
〔　　　/　/　　　/　〕
microcephaly
micr/o/cephal/y　マイクロセファリィ｜小頭(蓋)症｜

[cyst]は『液を入れた袋』にあたる語根です。
『嚢胞』に関する単語には連結形[cyst/o]を用います。
「非常に小さい嚢胞」が原義の「小嚢腫」は〔　/　/　〕です。

microcyst
micr/o/cyst　マイクロシスト｜小嚢腫｜

「非常に小さい細胞」が原義の「小赤血球」は〔　/　/　/　〕です。

microcyte
micr/o/cyt/e　マイクロサイト｜小赤血球｜

「小さい心臓(の症状)」は〔　/　/　/　〕となります。

microcardia
micr/o/cardi/a　マイクロカーディア｜小心症｜

顕微鏡や小さな器具を用いて、細かな組織上で行う外科手術を
〔　/　/　〕といいます。

microsurgery
micr/o/surgery
マイクロサージェリィ｜マイクロサージェリー、顕微手術、顕微外科｜

[macr/o]は[micr/o]の正反対の意味です。
[macr/o]は『大きい』を意味する単語に用いられます。

肉眼で対象物を検査することを macr/o/scop/y「肉眼(的)検査」といいます。「非常に大きな細胞」が原義である「大赤血球」は、
〔　/　/　/　〕と称されます。

macrocyte
macr/o/cyt/e　マクロサイト｜大赤血球｜

「異常に大きな頭」の症状は〔　/　/　/　〕と称されます。

macrocephaly
macr/o/cephal/y　マクロセファリィ｜大頭(蓋)症｜

非常に大きな生殖細胞（芽細胞）は〔　/　/　〕です。

macroblast

macr/o/blast マクロブラスト｜大赤芽球｜

非常に大きな球菌は〔　/　/　/　〕と称されます。

macrococcus

macr/o/cocc/us マクロコッカス｜巨大球菌｜

macr/o/gloss/ia は〔　　　〕を意味します。

巨舌症

macr/o/gloss/ia マクログロッシア｜巨舌(症)｜

macr/o/rhin/ia は〔　　　〕を意味します。

巨鼻症

macr/o/rhin/ia マクロリニア｜巨鼻症、巨大鼻｜

macr/o/cheil/ia は〔　　　〕を意味します。

大唇症

macr/o/cheil/ia マクロキリア｜大唇(症)｜

macr/o/dactyl/ia は、異常に大きい手足の指、つまり「巨指症」を意味します。
『手足の指』にあたる語根は[dactyl]です。

macr/o/dactyl/ia マクロダクティリア｜巨指(症)｜

「大きな手足の指」を意味するもうひとつの単語に dactyl/o/megal/y があります。『手足の指』にあたる連結形は[dactyl/o]です。

dactyl/o/megal/y ダクティロメガリィ｜巨指(症)｜

『指、手指、足指』を見たら、[dactyl/o]を思い出しましょう。

[dactyl/o]を用いて、次の意味の単語を作ってください。
「指の炎症」〔　　　　/　　　　〕

dactylitis
dactyl/itis ダクティライティス｜指炎｜

「指の痙攣」〔　　　/　/　　　　〕

dactylospasm
dactyl/o/spasm ダクティロスパズム｜指痙攣｜

mega/dactyl/y は〔　　　　〕を意味します。

巨指
mega/dactyl/y メガダクティリィ｜巨指(症)｜

poly/dactyl/y は多過ぎる〔　　　　〕を意味します。

指
poly/dactyl/y ポリダクティリィ｜多指(趾)(症)、指(趾)過剰症｜

[poly]は『多過ぎる』を意味します。
poly/ur/ia は「多過ぎる量の尿」を意味します。
水を飲みすぎると、〔　/　/　　〕が起こります。

polyuria
poly/ur/ia ポリユーリア｜多尿症｜

poly/neur/o/path/y（多発性神経障害）は多くの神経部位で起こる
病気です。
この単語を参照して、多くの神経部位で起こる炎症、つまり
「多発性神経炎」を意味する単語を作ってください。
〔　　　　/　　　　/　　　　〕

polyneuritis
poly/neur/itis ポリニューライティス｜多発(性)神経炎｜
poly/neur/o/path/y ポリニューロパシィ ｜多発(性)神経障害｜

[poly]を用いて、次の意味の単語を作ってください。
「多くの関節の炎症」〔　　　　／　　　　　／　　　　〕

polyarthritis
poly/arthr/itis　ポリアースライティス｜多発(性)関節炎｜

「いくつかの神経の痛み」〔　　　　／　　　　／　　　　／　　　〕

polyneuralgia
poly/neur/alg/ia　ポリニューラルジア｜多発(性)神経痛｜

「耳を過剰に持つ状態」〔　　　　／　　　　　／　　　〕

polyotia
poly/ot/ia　ポリオーシア｜多耳(症)｜

poly/cyst/ic は〔　　　　〕を意味します。

多嚢胞の
poly/cyst/ic　ポリシスティック｜多嚢胞の｜

poly/phag/ia は〔　　　　〕を意味します。

多食
poly/phag/ia　ポリフェイジア｜多食(症)、大食性｜

syn/dactyl/y は2本あるいはそれ以上の指が一緒になることを意味します。「合指症」と呼ばれます。
『一緒に』または『結合』を意味する接頭辞は[syn]です。

syn/dactyl/y　シンダクティリィ｜合指(症)｜

syn/erg/ist/ic は「共力(協力)作用の」を意味します。
お互いの薬効を高めるため協力(相乗)作用をする薬剤は、
〔　　／　　　／　　　／　　　〕drugs(協力薬)と称されます。

synergistic
syn/erg/ist/ic　シナジスティック｜共力(協力)作用の、相乗作用の｜

syn/ergistic muscles は協力作用をする筋肉です。
前腕を屈曲するために協力作用をする3つの筋肉があります。
それらは〔　/　/　/　〕muscles と呼ばれます。

synergistic
syn/erg/ist/ic muscles　シナジスティック・マッスル｜協力筋｜

synchondrosis を分析してみましょう。
syn ＝結合〈接頭辞〉　　chondr ＝軟骨〈語根〉　　osis ＝症状

syn/chondr/osis　シンコンドローシス｜軟骨結合｜

syn/chondr/osis は「軟骨による連結」を意味します。
硝子軟骨または線維軟骨が2つの骨を結合している場合を
〔　/　/　〕といいます。

synchondrosis
syn/chondr/osis　シンコンドローシス｜軟骨結合｜

[drom/o]は『走る』にあたるギリシア語からきています。
drom/o/man/ia は、歩き回ったり、ぶらついたりしようとする狂気
じみた衝動のことです。

drom/o/man/ia　ドロモメイニア｜徘徊癖、放浪癖｜

通常[drom]は[syn]および[pro]の接頭辞とともに用います。
この用法では、走っている状態がつまり「症候」の意味になるのです。

たとえば、**syn/drom/e** は「一緒に起こっている（一緒に走っている
という意味）多様の症候」を意味します。病気の全体的様相、つまり
「症候群」を表します。

Korsakoff's syndrome（コルサコフ症候群）としてよく知られる症状がありますね。

錯乱および重篤な記憶障害、特に記銘力の障害が生まれ、患者がそれを作語で補おうとすることが特徴となるアルコール健忘症候群を指します。アルコール中毒（alcoholism）による症候群は「Korsakoff's syndrome（コルサコフ症候群）」です。

pro/drom/e は文字通りには「（病気の）前を走ること」を意味します。病気の初期または先立つ症状を、その病気の〔　/　/　〕といいます。

prodrome
pro/drom/e　プロドローム｜前駆症(状)、前徴｜

一般の風邪の前に出るくしゃみは、風邪の〔　/　/　〕（前駆症状）です。

prodrome
pro/drom/e　プロドローム｜前駆症(状)、前徴｜

pro/drom/al は pro/drom/e の形容詞形です。
「はしか」の本来の斑点があらわれる前に出る発疹（rash）は、〔　/　/　〕rash と称されます。

prodromal
pro/drom/al　プロドローマル｜前駆の｜

水痘（chickenpox）も、やはり〔　/　/　〕rash が出ます。

prodromal
pro/drom/al　プロドローマル｜前駆の｜

poly/dips/ia は「過度の渇（液体に対する欲望）」を意味します。『渇（のどの渇き）』にあたる語根は［dips］です。

poly/dips/ia　ポリディプシア｜多渇症｜

poly/dips/ia はあまりにも多く塩分を摂りすぎるといった単純なことから起きる可能性があります。
塩分の多い食事は〔　/　/　〕を起こす可能性があります。
polydipsia
poly/dips/ia ポリディプシア｜多渇症｜

下垂体があるホルモンを分泌しすぎた場合も、塩分が体内に残り、〔　/　/　〕が起こります。
polydipsia
poly/dips/ia ポリディプシア｜多渇症｜

ある種のコルチゾンの多量の服用もまた〔　/　/　〕を起こす可能性があります。
polydipsia
poly/dips/ia ポリディプシア｜多渇症｜

dips/o/man/ia はアルコール中毒の別の言い方です。
アルコール飲料を過度に飲む人は、〔　/　/　/　〕にかかります。
dipsomania
dips/o/man/ia ディプソメイニア｜飲酒癖、渇酒癖｜

[dips]を用いて、次の意味の単語を作ってください。
「過度の口渇状態」〔　　　/　　　〕
dipsesis
dips/esis ディプシーシス｜高度口渇｜

「水の摂取（制限）による治療」〔　　/　/　　/　〕
dipsotherapy
dips/o/therap/y ディプソセラピィ｜口渇療法｜

＊＊＊

次の単語を分析してください。

【 anterolateral 】 ⇒〔　　　　　　　　　　　〕（わき）
anter/o/later/al
anterolateral　アンテロラテラル｜前外側の｜

【 anteromedian 】 ⇒〔　　　　　　　　　　　〕（中）
anter/o/medi/an
anteromedian　アンテロミディアン｜前正中の｜

【 anterosuperior 】 ⇒〔　　　　　　　　　　　〕（上）
anter/o/super/ior
anterosuperior　アンテロスピリアー｜前上方の｜

【 posterolateral 】 ⇒〔　　　　　　　　　　　〕（わき）
poster/o/later/al
posterolateral　ポステロラテラル｜後外側の｜

【 posteroexternal 】 ⇒〔　　　　　　　　　　　〕（外へ）
poster/o/extern/al
posteroexternal　ポステロエクスターナル｜後外側の｜

【 posterointernal 】 ⇒〔　　　　　　　　　　　〕（内へ）
poster/o/intern/al
posterointernal　ポステロインターナル｜後内側の｜

【 anteroposterior 】 ⇒〔　　　　　　　　　　　〕
anter/o/poster/ior
anteroposterior　アンテロポスティリアー｜前後の、前後方向の、腹背の｜

【 dorsocephalad 】 ⇒〔　　　　　　　　　　　〕
dors/o/cephal/ad
dorsocephalad　ドーソセファラド｜後頭方向へ｜

【ventrad】　　⇒〔　　　　　　　　　　　　　〕
ventr/ad
ventrad　ヴェントラド｜腹側へ｜

【ventrotomy】　⇒〔　　　　　　　　　　　　　〕
ventr/o/tom/y
ventrotomy　ヴェントロトミィ｜開腹(術)、腹腔切開(術)｜

【ventroscopy】　⇒〔　　　　　　　　　　　　　〕
ventr/o/scop/y
ventroscopy　ヴェントロスコピィ｜腹腔鏡検査(法)｜

【cephalad】　　⇒〔　　　　　　　　　　　　　〕
cephal/ad
cephalad　セファラド｜頭方向の｜

【cephalometer】⇒〔　　　　　　　　　　　　　〕
cephal/o/meter
cephalometer　セファロミター｜頭蓋計測器｜

【cauda】　　　⇒〔　　　　　　　　　　　　　〕
caud/a
cauda　カウダ｜尾｜

【caudate】　　⇒〔　　　　　　　　　　　　　〕
caud/ate
caudate　カウデイト｜尾状の、有尾の、尾状核｜

[aer/o]は『空気』を意味する単語に用いられます。
aer/ial（空気の）、aer/o/bi/c exercise（エアロビック運動、有酸素運動）という単語を聞いたことがあると思います。または、虫を殺すのに aer/o/sol bomb（エアゾール殺虫剤スプレー器）を使いますね。

このように、[aer/o]は常に『空気(air)』に関する単語に付きます。

[aer/o]を用いて、次の意味の単語を作ってください。
「空気に対する異常な恐怖」〔　　/　/　　　　/　〕
aerophobia
aer/o/phob/ia　エアロフォービア｜空気恐怖(症)｜

「空気による治療」〔　　/　/　　　　/　〕
aerotherapy
aer/o/therap/y　エアロセラピィ｜大気療法(学)、空気療法(学)｜

「空気の入ったヘルニア形成」〔　　/　/　　　　　〕
aerocele
aer/o/cele　エアロシール｜気瘤｜

《bios》は「生命」にあたるギリシア語です。
bi/o/chemistry は「生物における化学変化の研究(生化学)」です。
「生物の科学(または研究)」は〔　/　/　〕といいます。
biology
bi/o/log/y　バイオロジィ｜生物学｜

生物学を研究する人は〔　/　/　/　〕と呼ばれます。
biologist
bi/o/log/ist　バイオロジスト｜生物学者｜

次の文章が正しければ○、間違っていれば×を選んでください。
▶ biogenesis は「生物の発生」です。〔　　　〕
答．○
bi/o/genesis　バイオジェネシス｜生物発生｜

an/aer/o/bi/c(嫌気性)植物または動物は、空気のあるところでは生きられません。[an]は『無』を意味する接頭辞です。

anaerobic を分析してみましょう。
an ＝無〈接頭辞〉　　aer/o ＝空気〈連結形〉　　bi ＝生命〈語根〉
ic ＝〈形容詞接尾辞〉
an/aer/o/bi/c　アンエアロビック｜嫌気性の、無酸素(性)の｜

an/aer/o/bic が「空気(酸素)なしで生存する」を意味することを考えて、「生きるのに空気(酸素)を必要とする」〈形容詞〉を意味する単語を作ってください。
〔　　　／／　　　／　　〕

aerobic
aer/o/bi/c
エアロビック｜好気(性)の、有酸素(性)の、好気(性)生物に関する｜

次の空欄の中に aerobic もしくは anaerobic を入れてください。
▶肺炎を起こす細菌は、生きるために空気を必要とします。これらの細菌は〔　　　〕細菌と見なされます。

aerobic
aer/o/bi/c
エアロビック｜好気(性)の、有酸素(性)の、好気(性)生物に関する｜

▶破傷風菌は破傷風を起こします。破傷風は空気の入り込まない密閉した傷の中でのみ発育することができます。つまり、破傷風菌は〔　　　〕細菌といえます。

anaerobic
an/aer/o/bi/c　アンエアロビック｜嫌気性の、無酸素(性)の｜

▶ボツリヌス中毒症は食中毒の中でも危険な形態です。これは適切に処理されなかった缶詰めの肉や野菜を食べて起こります。通常缶は空気を入れません。ボツリヌス中毒症を起こす桿菌は〔　　　〕です。

anaerobic
an/aer/o/bi/c　アンエアロビック｜嫌気性の、無酸素(性)の｜

▶医師が傷口を開き、空気があたるようにするのは、〔　　　　〕細菌による感染を防ぐためです。

anaerobic
an/aer/o/bi/c　アンエアロビック｜嫌気性の、無酸素(性)の｜

***

『色』を意味する連結形は[chrom/o]です。「色」という意味のギリシア語《chroma》からきています。英語にも chroma(色度)および chrome(クロム)という単語があります。
[chrom/o]を見たら、『色』を思い出すようにしてください。

chrom/o/cyt/e は文字通りでは「色のついた細胞」を表します。
ここから、「色素芽細胞」を意味する単語を作ってください。
〔　　　／　／　　　　〕

chromoblast
chrom/o/blast　クロモブラスト｜クロモブラスト、色素芽細胞｜
chrom/o/cyt/e　クロモサイト　｜有色細胞｜

[chrom/o]を用いて、次の意味の単語を作ってください。
「(細胞における)色の崩壊」〔　　　／　／　　　〕

chromolysis
chrom/o/lysis　クロモリシス｜染色質溶解｜

「色素の生成」〔　　／　／　　　〕

chromogenesis
chrom/o/genesis　クロモジェニシス｜色素形成｜

「物質中の色量を測定する器械」〔　　／　／　　　〕

chromometer
chrom/o/meter　クロモミター｜比色計｜

chrom/o/phil/ic cell は容易に染まりやすい細胞のことです。
白血球の中には他よりも深い色に染まるものがあります。これらは
他の染まりにくい白血球よりも、より一層〔　/　/　/　〕です。

chromophilic
chrom/o/phil/ic
クロモフィリック｜色素親和(性)の、好色素性の、好染性の｜

細胞によっては全然染まらないものもあります。
それらは〔　/　/　/　〕ではありません。

chromophilic
chrom/o/phil/ic
クロモフィリック｜色素親和(性)の、好色素性の、好染性の｜

「容易に染まりにくい性質」を意味する単語は〔　/　/　/　〕
です。

achromophilic
a/chrom/o/phil/ic　エイクロモフィリック｜不染色性の｜

[dys]は『悪い』『痛みのある』『困難な』を意味します。
[dys]の反対形は[eu]です。
[eu]は『良い』『易しい』を意味します。

次の単語と反対の意味を持つ単語を作ってください。
dys/peps/ia　ディスペプシア｜消化不良｜
⇄〔　　/　　/　　〕

eupepsia
eu/peps/ia　ユーペプシア｜消化良好｜

dys/pept/ic　ディスペプティック｜消化不良の、不消化の｜
⇄〔　　/　　/　　〕

eupeptic
eu/pept/ic　ユーペプティック｜消化良好の、良好な消化力を持つ｜

dys/pne/a　ディスプニーア｜呼吸困難｜
⇄〔　　　　／　　　　／　　〕
eupnea
eu/pne/a　ユープニーア｜正常呼吸、安静呼吸｜

dys/kinesi/a　ディスキニジア｜ジスキネジー、運動障害、運動異常(症)｜
⇄〔　　　　／　　　　／　　〕
eukinesia
eu/kinesi/a　ユーキニジア｜運動正常｜

dys/phor/ia　ディスフォリア｜不快気分｜
⇄〔　　　　／　　　　／　　〕
euphoria
eu/phor/ia　ユーフォリア｜多幸(症)、多幸感、上機嫌｜

［dys］の反対の意味は［eu］です。もう覚えましたね。

　　　　　　　　　　＊＊＊

［men/o］は『月経』に関する単語に用いられます。
mens/es（月経）は mens/truat/ion（月経）の別表現です。単語中に
［men/o］があれば、mens/es または mens/truat/ion を思い出す
ようにしてください。

men/o/pause は〔　　　　〕の永久閉止を意味します。
月経
men/o/pause　メノパウズ｜閉経(期)、月経閉止期｜

men/o/rrhag/ia は〔　　　　〕を意味します。
月経過多
men/o/rrhag/ia　メノレイジア｜月経過多｜

men/o/phania は「少女の最初の月経（初潮）」を意味します。
この単語を参考にして、次の意味の単語を作ってください。
「月経の痛み」〔　　　/　/　　　　/　　　/　　　〕

menorrhalgia
men/o/rrh/alg/ia　メノラルジア｜月経痛｜
men/o/phan/ia　メノフェイニア｜月経初潮｜

次の意味の単語を作ってください。
「痛みのある月経（月経困難症）」
〔　　　/　　　/　/　　　　〕

dysmenorrhea
dys/men/o/rrhea　ディスメノリーア｜月経困難（症）｜

「月経の欠如」〔　/　　　/　/　　　　〕

amenorrhea
a/men/o/rrhea　アメノリーア｜無月経｜

「月経の停止」〔　　　/　/　　　/　〕

menostasis
men/o/stas/is　メノスタシス｜一時的月経閉止｜

[stas/is]は「停止状態」を意味します。
たとえば、hem/o/stas/is は「血流の中断、止血」を意味します。

hem/o/stas/is　ヒーモスタシス｜止血、血流遮断、うっ血｜

hem/o/stas/is（止血、血流遮断）を参考にして、次の意味の単語
を作ってください。
「静脈の血流の制御」〔　　　/　/　　　/　〕

phlebostasis
phleb/o/stas/is　フレボスタシス｜静脈（血）うっ滞（法）｜

「動脈の血流の制御」〔　　　／／　　　／　〕
arteriostasis
arteri/o/stas/is　アーテリオスタシス｜動脈血うっ滞(法)｜

「リンパ液の流れの制御」〔　　　／／　　　／　〕
lymphostasis
lymph/o/stas/is　リンフォスタシス｜リンパうっ滞｜

［pseud/o］は『偽』『仮性』を意味します。
たとえば、**pseud/o/cyes/is** は「偽妊娠」、「想像妊娠」を意味します。

pseud/o/cyes/is　スードシエシス｜想像妊娠、偽妊娠｜

pseud/o/man/ia（偽精神病）は患者が間違って自分に罪があると思い込む精神病です。
pseud/o/par/a/lysis（偽麻痺）は神経の損傷によらない麻痺です。

pseud/o/mania　　　スードメイニア　｜偽(性)精神病｜
pseud/o/paralysis　スードパラリシス｜偽(性)麻痺｜

［pseud/o］を用いて、次の意味の単語を作ってください。
「偽嚢胞」〔　　　／／　　　〕
pseudocyst
pseud/o/cyst　スードシスト｜偽嚢胞｜

「偽浮腫」〔　　　／／　　　／　〕
pseudoedema
pseud/o/edem/a　スードイディーマ｜偽浮腫｜

「偽感覚」〔　　　／／　　　／　〕
pseudoesthesia
pseud/o/esthes/ia　スードエスシージア｜偽感覚、触覚錯誤(症)｜

「偽(性)肥大」〔　　　/　/　　　　/　　　〕
pseudohypertrophy
pseud/o/hyper/troph/y　スードハイパートロフィ｜偽(性)肥大｜

「偽結核病」〔　　　/ /　　　/　　　〕
pseudotuberculosis
pseud/o/tubercul/osis　スードテューバクローシス｜偽結核病｜

pseud/o/edem/a（偽浮腫）で学んだように、edem/a は「細胞、組織、または漿膜腔内における水状液の過剰な貯留」を指します。

edem/a　エディーマ｜水腫、浮腫｜

＊＊＊

viscer/a は「身体の内臓器官」（複数形）です。
viscer/ad は「内臓の方向の」を意味します。
viscer/o/gen/ic は「内臓起源の」を意味する形容詞です。
これらから、『内臓』を意味する連結形は［viscer/o］であることがわかります。

viscer/o/gen/ic　ヴィセロジェニック｜内臓起源の｜

viscer/o/motor（内臓運動神経の）、viscer/o/pariet/al（内臓腹壁の）、viscer/o/pleur/al（内臓胸膜の）などの単語においては、［viscer/o］は『内臓』を指しています。

viscer/o/motor　　ヴィセロモーター　　｜内臓運動(神経)の｜
viscer/o/pariet/al　ヴィセロパライエタル｜内臓腹壁の｜
viscer/o/pleur/al　ヴィセロプルーラル　｜内臓胸膜の｜

［viscer/o］を用いて、次の意味の単語を作ってください。
「内臓下垂症」〔　　　/　/　　　　/　〕
visceroptosis
viscer/o/ptos/is　ヴィセロプトーシス｜内臓下垂症｜

「臓器痛」〔　　　　/　　　　/　〕
visceralgia
viscer/alg/ia　ヴィセラルジア｜臓器痛｜

「内臓の」〔　　　　　/　〕
visceral
viscer/al　ヴィセラル｜内臓の｜

次の単語を分析してください。
【viscerosensory】⇒〔　　　　　　　　　　　〕
viscer/o/sens/ory
viscerosensory　ヴィセロセンソリィ｜内臓感覚の｜

【visceroskeletal】⇒〔　　　　　　　　　　　〕
viscer/o/skelet/al
visceroskeletal　ヴィセロスケレタル｜内臓骨格の｜

【viscerogenic】⇒〔　　　　　　　　　　　〕
viscer/o/gen/ic
viscerogenic　ヴィセロジェニク｜内臓起源の｜

［lapar/o］は『腹壁』を意味します。
lapar/ec/tom/y は「腹壁を一部切除すること」です。

lapar/ec/tom/y　ラパレクトミィ｜腹壁切除｜

[lapar/o]を用いて、次の意味の単語を作ってください。
「腹壁の切開」〔　　　　／／　　　　／　〕
laparotomy
lapar/o/tom/y　ラパロトミィ｜側腹切開(術)｜

「腹壁の縫合」〔　　　　／／　　　　／　〕
laparorrhaphy
lapar/o/rrhaph/y　ラパローラフィ｜腹壁縫合｜

次の単語はとても長いですが、試しに分析してみましょう。
単語の部分部分を考えるようにしてください。
laparohysterosalpingo-oophorectomy
〔　　　　　　　　　　　　　　　　　　　　　　　〕
lapar/o/hyster/o/salping/o-/oophor/ec/tom/y
laparohysterosalpingo-oophorectomy
ラパロヒステロサルピンゴ・オーフォレクトミィ｜腹式子宮卵管卵巣摘除(術)｜

[pyr/o]は『火』『発熱』『高熱』を意味する単語に用いられます。
昔のギリシア人やローマ人たちが死体を乗せて燃やす積みまきは
《pyres》と呼ばれました。
pyr/o/mani/ac は「火」をつけたり、それを見たりすることに異常な
興味を持つ人です。

pyr/o/mani/ac　パイロメイニアック｜放火癖者｜

pyr/exia は「発熱」を意味します。
「熱感の症状(胸やけ)」を意味する単語は〔　　／　　〕です。
pyrosis
pyr/osis　パイローシス｜胸やけ｜
pyr/exia　パイレクシア｜発熱｜

[pyr/o]を用いて、次の意味の単語を作ってください。
「高熱を計る器械」〔　　　　/　　/　　　　　　〕

pyrometer

pyr/o/meter　パイロミター｜高温計｜

「熱による分解」〔　　　　/　　/　　　　　　〕

pyrolysis

pyr/o/lysis　パイロリシス｜熱(分)解｜

「火に対する異常な恐怖」〔　　　　/　　　　/　　　　〕

pyrophobia

pyr/o/phob/ia　パイロフォービア｜火恐怖(症)、恐火症｜

pyr/o/toxin は「熱」によって産生された毒素です。

pyr/o/toxin　パイロトクシン｜熱毒素｜

* * *

店を出た帰り道、僕はソフィーに気になっていたことを聞いてみた。

「ソフィー、君はずっと研究でやっていくつもり？」

正直馬鹿な質問だ。自分を省みても研究者としてここまで来るのは並大抵の苦労じゃないし、そもそも研究が好きじゃないなら、とっくにやめている。日本では、研究者同士が結婚した場合、女性が研究職をドロップアウトする例も少なからずあるが、合理主義と自由主義のハーフであるソフィーがそんな選択肢を考えているとも思えない。

「正直わからないなぁ。フランスに戻るのかどうかも。中途半端にしたくなくて、博士号まで取ったけど。ほら、この世界も楽じゃな

いじゃない？」

意外…。
ソフィーは、そう言っていたずらっぽく笑うと、意味深につけ加えた。

「何だかんだ言って、研究以外のいろいろなことしないといけないしね。ま、どこにいっても大人の事情はあるだろうし。」

確かに、僕の置かれた状況だけ見ても、ポスドクは決して楽とは言えない職業だ。下を見ればきりがないが、僕のポスドクとしての給料は年間4万ドル程度だ。
日本で臨床に出ていた時と比較するのも馬鹿らしくなる。

「トシ、あなたはどうするの？」

ここ数日の状況を考えると、日本のポストがあけば戻ることもあるんだろうけど…。思わずそんな弱気な台詞が口をついて出そうになる。

「とりあえずは当面の難局を乗り切るのに全力を尽くすよ。ところで、ソフィー、よかったら、今夜こそ夕食をご馳走したいんだけど…。」

「あ、ごめん、今日はこの後約束があるのよ。」

そう。
じゃ、僕はまたウォールマートで中華惣菜を買って帰るとしよう。
ところで、約束の相手は誰？

家に帰ると、いつものようにハーブティーを入れ、PCの電源を入れた。

メールは3通。

日本のボスからの近況報告と相変わらずの先輩からの愚痴メール、それに妹と姪の写真付きメッセージ。

　敢えてソフィーには言わなかったけれど、僕は研究室でのラジュの態度がどうしても気になっていた。

もしかして、彼も僕と同じ状況に陥っているんじゃないだろうか…？

そう、1週間で医療英単語の知識を100倍にしろ指令を受けているのではないだろうかという気がしたのだ。

もちろん、僕が自分の置かれた状況から、そんな想像をしてしまっているだけで、ラジュは単にど忘れした専門用語を、昔読み込んだ参考書で確認していただけかもしれない。

正直、その方が自然だ。

ふと、小学生の頃、通学途中に誰にも会わないので、もしかして学校が休みじゃないかと不安になったことを思い出してしまった。しかも、あの時は不安に勝てず家に走って戻り、結果遅刻して先生から大目玉をくらったんだっけ。

自分の貧困な想像力には、正直うんざりしつつも、妄想は止むことはない。

あの時のラジュの異様にあわてた様子、もしかして彼こそが産業スパイだなんてことは？？？？

ジャーマンカモミールとハイビスカスのブレンドをゴクリと飲み込んだ。カモミールのさわやかな香りと美しいルビー色が、わけのわからない妄想をかき消してくれるを期待して…。

おいおい、産業スパイを前提に考えてどうするんだ？　そんなわけないだろ。

そう自分に突っ込んだところで、ソフィーの声が聴こえてきたよ

うな気がした。

『仮に、ラジュが同じ立場だったとしても、あなたのやるべきことには関係ないでしょ？』

その通りだ。
それにしても、彼女は今頃、どこで誰と食事をしているのだろう。新しい妄想に取りつかれてしまう前に、さっさと寝てしまうことにしよう。
僕に残された時間はあと3日。
モチベーション維持のためにも、十分な睡眠が必要なのだから。

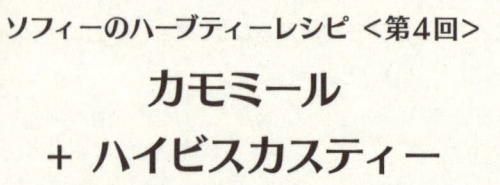

ソフィーのハーブティーレシピ ＜第4回＞
カモミール
＋ ハイビスカスティー

　ハーブティーはいろいろとブレンドを覚えると楽しさが倍増します。香り、色、効能などを組み合わせて、自分好みのブレンドハーブティーを作ってみましょう。

　もし、飲めないくらいまずいものができてしまったら？

　ハーブはその多くがアロマオイルの素。飲まずに香りだけでも楽しむことができます。
　ブレンドに失敗したとき、ソフィーはティーバッグに入れてお風呂に浮かべたりしていますよ。

　今回のブレンドは、カモミールとハイビスカスをブレンドしたもの。眼の疲れを癒すことを目的としたブレンドです。
　カモミールのさわやかな香りとハイビスカスのルビー色が少し柔らかい茜色に溶け合います。

　本書を読み続けてきたあなた、疲れた目を休めることも大事です。適度に休憩して、効果的な学習を進めていきましょう。
　もちろん、パソコンでの仕事のしすぎや、テレビの見すぎなどの後にもおすすめですよ。

5

５日目「神は魚と鳥を作り、僕はぐうの音を出す。」

　朝一番にラボ入りしてコーヒーを入れに給湯室に向かった。フレックスで今日は僕は休みの日だが、ハーブティーのプラセボ効果も万能ではないようで、なかなか寝つけず。家にいるのもだるかったので、なんとなく職場に出てきてしまったのだ。
　どうせ、夕方にはソフィーとの約束もある。
　実験が山場を迎える時は泊まり込みも当たり前になるし、決まった休みがとれるとも限らない。
　今日は泊まり込みが必要な実験もなく、当然誰もいないはずの時間だ。

　こんなときは砂糖たっぷりのコーヒーで脳に栄養を行き渡らせたいのだが、肝心の砂糖がいつものところに見つからない。
　誰もいないラボでひとりゴソゴソと探し物をする男…正直あまり言い訳ができる状況ではない。

「トシ、探しものはこれかい？」

　穏やかな声に振り向くと、ヘンドリックがコーヒーシュガーの入った瓶を差し出していた。

　ぐぅ。

「随分早いんだな。そんなに急ぎの実験のプロトコルシート[1]は僕のところにはきてなかったと思ったが？」

「日本人は勤勉が売りですから。あなたこそ早いですね。あれ、もしかしてお泊まりですか？」

　別にやましいところはないのだから、堂々としていればよいのだ。

ありがとうございますと言い添えて、コーヒーシュガーを受け取る。
いつも清潔なヘンドリックの顔にうっすらと無精髭が見える。いつもパリッとしているシャツが腕まくりされ、少しくたびれた感じになっていた。

「昨日、ボスからかなり無茶な要望が出てね。僕の立場としては、対応しないわけにはいかないってわけ。」

なるほど。昨日の話し合いは、そういう無茶ぶりだったってわけか。

「それより、トシ、君も大変だな。」

うん、そうだよな。
中ボスのヘンドリックが知らないはずはないのだ。こういう時に、どんな顔をすればいいのだろう。
とりあえず、僕は平静を装ってみることにした。

「あ、ボスからお聞きになりました？」

ヘンドリックの顔が微妙に曇った。

「いや、ボスからじゃないんだ。あ、これは言わない方がよかったのかもしれないな。実は、昨晩、ソフィーと夕食を一緒にしてね。そのときに…。」

な・る・ほ・ど…ね。

「すまない。トシ、ソフィーに僕が口が軽い人間だと思われたくないんだが…。」

わかっていますよ。大丈夫です。
彼女が僕の問題をべらべらと誰かに話したなんてことを、追求

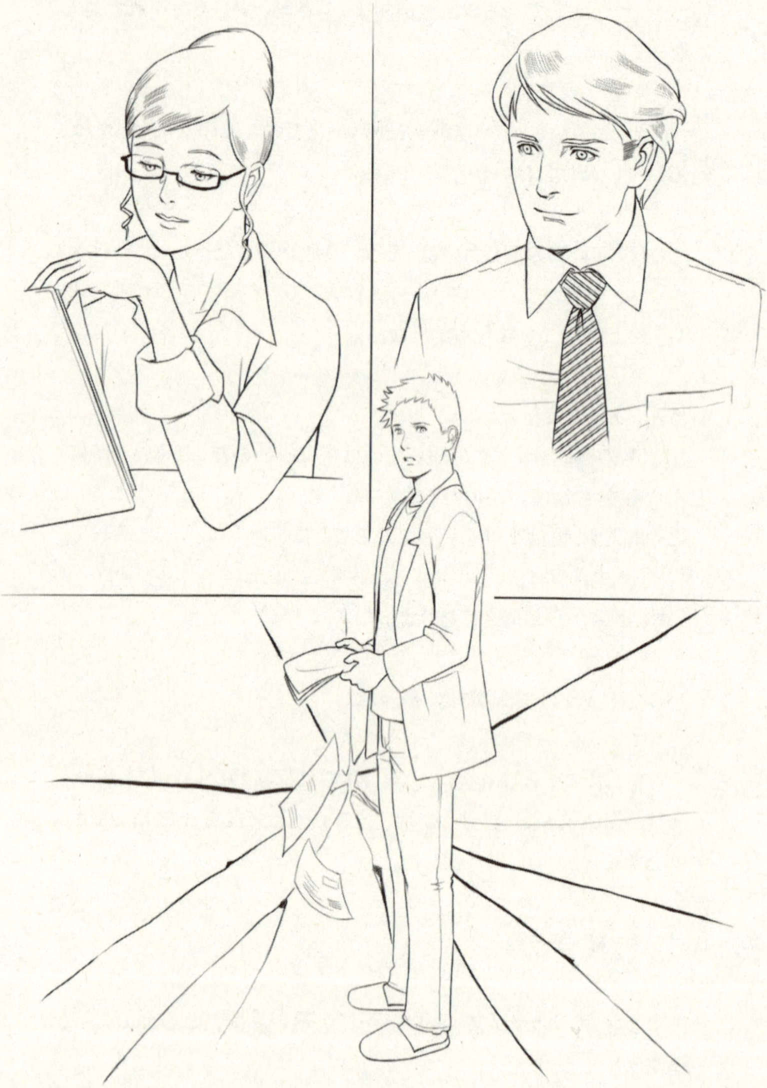

5

したりなんかしませんよ。自分の問題は自分で解決できますし、ソフィーとあなたの関係をとやかく言ったりはしませんから。
　たとえ、夕食の後に、泊まり込みでどこで何をしようがね。

　僕たちがやっているバイオ実験というのは、常に何かとの比較で考えなくてはならない。
　調べたいことがあれば、その対照となるものを用意しなければならないのだ。
　ある病気の患者の細胞について調べる時、病気の細胞だけでなく、必ず健康な細胞と比較する。採取サンプルの細胞の構成比などから、その違いを評価していくのだ。
　特に医学の分野は他の自然科学とは違い、明確な答えも出にくい。最後に頼るのは、統計と確率の魔術である。
　バイオ科学者の中には、比較検討の中からしか真実を見いだすことができない、対照なしにそのものだけでは結論を出せないかなしい習性が染みついている人もいるのではないか…そんなふうに思うこともある。

　時には、そんなかなしい習性が恋愛にまで及ぶこともあるかもしれない。

　ヘンドリックはいい中ボスであり、いい奴だ。
　他人も自分も管理する能力を兼ね備えていて、自分の妄想に振り回されるようなこともなさそうだ。
　映画だったら、あまりにいい奴過ぎて途中で殺されるか、あるいは、殺されたと思っていたら、実は本当は裏で操っていた真の黒幕であったりするくらいの人物。
　そう、これが映画で、もし産業スパイがこのラボに忍び込んでいたとしたら、それはラジュでもなく、もちろん僕でもなくて、目の前にいる彼であり、そしてその正体を知っているのはもちろん僕だけで、当然ながら、誰一人として僕の言うことなど信用しないだろうというくらいいい奴だ。

正直、自分で言っていて情けなくなってきた。

仮に、ソフィーの恋愛という名の対照実験のコントロール[2]が、ヘンドリックであったなら、それはそれは大きな有意差[3]が出ることだろうな。

「大丈夫です。僕も口が堅いんですよ。ついでに言えば見た目より骨のある男なんです。」

意味不明の僕の言葉に、ヘンドリックは極上の微笑みで返してくれた。

「君に抜けられたら、正直ラボが回らなくなるよ。ボスのご機嫌もあまりよろしくはないみたいだけど、僕からも言っておくから。」

ほら、厭味なくらいいい奴だ。

*＊＊

ユニオン・スクエアのグリーンマーケットで買い物がしたい。ついでにバーンスノーブルブックストアで本を買いたい。
そんなソフィーの要望につきあっているうちに、バーンスノーブルブックストアの中のスターバックスに落ち着く。

ソフィーの教え⑤　体調管理に気をつけて。

T：なんだかご機嫌だね。昨日、何かいいことあったのかい？

S：培養していた細胞の調子がすごくいいのよ。このままいけば、いい結果が出るかもしれない。それより、トシは元気ないのね。

T：あんまりね。急いでデータをまとめたせいもあるけど、正直疲れ気味。まぁ、僕に付き合ってくれてる君の方も心配だけど。

S：私? 私は大丈夫よ。それより元気が出ないと、声も出ないわ。最初に言ったけど、「目、口、耳」をフルに使わないとこの学習法は成果が上がりにくいのよ。そういえば、顔色もあんまりよくないみたい。大丈夫?

T：昨夜ろくなもの食べてないし、多少睡眠不足だし…。

S：それはよくないわね。昨日も言ったと思うけど、ここまで来ると、もう意志力の勝負よ。大丈夫、あなたなら、きっとやれるわ。やり抜くためには、まずは体調管理。
変な意味じゃなく、色気は大事よ。それじゃ、今日は色を含む単語から始めましょうか。

* * *

色を表す連結形を確認しましょう。
白 [leuk/o]
黒 [melan/o]
赤 [erythr/o]
青 [cyan/o]
緑 [chlor/o]
黄 [xanth/o]

cyan/opsia は「青視症」を意味します。
この単語を参考にして、次の意味の単語を作ってください。
「黄視症」〔　　　　/　　　　〕

xanthopsia
xanth/opsia　ザンソプシア｜黄(色)視(症)｜

「緑視症」〔　　　/　　　〕
chloropsia
chlor/opsia　クロロプシア｜緑(色)視(症)｜

「赤視症」〔　　　/　　　〕
erythropsia
erythr/opsia　エリスロプシア｜赤(色)視(症)｜

cyan/o/derm/a は「青い皮膚(チアノーゼ、青色症)」を意味します。
この単語を参考にして、次の意味の単語を作ってください。
「紅皮症(顔面紅潮)」〔　　　/　/　　　/　〕
erythroderma
erythr/o/derm/a　エリスロダーマ｜紅皮症｜

「白い皮膚(白斑)」〔　　　/　/　　　/　〕
leukoderma
leuk/o/derm/a　リューコダーマ｜白斑｜

「皮膚黄変」〔　　　/　/　　　/　〕
xanthoderma
xanth/o/derm/a　ザンソダーマ｜皮膚黄変｜

「黒皮症」〔　　　/　/　　　/　〕
melanoderma
melan/o/derm/a　メラノダーマ｜黒皮症｜

「黒い細胞(メラニン(形成)細胞)」〔　　　/　/　　　/　〕
melanocyte
melan/o/cyt/e　メラノサイト｜メラノサイト、メラニン(形成)細胞｜

「白い細胞(白血球)」〔　　　/　/　　　/　〕
leukocyte

leuk/o/cyt/e　リューコサイト｜白血球｜

「赤い細胞（赤血球）」〔　　　/　/　　　　/　　〕
erythrocyte
erythr/o/cyt/e　エリスロサイト｜赤血球｜

次の色の芽細胞を意味する単語を作ってください。
『白』〔　　　/　/　　　〕
leukoblast
leuk/o/blast　リューコブラスト｜白芽球、白(血球)芽細胞｜

『黒』〔　　　/　/　　　〕
melanoblast
melan/o/blast　メラノブラスト｜メラニン芽細胞｜

『赤』〔　　　/　/　　　〕
erythroblast
erythr/o/blast　エリスロブラスト｜赤芽球｜

［hydr/o］は『水』または『液』を意味します。
［hidr/o］は『汗』を意味します。
"y" と "i" の違いに注意してください。
たとえば、**hidr/o/cyst/oma** は「腺の嚢腫（汗嚢腫）」です。

hidr/o/cyst/oma　ハイドロシストーマ｜汗腺嚢腫｜

ここに「過度の発汗」を意味する単語が２つあります。
それぞれを分析してください。
【 hidrosis 】⇒〔　　　　　　　　　　　　　〕
hidr/osis
hidrosis　ハイドローシス｜多汗(症)｜

【 hyperhidrosis 】⇒〔   〕
hyper/hidr/osis
hyperhidrosis　ハイパーハイドローシス｜発汗過多、多汗(症)｜

an/hidr/osis は「無汗症」を意味します。

an/hidr/osis　アンヒドローシス｜無汗(症)｜

［hydr/o］は『水』または『液』です。［hidr/o］は『汗』を意味します。

［ophthalm/o］は『眼』に関する単語に用いられる連結形です。
ophthalm/ia は「重度の化膿性の結膜炎」を意味します。
形容詞は ophthalm/ic になります。

ophthalm/ia　オフサルミア　｜眼(結膜)炎｜
ophthalm/ic　オフサルミック｜眼の｜

次の単語について、空欄にあてはまるものをa〜cより選んでください。
▶ ophthalm/alg/ia は〔　　　〕を意味します。
a) 眼筋麻痺　　　b) 眼痛　　　c) 眼炎
答. b
ophthalm/alg/ia　オフサルマルジア｜眼(球)痛｜

［ophthalm/o］を用いて、次の意味の単語を作ってください。
「眼を測定する器械」〔　　　　/　/　　　　　　〕
ophthalmometer
ophthalm/o/meter　オフサルモミター｜角膜曲率計、眼球計｜

「眼病一般」〔　　　　/　/　　　　/　〕
ophthalmopathy
ophthalm/o/path/y　オフサルモパシィ｜眼障害、眼症｜

「眼の麻痺（眼筋麻痺）」〔　　/　/　　　/　　〕
ophthalmoplegia
ophthalm/o/pleg/ia　オフサルモプリージア｜眼筋麻痺｜

ophthalm/o/log/y は「眼病を扱う医学の専門分野」です。
この専門分野の医師を〔　　/　/　　/　　〕と呼びます。
ophthalmologist
ophthalm/o/log/ist　オフサルモロジスト｜眼科医｜

ophthalm/o/scop/y（検眼鏡検査）で眼の内部を検査するために用いる器械は〔　　/　/　　/　　〕と呼ばれます。
ophthalmoscope
ophthalm/o/scop/e　オフサルモスコープ｜検眼鏡｜

[glyc/o]は『甘いもの、糖分』にあたるギリシア語からきています。
glyc/o/gen は glucose（ブドウ糖）から作られる動物性澱粉です。
人体の細胞はエネルギーを放出するためにブドウ糖を用います。
動物性澱粉の貯蔵燃料を用いるために、人体は〔　　/　/　　〕をブドウ糖に変えなければなりません。
glycogen
glyc/o/gen　グライコジェン｜グリコーゲン、糖原｜

単語中に[glyc/o]があれば『糖、糖分』を思い出してください。

次の単語について、空欄にあてはまるものをa〜cより選んでください。
▶ **glyc/o/lip/id** は2つの食品、〔　　　　〕を思い出させます。
a）砂糖、脂肪　　　b）砂糖、塩分　　　c）塩分、脂肪
答. **a**
glyc/o/lip/id　グライコリピッド｜糖脂質｜

▶ glyc/em/ia は「血液中の糖」を意味します。hyper/glyc/em/ia は〔　　　〕を意味します。
a) 高血糖　　　b) 低血糖　　　c) 無血糖
答. a
hyper/glyc/em/ia　ハイパーグライシーミア｜高血糖(症)、過血糖(症)｜

hyper/glyc/em/ia は「高血糖症」です。
この単語を参考にして、「低血糖症」を意味する単語を作ってください。
〔　　　/　　/　　/　　〕
hypoglycemia
hyp/o/glyc/em/ia　ハイポグライシーミア｜低血糖症｜

「食品からのグリコーゲン形成」は〔　/　/　〕です。
glycogenesis
glyc/o/genesis　グライコジェネシス｜糖生成、糖原形成｜

「糖の分解(破壊)」は〔　/　/　〕です。
glycolysis
glyc/o/lysis　グライコリシス｜解糖(作用)｜

「糖の体外への放出」は〔　/　/　〕です。
glycorrhea
glyc/o/rrhea　グライコリーア｜糖液漏、糖尿、糖排泄｜

orchi/algia は「睾丸痛」を意味します。
この単語を参考にして、「睾丸摘除術」を指す単語を作ってください。
〔　　　/　　/　　/　　〕
orchiectomy
orchi/ec/tom/y　オーキエクトミィ｜精巣(睾丸)摘除(術)｜

出生後、睾丸は通常腹控内から陰嚢へ下りてきます。しかし、時にはこれが起こらないことがあり、crypt/orchid/ism(睾丸停滞)と呼ば

れます。この場合、〔　/　/　〕（精巣（睾丸）形成術）が行われます。

orchioplasty
orchi/o/plast/y　オーキオプラスティ｜精巣（睾丸）形成（術）｜

[orchi/o] [orchid/o]は『精巣（睾丸）』を表します。
では、次の意味の単語を作ってください。
「睾丸の固定術」〔　　　/　/　　　　/　〕

orchiopexy
orchi/o/pex/y　オーキオペクシィ｜精巣（睾丸）固定（術）｜

「睾丸付近のヘルニア様脱出」〔　　　　/　/　　　　　　〕

orchiocele
orchi/o/cele　オーキオシール｜精巣（睾丸）ヘルニア｜

「睾丸切開術」〔　　　　/　/　　　　/　〕

orchiotomy
orchi/o/tom/y　オーキオトミィ｜精巣（睾丸）切開（術）｜

crypt/orchid/ism は「停滞した睾丸」を意味します。
[crypt]は『隠れた』を意味します。
一般用語では、主に crypt の形容詞 cryptic（隠れた）の形で使われます。
たとえば、cryptic remark とは文字通りには「隠れた意味を含む言葉」です。
同様に、cryptic belief は「隠れた、表面に現われない信念」、
cryptogram は「暗号文」です。
医学用語では、睾丸が腹腔の中に隠れている場合をいう
〔　/　/　〕（潜伏睾丸症）があります。

cryptorchidism
crypt/orchid/ism
クリプトーキディズム｜潜伏（潜在）精巣（睾丸）（症）｜

[crypt]は『陰窩』または『小嚢腺』を意味します。
[crypt]を用いて、次の意味の単語を作ってください。
「陰窩の炎症」〔　　　　/　　　　〕

cryptitis
crypt/itis　クリプタイティス｜陰窩炎、腺窩炎｜

「陰窩切除」〔　　　/　　　/　　　〕

cryptectomy
crypt/ec/tom/y　クリプテクトミィ｜陰窩切除(術)｜

「隠れた、不確かな原因の」ことを〔　/　/　〕といいます。

cryptogenic
crypt/o/gen/ic　クリプトジェニック｜原因不明の｜

「内分泌（隠れた）腺の異常な分泌」は〔　/　/　〕と称されます。

cryptorrhea
crypt/o/rrhea　クリプトリーア｜内分泌異常｜

[colp/o]は『腟』に関する単語に用いられます。
colp/itis は「腟炎」を意味します。

colp/itis　コルパイティス｜腟炎｜

colp/o/dyn/ia は「腟痛」を意味します。この単語から、腟の病気一般は〔　/　/　/　〕と称されることがわかると思います。

colpopathy
colp/o/path/y　コルポパシィ｜腟疾患｜

腟の一部切除術は〔　/　/　/　〕です。

colpectomy
colp/ec/tom/y　コルペクトミィ｜腟切除(術)｜

[colp/o]を用いて、次の意味の単語を作ってください。
「膣脱出症」〔　　　/　/　　　/　　　〕
colpoptosis
colp/o/ptos/is　コルポプトーシス｜膣脱(出)症｜

「膣壁固定術」〔　　　/　/　　　/　　　〕
colpopexy
colp/o/pex/y　コルポペクシィ｜膣(壁)固定(術)｜

「膣の外科的修復」〔　　　/　/　　　/　　　〕
colpoplasty
colp/o/plast/y　コルポプラスティ｜膣形成(術)｜

「膣縫合術」〔　　　/　/　　　/　　　〕
colporrhaphy
colp/o/rrhaph/y　コルポラーフィ｜膣壁縫合術｜

「膣を検査する器械」〔　　　/　/　　　/　　　〕
colposcope
colp/o/scop/e　コルポスコープ｜コルポスコープ、膣鏡｜

「膣壁切開」〔　　　/　/　　　/　　　〕
colpotomy
colp/o/tom/y　コルポトミィ｜膣切開(術)｜

blast/o/derm（胚葉）は人間の組織の主要な3層を生じさせる細胞の胚盤です。
「外側の胚葉（外胚葉）」は ect/o/derm と称されます。
「内側の胚葉（内胚葉）」は end/o/derm と称されます。

ect/o/derm　エクトダーム｜外胚葉｜
end/o/derm　エンドダーム｜内胚葉｜

外胚葉と内胚葉の間には、mes/o/derm と称される「中層の胚葉（中胚葉）」があります。

mes/o/derm　メソダーム｜中胚葉｜

ect/o/derm は皮膚を形成します。神経系は皮膚と同じ層から生じています。この層は〔　／／　〕です。
ectoderm
ect/o/derm　エクトダーム｜外胚葉｜

感覚器官およびいくつもの腺もやはり〔　／／　〕から形成されます。
ectoderm
ect/o/derm　エクトダーム｜外胚葉｜

end/o/derm は体内の器官を形成します。
胃および小腸は〔　／／　〕から生じます。
endoderm
end/o/derm　エンドダーム｜内胚葉｜

肺もやはり〔　／／　〕から生じます。
endoderm
end/o/derm　エンドダーム｜内胚葉｜

mes/o/derm は ect/o/derm と end/o/derm との間にある器官を形成します。筋肉は〔　／／　〕によって形成されます。
mesoderm
mes/o/derm　メソダーム｜中胚葉｜

骨および軟骨もやはり〔　／／　〕から生じます。
mesoderm
mes/o/derm　メソダーム｜中胚葉｜

blast/o/derm は3層の胚葉を生じさせます。それらは

外層（外胚葉）＝ ect/o/derm
中層（中胚葉）＝ mes/o/derm
内層（内胚葉）＝ end/o/derm

から成ります。

ect/o/derm、mes/o/derm、end/o/derm は人体内のすべてを形成しています。

次の空欄にあてはまるものをa〜cより選んでください。

▶ [ect/o] の意味は〔　　　〕。
a) 外　　b) 中　　c) 内
答. **a**

▶ [end/o] の意味は〔　　　〕。
a) 外　　b) 中　　c) 内
答. **c**

▶ [mes/o] の意味は〔　　　〕。
a) 外　　b) 中　　c) 内
答. **b**

生体内で産生されたものは、**end/o/genous**（内因性の）といいます。では、生体外で産生されたものはどう表現されると推測できますか？

〔　　　／　　　／　　　〕

ectogenous

ect/o/gen/ous　エクトジーナス｜外因(性)の｜

ect/o/cyt/ic は「細胞外の」を意味する形容詞です。
「膀胱内の」を意味する形容詞は〔　　／　　／　　〕です。

endocystic

end/o/cyst/ic　エンドシスティック｜膀胱内の｜

prot/o/plasm（原形質）は生体物質です。細胞の外側境界を形成する prot/o/plasm は〔　/　/　〕と称されます。

ectoplasm
ect/o/plasm　エクトプラズム｜外質｜

細胞内の prot/o/plasm は〔　/　/　〕と称されます。

endoplasm
end/o/plasm　エンドプラズム｜内質｜

end/o/crani/al は「頭蓋内の」を意味する形容詞です。「軟骨内の」を意味する形容詞は〔　/　/　/　〕です。

endochondral
end/o/chondr/al　エンドコンドラル｜軟骨内の｜

end/o/enter/itis は「小腸の内膜の炎症」を意味します。

〔end/o〕を用いて、次の意味の単語を作ってください。
「心内膜の」〔　　/　/　　/　　〕

endocardial または **endocardiac**
end/o/cardi/al　エンドカーディアル｜心臓内の、心内膜の｜
end/o/cardi/ac　エンドカディアック｜心臓内の、心内膜の｜

「結腸の粘膜炎」〔　　/　/　　/　　〕

endocolitis
end/o/col/itis　エンドコライティス｜大腸粘膜炎、結腸粘膜炎｜

ここで、医学用語で重要である ectopic（場所をはずれた）という単語の各構成要素を見てみましょう。
ect/o ＝外　　top/os ＝場所（ギリシア語）　　ic ＝〈形容詞接尾辞〉

ec/top/ic　エクトピック｜異所性の｜

身体の右側にある心臓は〔 / / 〕heart です。
ectopic
ec/top/ic heart エクトピック・ハート｜異所性心臓｜

子宮内膜がファロピオ管に形成された場合、受精卵はそこに宿ることができ、子宮の外で妊娠が起こります。
これは〔 / / 〕pregnancy です。
ectopic
ec/top/ic pregnancy
エクトピック・プレグナンシィ｜異所(性)妊娠｜

腹腔における胚胎発育もまた〔 / / 〕pregnancy です。
ectopic
ec/top/ic pregnancy
エクトピック・プレグナンシィ｜異所(性)妊娠｜

次の単語を分析してください。
【 mesoneuritis 】 ⇒〔   〕
meso/neur/itis
mesoneuritis メゾニューライティス｜神経中膜炎｜

【 mesocolic 】 ⇒〔   〕
meso/col/ic
mesocolic メゾコリック｜結腸間膜の｜

【 mesocephalic 】 ⇒〔   〕
meso/cephal/ic
mesocephalic メゾセファリック｜中頭の｜

【 mesocardia 】 ⇒〔   〕
meso/cardi/a
mesocardia メゾカーディア｜胸郭中央位心臓｜

次の意味の単語(形容詞)を作ってください。
「結腸後の」〔　　　/　/　　　/　〕

retrocolic
retr/o/col/ic　レトロコリック｜結腸後(方)の｜

「乳腺(mammary)後の」〔　　　/　/ mamm / ary 〕

retromammary
retr/o/mamm/ary　レトロママリィ｜乳腺後(方)の｜

「胸骨(sternum)後の」〔　　　/　/　　　/ al 〕

retrosternal
retr/o/stern/al　レトロスターナル｜胸骨後(方)の｜

ante/version は「前傾」を意味します。
「後傾」にあたる単語は〔　/　/　〕です。

retroversion
retr/o/version　レトロヴァージョン｜後傾(症)｜

retr/o/periton/eum は「腹膜(後)腔」です。
この腔の炎症を〔　/　/　/　〕と呼びます。

retroperitonitis
retr/o/periton/itis　レトロペリトナイティス｜腹膜後炎、後腹膜炎｜

ante/flexion は「前屈」を意味します。
retr/o/flexion は「後屈」を意味します。

ante/flexion　アンテフレクション｜前屈｜
retr/o/flexion　レトロフレクション｜後屈、反屈｜

par/a/centr/al は「中心付近の」を意味します。
par/a-/appendic/itis は「虫垂周囲炎」を意味します。

par/a/centr/al　　　　パラセントラル｜中心付近の｜
par/a-/appendic/itis　パラアペンディサイティス｜虫垂周囲炎｜

[par/a] を用いて、次の意味の単語を作ってください。
「膀胱周囲の炎症」〔　　　／／　　　　／　　　　〕
paracystitis
par/a/cyst/itis　パラシスタイティス｜膀胱傍結合組織炎｜

「腟周辺組織の炎症」〔　　　／／　　　　／　　　　〕
paracolpitis
par/a/colp/itis　パラコルパイティス｜腟傍結合組織炎｜

＊＊＊

S：ここまで、位置関係を示す接頭辞をいろいろ見てきたけど、把握できてる？

T：[ant/e]が『前』だよね。他は、「後ろ」「周囲付近」「外側」「内側」「〜の中」とかって感じかな。接頭辞だけでいわれると一瞬出てこないかもしれない。

S：そうね。じゃ、気分転換にここで学んだ接頭辞をまとめて確認してみましょう。5日目になると大分地味な作業の連続だし、たまに、気分転換の問題を出してみるわね。

＊＊＊

次の空欄にあてはまるものを a 〜 c より選んでください。
▶ [ect/o] は〔　　　〕を意味します。
a) 後　　b) 周囲付近　　c) 中　　d) 外　　e) 内
答. **d**

▶[end/o]は〔　　　〕を意味します。
a)後　　b)周囲付近　　c)中　　d)外　　e)内
答. e

▶[mes/o]は〔　　　〕を意味します。
a)後　　b)周囲付近　　c)中　　d)外　　e)内
答. c

▶[par/a]は〔　　　〕を意味します。
a)後　　b)周囲付近　　c)中　　d)外　　e)内
答. b

▶[retr/o]は〔　　　〕を意味します。
a)後　　b)周囲付近　　c)中　　d)外　　e)内
答. a

[aut/o]は『自己』を意味する連結形です。
すでに aut/o/mobile（自己推進の乗物、自動車）、
aut/o/bi/o/graph/y（自己の伝記、自叙伝）などのように、日常用語でもよく使われていますね。
このように[aut/o]は『自己』を意味します。
aut/o/derm/ic は「自分自身の皮膚による植皮術に関する」という意味です。

aut/o/derm/ic　　オートダーミック｜自皮の、自家皮膚の｜

aut/o/nom/ic は「自律神経の」という意味です。
aut/o/lysis は「自己分解、自己破壊」を意味します。

aut/o/nom/ic　　オートノミック｜自律神経(性)の｜
aut/o/lysis　　　オートリシス　｜自己分解、自己破壊｜

aut/o/phag/ia は自分自身を咬む「自食症、自咬症」を意味します。この単語を参考にして、「独りでいることを異常に恐怖すること」（自己恐怖症）を意味する単語を作ってください。
〔   / /   /   〕

autophobia
aut/o/phob/ia　オートフォービア｜自己恐怖症、孤独恐怖症｜
aut/o/phag/ia　オートフェイジア｜自食症、自咬症｜

[mon/o]は『ひとつ』または『単一』を意味します。
一般用語にも monotony（単調）、monopoly（専売）、monogamy（一夫一婦制）などの単語があることを知っていると思います。
[mon/o]があれば、常に『ひとつ』を思い出してください。
mon/o/graph は単一の題目を扱ったものです。
mon/o/nucle/ar cell は単一の核を持った細胞です。

mon/o/man/ia（偏執狂）はひとつの事柄だけについて固執したり、異常に熱中することをいいます。

[mon/o]を用いて、次の意味の単語を作ってください。
「単細胞」〔   / /   /   〕

monocyte
mon/o/cyt/e　モノサイト｜単球、単核細胞｜

「孤立腫」〔   /   〕

monoma
mon/oma　モノーマ｜孤立腫｜

次の単語を分析してください。
【 monomyoplegia 】⇒〔   〕

mon/o/my/o/pleg/ia
monomyoplegia　モノミオプリージア｜単筋麻痺｜

【 mononeural 】　⇒ 〔　　　　　　　　　　　　　〕
mon/o/neur/al
mononeural　モノニューラル｜単神経の｜

【 mononucleosis 】　⇒ 〔　　　　　　　　　　　　　〕
mon/o/nucleo/sis
mononucleosis　モノニュークリオシス｜単核細胞症｜

[multi]と[mon/o]は反対の関係にあります。
[multi]は『多数、ひとつ以上』を意味します。

一般用語でも、multiply（増加させる）、multitude（多数）などの単語において[multi]に慣れていることと思います。
多数の要素から構成されている複合物は"多くの"部分を持ちます。
たとえば、multi/capsul/arなものは、"多くの被膜（capsule）"を持っています。

multi/capsul/ar　マルティキャプスラー｜多被膜性の｜

〔　　／　　／　　〕なものは、"多くの腺（gland）"を持っています。
multiglandular
multi/glandul/ar　マルティグランデュラー｜多腺性の｜

multi/par/a は一児以上分娩した女性（経産婦）です。
[par]は『分娩』にあたる語根です。
multi/par/ous は multi/par/a の形容詞形です。

multi/par/a　　マルティパラ　｜経産婦｜
multi/par/ous　マルティパラス｜経産婦の｜

multi/par/a は常に「母」に関係しています。
multi/par/ous は母に関係することもあるし、多産（双子または三つ子）を意味することもあります。ある婦人が一児以上分娩したことがある、と言いたいときには、multi/par/a という名詞を使います。

multi/par/a マルティパラ｜経産婦｜
multi/par/ous マルティパラス｜経産婦の｜

multiparous は〔　　／　　〕の形容詞形です。
multipara
multi/par/a マルティパラ｜経産婦｜

双子の誕生を表すには、〔　　／　　〕birth といいます。
multiparous
multi/par/ous マルティパラス｜経産婦の｜

三つ子が生まれたことを表すにも、〔　　／　　〕birth といいます。もしも10人の子が生まれたとしても、やはり〔　　／　　〕という単語を用いることになります。
multiparous
multi/par/ous マルティパラス｜経産婦の｜

[null/i]は『零、無』を意味します。
何かを nullify することは、その対象を「無」、または「無効」にすることを意味します。
[null/i]を用いた医学用語はあまり多くありませんが、その形を見かけたら『無』を意味していることを思い出してください。
[null/i]を使った単語である null/i/par/a は、「未産婦」を意味します。

null/i/par/a ナリパラ｜未産婦｜

[prim/i]は『最初、第一』を意味します。

[prim/i]を用いて、次の意味の単語を作ってください。
「一回経産婦、初産婦」〔　　/　/　　　/　　〕

primipara
prim/i/par/a　プライミパラ｜1回経産婦、初産婦｜

次の単語を分析してください。
【 nullipara 】〈名詞〉　　⇒〔　　　　　　　　　　　　　〕

null/i/par/a
nullipara　ナリパラ｜未産婦｜

【 nulliparous 】〈形容詞〉⇒〔　　　　　　　　　　　　〕

null/i/par/ous
nulliparous　ナリパラス｜未経産婦の｜

【 primipara 】〈名詞〉　　⇒〔　　　　　　　　　　　　〕

prim/i/par/a
primipara　プライミパラ｜1回経産婦、初産婦｜

次の言葉を意味する接頭辞を書いてください。
『無』〔　　　　　　〕

nulli
null/i　ナリ｜無｜

『単一』〔　　　　　　〕

mono
mon/o　モノ｜一、単、単一｜

『多』〔　　　　　　〕

multi
multi　マルティ｜多｜

『分娩』〔　　　　　　　〕
para
par/a　パラ｜分娩｜

『第一』〔　　　　　　　〕
primi
prim/i　プライミ｜第一｜

すでに[ab]は[ad]の反対の意味を指すことは学びましたね。[ad]は『〜の方へ』、[ab]は『〜から離れた』を意味します。たとえば、**ab/duct/ion**（外転）は正中線から離れた運動を意味します。また、**ab/normal**は正常（normal）から離れた、つまり「異常の」を意味します。

[ab]は『〜から離れた』を意味する接頭辞です。

ab/duct/ion　　アブダクション｜外転｜
ab/normal　　アブノーマル　｜異常の、不規則の｜

同じように、**ab/oral**は「口から離れた、口腔外の」を意味します。
ab/errantは「正常のコース"から離れて"さまようこと」を意味します。

ab/oral　　　アブオーラル｜口から離れた、口腔外の｜
ab/errant　アベラント　｜異常の、迷走(性)の、異所の｜

ab/irritantは痛みを患者"から離す"もの、つまり「刺激除去の、鎮静の」を表します。転じて名詞ともなっており、「鎮静剤」を指します。乳児を（母親の）胸"から離す"こと、つまり「離乳」は〔　/　/　　〕といいます。
ヒント：「授乳(期)」はlactationといいます。
ablactation
ab/lactat/ion　アブラクテイション｜離乳、乳離れ｜

abort は胎児を母親"から離す"こと、つまり「堕胎」を意味します。
皮膚を患者から離して掻きとることは〔 / 〕といいます。
ヒント：語根 rade に『から離れて』を表す接頭辞をつけてください。

abrade
ab/rade アブレイド｜剥離する、擦過する｜

次の単語を分析してください。
【 abduct 】　　⇒〔　　　　　　　　　　　　　〕
ab/duct
abduct アブダクト｜外転する｜

【 abneural 】　　⇒〔　　　　　　　　　　　　　〕
ab/neur/al
abneural アブニューラル｜神経から離れる方向の｜

【 abarticulation 】　⇒〔　　　　　　　　　　　　　〕
ab/articulat/ion
abarticulation アブアーティキュレーション｜不明瞭な発音｜

接頭辞［de］は『～から下った』を意味します。
たとえば、一般にいう de/scend は高いところから下りてくることです。医学用語の de/scending nerve track といえば、「下行性神経経路」のことで、脳から下がってくる神経をいいます。

同じように、**de/cidu/ous** は「落葉性の」を意味します。

de/cidu/ous ディシデュアス｜落葉性の、脱落性の｜

de/cidu/ous には、「脱落性の」という意味もあります。たとえば、幼児の口から抜ける乳歯は〔　 / 　 / 　〕tooth と称されます。
deciduous
de/cidu/ous tooth ディシデュアス・トゥース｜乳歯、脱落歯｜

[de]には『〜から取り去る』という意味もあります。
de/coct/ion は「さらに濃い物質に煎じること」ですが、水はその物質から取り去られます。同様に、水が取り去られると、その物質は前より少なくなります。
de/hydrat/ion（脱水症）は、「あるものから水を取り去ること」です。

de/hydrat/ion　ディハイドレーション｜脱水(症)｜

ウメから水分を取り去ると（梅干し）、de/hydrat/ion をしたことになります。細胞から水を除去した場合、やはり〔　／　／　〕をしたことになります。
dehydration
de/hydrat/ion　ディハイドレーション｜脱水(症)｜

何かが脱水された時、それは以前の量より少なくなります。
たとえば、過度の嘔吐によって体から水分が失われた時、その患者は〔　／　／　〕されたといいます。
dehydration
de/hydrat/ion　ディハイドレーション｜脱水(症)｜

嘔吐は脱水を起こします。高熱もやはり〔　／　／　〕を起こします。
dehydration
de/hydrat/ion　ディハイドレーション｜脱水(症)｜

骨からカルシウムが失われた時、カルシウムは以前より少なくなります。この過程は〔　／ calcificat ／ ion 〕と称されます。
空欄に『〜から取り去る』を示す接頭辞を入れて、単語全体を書いてください。
〔　／　　／　〕
decalcification
de/calcificat/ion　ディカルシフィケーション｜脱灰｜

de/calcificat/ion は多くの原因によって生じる可能性があります。妊婦が成長中の胎児のために十分なカルシウムを摂取しなかったならば、彼女自身の骨からカルシウムが失われ、〔　／　／　〕が起こります。

decalcification
de/calcificat/ion　ディカルシフィケーション｜脱灰｜

ビタミンDはカルシウム代謝を調整する働きをするので、食事でのビタミンD摂取不足は、〔　／　／　〕の原因となる可能性があります。
decalcification
de/calcificat/ion　ディカルシフィケーション｜脱灰｜

［ex］は『～から外へ』を意味する接頭辞です。
たとえば、ex/eresis は「身体のいかなる部分からでも取り去ること」を意味しています。また、ex/hale は「体から廃棄物をはき出すこと」を意味します。

ex/eresis　エクサレシス｜捻除(術)、切除(術)｜
ex/hale　　エクスヘイル｜呼気する、呼息する、呼出する｜

ex/cretion は物質を体から外へ出す(expel)過程を指します。
たとえば、尿の排泄は urinary 〔　／　〕です。
excretion
ex/cretion　エクスクリーション｜排泄｜

二酸化炭素(炭酸ガス)を排泄することは respiratory 〔　／　〕と称されます。汗の分泌は dermal 〔　／　〕です。
excretion
respiratory ex/cretion
レスピラトリィ・エクスクリーション｜呼吸｜
dermal ex/cretion　ダーマル・エクスクリーション｜発汗｜

次の空欄にあてはまる同じ単語を書いてください。
「月経の排出」menstrual 〔　　/　　　　　　〕
「糞便の排泄」gastrointestinal 〔　　/　　　　　　　〕

excretion

menstrual ex/cretion
メンストゥラル・エクスクリーション｜月経の排出｜
gastrointestinal ex/cretion
ギャストロインテスティナル・エクスクリーション｜糞便の排泄｜

＊＊＊

S：トシ、ちょっと眠そうな顔してるわよ！

T：う…。

S：声も小さくなってる。

T：いや、excretionはなかなか大きな声では発音しにくい…しね…。

S：言い訳無用よ。じゃ、少し気分転換しましょ。接頭辞問題にチャレンジよ。トシ、準備はいい？　その後、眠気を誘うような語根に入っていくから、しっかり、目を覚ましておいて！！

＊＊＊

これまで学んだ接頭辞を確認しましょう。

次の意味を表す接頭辞を a～c より選んでください。
▶「～から下った、より減少した」〔　　　　〕
a) ab　　　b) ex　　　c) de
答. **c**

▶「〜から離れた」〔　　　〕
a) ab　b) ex　c) de
答. a

▶「〜から外へ」〔　　　〕
a) ab　b) ex　c) de
答. b

***

[narc/o]は『睡眠』にあたる連結形です。
たとえば、narc/o/tic は「睡眠を催させる薬剤」です。

narc/o/tic　ナルコティック｜催眠薬、麻酔薬、麻薬｜

阿片（opium）は睡眠を催させます。
「睡眠を催させる薬剤」である阿片は〔　／／　〕です。
narcotic
narc/o/tic　ナルコティック｜催眠薬、麻酔薬、麻薬｜

narc/o/tic は医師に指示された場合に限ってのみ用いるべきです。
コデイン（codeine）は睡眠を催させます。
したがって、コデインも〔　／／　〕です。
また、モルヒネ（morphine）もやはり〔　／／　〕です。
narcotic
narc/o/tic　ナルコティック｜催眠薬、麻酔薬、麻薬｜

narc/o/tic によって誘発された状態は narc/osis と称されます。

narc/osis　ナルコーシス｜昏睡｜

narc/o/leps/y は「睡眠の発作」を意味します。日中に発作的に目を覚ましていることができなくなる場合、その人は〔　／／　／　〕に

かかっている可能性があります。
narcolepsy
narc/o/leps/y ナルコレプシィ｜ナルコレプシー、睡眠発作｜

narc/o/leps/y はどうにも抑えきれないものです。バスの停留所で立ったまま眠りこけてしまう人もいますが、これも〔　/　/　/　〕です。
narcolepsy
narc/o/leps/y ナルコレプシィ｜ナルコレプシー、睡眠発作｜

単語中に [narc/o] があれば、『睡眠』を思い出しましょう。

[is/o] は『同等、同様』を意味する単語に用いられます。
たとえば、is/o/metr/ic なものとは「同等の寸法」ということです。
また、is/o/cellular なものとは「同種の細胞から成り立っている」ということです。

is/o/cellular アイソセリュラー｜等細胞の｜

is/o/ton/ic は、同じ浸透圧を持っているということです。
血清は〔　/　/　/　〕溶液です。
isotonic
is/o/ton/ic アイソトニック｜等張(性)の、等浸透圧(性)の｜

intr/a/ven/ous glucose（静脈内のブドウ糖）も同様に、
〔　/　/　/　〕（等浸透圧性）溶液です。
isotonic
is/o/ton/ic アイソトニック｜等張(性)の、等浸透圧(性)の｜

圧力差によって赤血球が破壊されない溶液はすべて
〔　/　/　/　〕溶液です。
isotonic
is/o/ton/ic アイソトニック｜等張(性)の、等浸透圧(性)の｜

[is/o] を用いて、次の意味の単語を作ってください。
「手指または足指の長さが等しいこと(等指症)」
〔　　　　/　　/　　/　　　　〕
isodactylism
is/o/dactyl/ism アイソダクティリズム｜等指症｜

「等温の」〔　　　　/　/　　　/　　〕
isothermal または **isothermic**
is/o/therm/al アイソサーマル ｜等温の｜
is/o/therm/ic アイソサーミック｜等温の｜

[an] は『無』または『不』を意味する接頭辞です。
同等(equal)でないものはすべて不等(unequal)ですね。
『等しくないもの、不等』にあたる連結形は [an/is/o] または [anis/o] です。
たとえば、anis/o/cor/ia は「瞳孔の大きさが不等であること」を意味します。また、anis/o/mast/ia は「女性の乳房の大きさが不等であること」を意味します。

anis/o/cor/ia アナイソコリア ｜瞳孔不同｜
anis/o/mast/ia アナイソマスティア｜乳房不等｜

anis/o/cyt/osis は「細胞の大きさが不等であること」を意味します。
この単語は医学的用法として一般に赤血球に限定されています。
赤血球の大きさの不等な状態を〔　　/　　/　　〕といいます。
anisocytosis
anis/o/cyt/osis アナイソサイトーシス｜赤血球(大小)不同(症)｜

正常な赤血球は同じ大きさで、7.2ミクロンの大きさです。赤血球に不等な大きさを生じる異常な状態は、〔　　/　　/　　〕です。
anisocytosis
anis/o/cyt/osis アナイソサイトーシス｜赤血球(大小)不同(症)｜

ヘモグロビンの欠乏は〔　　/　　/　　〕の原因となる可能性があります。

anisocytosis
anis/o/cyt/osis　アナイソサイトーシス｜赤血球(大小)不同(症)｜

peri/articul/ar は「関節周囲の」という意味です。
また、peri/tonsill/ar は「扁桃周囲の」という意味です。
このように［peri］は『〜の周囲』という意味があります。

peri/articul/ar　ペリアーティキュラー｜関節周囲の｜
peri/tonsill/ar　ペリトンシラー　　　｜扁桃周囲の｜

［col/ic］は『結腸の』『大腸の』という意味です。
この単語から、「結腸周囲の」を意味する単語を書いてください。
〔　　　　/　　　　/　　〕

pericolic
peri/col/ic　ペリコリック｜結腸周囲の｜

peri/dent/al は「歯の周囲の」という意味です。
この単語から、「軟骨の周囲の」を意味する単語を書いてください。
〔　　　・　　　/　　〕

perichondral
peri/chondr/al　ペリコンドラル｜軟骨膜の｜

次の意味の単語を作ってください。
「腺周囲炎」〔　　　　/　　　　/　　　　〕

periadenitis
peri/aden/itis　ペリアデナイティス｜腺周囲炎｜

「肝周囲炎」〔　　　　/　　　　/　　　　〕

perihepatitis
peri/hepat/itis　ペリヘパタイティス｜肝周囲炎｜

「心臓周囲の組織の切除(心膜切除)」
〔　　　／　　　／　／　　　／　〕
pericardiectomy
peri/cardi/ec/tom/y　ペリカーディエクトミィ｜心嚢(心膜)切除(術)｜

『周囲』を意味する別の接頭辞に[circum]があります。
たとえば、circum/ocular は「眼の周囲の」を意味します。
また、circum/oral は「口の周囲の」を意味します。

circum/ocular　サーカモキュラー｜眼周囲の｜
circum/oral　サーカモーラル　｜口周囲の｜

circum/scribed は「場所的に限局された」という意味です。
じん麻疹は場所的に限局されて拡がりません。したがって、じん麻疹は〔　　／　　〕wheal(膨疹)といってよいでしょう。
circumscribed
circum/scribed　サーカムスクライブド｜限局(性)の｜

癤もやはりその範囲が限局されています。
癤は〔　　／　　〕lesion(病変)です。
circumscribed
circum/scribed　サーカムスクライブド｜限局(性)の｜

「内転」は ad/duct/ion です。
「外転」は ab/duct/ion です。ともに、すでに学びましたね。
「循環運動」は circum/duct/ion と呼ばれます。

circum/duct/ion　サーカムダクション｜循環運動｜

『通して』を意味する接頭辞は2つあります。医学用語としてよく用いられるものは[dia]です。
[dia]は『通して』という意味の接頭辞です。

これまでに、「通して知る」を意味する dia/gnos/is（診断）、そして「通しての熱」を意味する dia/therm/y（ジアテルミー）を学びました。

dia/gnos/is　ダイアグノーシス｜診断｜
dia/therm/y　ダイアサーミィ　｜ジアテルミー｜

[dia]を用いて、次の意味の単語を作ってください。
「通しての漏出（下痢）」〔　　　　／　　　　　　〕
diarrhea
dia/rrhea　ダイアリア｜下痢｜

「透熱性の」〔　　　　／　　　　／　　　　〕
diathermic
dia/therm/ic　ダイアサーミック｜ジアテルミーの、透熱性の｜

per/forat/ion〈名詞〉は「通しての穿刺」を意味します。
per/forat/e〈動詞〉は「通して穿刺するまたは穿孔する」を意味します。
このように、接頭辞[per]も『通して』という意味があります。

per/forat/ion　パーフォレーション｜穿孔、穿通｜
per/forat/e　　パーフォレイト　　　｜穿孔する、穿通する｜

per/forat/e の過去（分詞）形は per/forat/ed です。胃を通過して侵触した潰瘍は、英語で表現すると以下のようになります。
"An ulcer has〔　／　／　〕it."
perforated
per/forat/ed　パーフォレイティッド｜穿孔した、有孔の｜

潰瘍は十二指腸をも〔　　／　　／　〕〈現在形〉します。
perforate
per/forat/e　パーフォレイト｜穿孔する、穿通する｜

ある器官を潰瘍が穿孔した場合、〔　／　／　〕〈名詞〉が起こったといいます。

perforation
per/forat/ion　パーフォレーション｜穿孔、穿通｜

per/cuss/ion〈名詞〉は「通して打つ」を意味します。医学用語として、「打診法」と呼ばれるものがあります。それは、指または打診槌で軽くたたくことによって、その発生した音から、部分の密度を推定するために考案された診断法です。

per/cuss/ion　パーカッション｜打診（法）｜

まとめると、
『通して』を意味する2つの接頭辞は[per]と[dia]です。
『周囲』を意味する2つの接頭辞は[circum]と[peri]です。

＊＊＊

[necr/o]は『死』に関する単語に用いられます。
たとえば、necr/o/cyt/osis は細胞の「死、壊死」を意味します。

necr/o/cyt/osis　ネクロサイトーシス｜細胞壊死｜

necr/o/meter は「死体」の臓器を測定するものです。
necr/o/par/a/site は「死体」の有機物に棲息する寄生虫です。

necr/o/meter　　　ネクロミーター　｜検死計、死体計測器｜
necr/o/par/a/site　ネクロパラサイト｜死物寄生体、腐生菌｜

necr/osis は「健全な組織に囲まれて死滅した組織の状態」です。

necr/osis　ネクローシス｜壊死｜

腕への血液の供給が止ってしまった場合、壊痕(えそ)(gangrene)が始まります。これは腕の組織の〔　/　〕を生じさせます。
necrosis
necr/osis　ネクローシス｜壊死｜

[necr/o]を用いて、次の意味の単語を作ってください。
「壊死部除去」〔　/　/　　/　〕
necrectomy
necr/ec/tom/y　ネクレクトミィ｜壊死部除去(術)｜

「死体解剖」〔　/　/　　/　〕
necrotomy
necr/o/tom/y　ネクロトミィ｜死体解剖｜

「死体に対する異常な恐怖症」〔　/　/　　/　〕
necrophobia
necr/o/phob/ia　ネクロフォービア｜死体恐怖(症)｜

死後の解剖検査を表現する方法には2つあります。
ひとつは aut/o/psy であり、もうひとつは〔　/　/　〕です。
necropsy
necr/o/psy　ネクロプシィ｜剖検、検死｜
aut/o/psy　アウトプシィ｜剖検、検死｜

[phil/ia]は[phob/ia]の反対の意味を持ちます。
[phob/ia]は『異常な恐怖』で、[phil/ia]は『異常な親愛』です。
たとえば、necr/o/phob/ia は「死体に対する異常な恐怖」で、
necr/o/phil/ia は「死体に対する異常な親愛」です。

necr/o/phob/ia　ネクロフォビア｜死体恐怖(症)｜
necr/o/phil/ia　ネクロフィリア｜死体(性)愛｜

ほとんどの場合、[phob/ia]で終わることのできる単語は、[phil/ia]で終わることもできます。

次の意味の単語を書いてください。
「水に対する恐怖症」〔　　　　／／　　　　／　〕
ヒント：「水」を表す連結形は[hydr/o]

hydrophobia
hydr/o/phob/ia　　ハイドロフォービア｜恐水症｜

「水に対する親和性」〔　　　　／／　　　　／　〕
hydrophilia
hydr/o/phil/ia　　ハイドロフィリア｜親水性、吸水性｜

＊＊＊

S：[phil/ia]と[phob/ia]は対立する意味を持つから、逆にいろいろな単語をセットで覚えることができるの。

T：昔の映画に『Arachnophobia』というのがあったね。スピルバーグだったかな。蜘蛛恐怖症って奴。

S：あったわね。ちなみに、Arachnoはギリシア語源で蜘蛛を意味する連結形よ。

T：それは知ってるよ。アラクネは女神アテナに織物の勝負を挑んだ人間の娘の名前だ。結局、神の怒りに触れて、蜘蛛に姿を変えられたんだっけ。実は蜘蛛ってかなり好きなんだよね。

S：あら。じゃ、トシはarachnophiliaってわけ？　お願いだから、私の側には連れてこないでほしいけど。
これから何問か、[phil/ia]と[phob/ia]を使って、反対の意味になる単語の問題を出すわね。

次の単語の反対の意味の単語を書いてください。
【 hemat/o/phob/ia 】（血液に対する異常な恐怖）
⇄〔　　　　　/ /　　　　　/　　〕

hematophilia
hemat/o/phil/ia　ヘマトフィリア｜血液に対する異常な親和性｜

【 pyr/o/phob/ia 】（火に対する異常な恐怖）
⇄〔　　　　　/ /　　　　　/　　〕

pyrophilia
pyr/o/phil/ia　パイロフィリア｜火に対する異常な親和性｜

【 aer/o/phob/ia 】（空気に対する恐怖）
⇄〔　　　　　/ /　　　　　/　　〕

aerophilia
aer/o/phil/ia　エアロフィリア｜空気に対する親和性｜

【 aut/o/phob/ia 】（自己に対する異常な嫌悪）
⇄〔　　　　　/ /　　　　　/　　〕

autophilia
aut/o/phil/ia　アウトフィリア｜自己愛｜

［phil/o］は『親愛、好感』を意味する連結形です。
一般用語に phil/o/soph/y（哲学）、phil/o/soph/er（哲学者）などがあります。

［hom/o］は『同じ』を意味します。
たとえば、hom/o/genized milk は全体にクリームの量が均等になるようにしたものです。医学用語では、hom/o/therm/al は「同じ体温を持った」を意味し、hom/o/later/al は「同じ側の」を意味します。

hom/o/therm/al　ホモサーマル｜同じ体温の、恒温(性)の｜
hom/o/later/al　ホモラテラル｜同側(性)の｜

hom/o/sex/ual は「同性への親愛」を意味します。男性が女性よりも男性に魅力を感じる場合、彼らは hom/o/sex/ual といわれます。

hom/o/sex/ual　ホモセクシュアル｜同性愛の、同性愛者｜

女性が男性よりも女性に魅力を感じる場合、この人たちも〔　　／　　／　　〕といわれます。
homosexual
hom/o/sex/ual　ホモセクシュアル｜同性愛の、同性愛者｜

[heter/o]は[hom/o]の反対の意味を持ちます。
[heter/o]は『異なった』を意味します。
たとえば、heter/opia は「それぞれの眼が"異なった"視覚を持つこと」を意味します。

heter/opia　ヘテロ―ピア｜異視症｜

異なった性別に魅力を感じる人たちを〔　　／　　／　　〕といいます。
heterosexual
heter/o/sex/ual　ヘテロセクシュアル｜異性愛の、異性愛者｜

hom/o/gene/ous は「組織の構造が均一の」という意味です。
その反対の意味の単語は、heter/o/gene/ous です。

hom/o/gene/ous　ホモジーニアス　｜均質の｜
heter/o/gene/ous　ヘテロジーニアス｜異質性の、不均質の｜

次の単語の反対の意味の単語を書いてください。
【 hom/o/lysis 】（同種溶解）
⇌ 〔　　　　／　　／　　　　〕
heterolysis
heter/o/lysis　ヘテロリシス｜異種溶解｜

【 hom/o/genesis 】（同種発生）
⇌ 〔　　　/　/　　　　　〕
heterogenesis
heter/o/genesis　ヘテロジェネシス｜異常発生｜

【 hom/o/sex/ual 】（同性愛の、同性愛者）
⇌ 〔　　　/　/　　　/　　〕
heterosexual
heter/o/sex/ual　ヘテロセクシャル｜異性愛の、異性愛者｜

＊＊＊

[splen/o]は spleen（脾臓）に関する単語に用いられます。
[splen/o]を用いて、次の意味の単語を作ってください。
「脾摘出術」〔　　　/　/　　　　/　〕
splenectomy
splen/ec/tom/y　スプリネクトミィ｜脾摘出(術)｜

「脾臓の肥大」〔　　　/　/　　　　/　〕
splenomegaly
splen/o/megal/y　スプリノメガリィ｜巨脾腫(症)｜

「脾臓の下垂」〔　　　/　/　　　　/　〕
splenoptosis
splen/o/ptos/is　スプリノプトシス｜脾下垂(症)｜

「脾固定術」〔　　　/　/　　　　/　〕
splenopexy
splen/o/pex/y　スプリノペクシィ｜脾固定(術)｜

「脾臓の病気一般」〔　　　　／／　　　　／　　〕
splenopathy
splen/o/path/y　スプリノパシィ｜脾障害｜

「脾縫合術」〔　　　　／／　　　　／　　〕
splenorrhaphy
splen/o/rrhaph/y　スプリノラフィ｜脾縫合(術)｜

「脾臓からの出血」〔　　　　／／　　　　／　　〕
splenorrhagia
splen/o/rrhag/ia　スプリノレイジア｜脾出血｜

脾臓は血液を生成する器官のひとつです。
splen/alg/ia は「脾腰の痛み、脾痛」を意味します。
また、splen/ic は「脾臓に関する、脾臓の」を意味します。

splen/alg/ia　スプレナルジア｜脾腰の痛み、脾痛｜
splen/ic　　　スプレニック　｜脾臓に関する、脾臓の｜

［syn］および［sym］は同じ接頭辞の異なった形で、『共同、結合』を意味します。
これまでに、syn/dactyl/ism、syn/ergist/ic、syn/arthr/osis、syn/drom/e といった単語を学んでいます。意味を覚えていますか？

syn/dactyl/ism　シンダクティリズム｜合指症｜
syn/ergist/ic　　シナジスティック｜共力(協力)作用の、相乗作用の｜
syn/arthr/osis　シナルスローシス｜不動結合｜
syn/drom/e　　シンドローム｜症候群｜

b、m、f、ph、p の音が後に続く場合は、［sym］が用いられます。
sym/bi/osis などがその例です。

sym/bi/osis　シンビオーシス｜共生｜

sym/path/y は日常に使われる単語ですが、医学的には特殊な意味を持っており、「交感」という意味があります。2個の臓器、系統、身体の部分間の生理的または病理的相互関係を指します。

sym/path/y　シンパシィ｜交感、共感｜

[sym]を使った単語として、**sym/physis** は文字通りには、「共同成長」つまり「結合、癒着」を意味します。
また、**sym/blephar/on** は「眼瞼の癒着、結合」を意味します。

sym/physis　　　シンフィシス　　｜結合｜
sym/blephar/on　シンブレファロン｜眼瞼(間)癒着(症)｜

[sym]を用いて、次の意味の単語を作ってください。
「両足の結合(合足症)」〔　　　　　/ pod / ia 〕
sympodia
sym/pod/ia　シンポディア｜合足症｜

「交感神経切除術」〔　　　／　　　／　　　／　　　〕
sympathectomy
sym/path/ec/tom/y　シンパセクトミィ｜交感神経切除(術)｜

[sym]の後に m がさらに続く英単語として、**sym/metry**(対称性)、**sym/metrical**(対称性の)といった単語があります。
[sym]の後に b が続く英単語として **sym/bol**(記号)、**sym/bol/ism**(象徴性)といったものがあります。

[syn]と[sym]は2つとも『共同、結合』を意味します。
[sym]は b、m、p、f、ph と発音される文字が続く場合に、
[syn]はその他の場合に用いられます。

[super] [supra] はどちらも『上の』『超えて』を意味する接頭辞です。
たとえば、super/fici/al は「表在性の」という意味があり、supra/lumb/ar は「腰上の」という意味があります。

super/fici/al 　スーパフィシアル｜表在性の｜
supra/lumb/ar 　スープラランバー｜腰上の｜

S：さて、大分頑張ったわね。でも、もうひと踏ん張り。確認問題を一気に仕上げて今日は切り上げましょう。

接頭辞[super]を用いた次の単語の意味を a〜c より選んでください。
【 superciliary 】〔　　　〕
a) 過剰の　b) 重感染　c) 眉毛の　d) 致死量以上の　e) 優越
答．c
super/cili/ary 　スーパーシリアリィ｜眉毛の｜

【 superinfection 】〔　　　〕
a) 過剰の　b) 重感染　c) 眉毛の　d) 致死量以上の　e) 優越
答．b
super/infect/ion 　スーパーインフェクション｜重感染｜

【 superiority 】〔　　　〕
a) 過剰の　b) 重感染　c) 眉毛の　d) 致死量以上の　e) 優越
答．e
super/ior/ity 　スペリオリティ｜優越｜

【 superlethal 】〔　　　〕
a) 過剰の　b) 重感染　c) 眉毛の　d) 致死量以上の　e) 優越
答．d

super/leth/al スーパーリーサル｜致死量以上の｜

【 supernumerary 】〔　　　〕
a) 過剰の　b) 重感染　c) 眉毛の　d) 致死量以上の　e) 優越
答. **a**
super/numer/ary スーパーニューメレリィ｜過剰の｜

接頭辞[supra]を用いた次の単語の意味をa〜cより選んでください。
【 suprapubic 】〔　　　〕
a) 頭蓋上の　　b) 副腎腫　　c) 腎上の、副腎の
d) 恥骨上の　　e) 副腎機能障害
答. **d**
supra/pub/ic スープラピュービック｜恥骨上の｜

【 supracranial 】〔　　　〕
a) 頭蓋上の　　b) 副腎腫　　c) 腎上の、副腎の
d) 恥骨上の　　e) 副腎機能障害
答. **a**
supra/crani/al スープラクレイニアル｜頭蓋上の｜

【 suprarenal 】〔　　　〕
a) 頭蓋上の　　b) 副腎腫　　c) 腎上の、副腎の
d) 恥骨上の　　e) 副腎機能障害
答. **c**
supra/ren/al スープラリーナル｜腎上の、副腎の｜

【 suprarenoma 】〔　　　〕
a) 頭蓋上の　　b) 副腎腫　　c) 腎上の、副腎の
d) 恥骨上の　　e) 副腎機能障害
答. **b**
supra/ren/oma スープラリノマ｜副腎腫｜

【 suprarenopathy 】〔　　　〕
a）頭蓋上の　　b）副腎腫　　c）腎上の、副腎の
d）恥骨上の　　e）副腎機能障害

答. e

supra/ren/o/path/y　スープラリノパシィ｜副腎機能障害｜

[super]は主に近代英語で頻繁に用いられています。
一方、[supra]は専門的な医学用語において、より頻繁に用いられています。

[a]および[an]は『無』を意味する接頭辞です。

an/algesi/a	a/bi/o/tic
an/aph/ia	a/blast/em/ic
an/em/ia	a/chol/ia
an/encephal/y	a/derm/ia
an/esthes/ia	a/febrile
an/hidr/osis	a/galact/ia
an/iso/cyt/osis	a/kinesi/a
an/irid/ia	a/lali/a
an/onych/ia	a/men/a
an/ops/ia	a/pne/a
an/ul/us	a/reflex/ia
an/ur/ia	a/seps/is

この単語表から、後に母音が続く場合は[an]を、子音が続く場合は[a]を使うことがわかると思います。

[a]と[an]はどちらも『無』を意味します。

＊＊＊

今日のレッスンは「無」で終わったけれど、大分体が覚えてきていて、この学習のリズムが身についてきている気がする。
　要するに、確実に医療英単語が身についてきている実感があるのだ。

　正直、僕も日本の厳しい受験戦争を切り抜けてきた身分であるので、aやanが「〜がない」とか「非〜」のように否定の接頭辞であることくらいは知っていた。
　もちろん、ソフィーに先ほどそう言われるまで、すっかり忘れていたというのが本当のところだけど。
　高校時代には、英和辞典の冒頭に鎮座する、不定冠詞となんら変わらない姿のギリシアからやってきたというこの最小接頭辞に、なんとなく薄気味悪い印象を持ったものだ。

　単語の冒頭に「a」と一文字を付けるだけでその存在を否定できるなんて、どんなパワーを持った魔法の言葉なんだろう。

　自分の名前に、思わずaを付けてみたくなる。

　atoshiyuki。アトシユキ。アトシ。

　おお、僕は一体どこの国の人なんだろう。
　呼び名にいたっては、アトシなんて、決して漢字で書きたくない変化をしている。なんとなく屈辱的で、十分にしょんぼりな気分にさせられる。
　なんだか、全人格を否定された気分だ。
　確かに、この「a」には十分に存在を否定するパワーがあるようだ。

　目の前のフランス美人は、昨日のヘンドリックとのデートが楽しかったのか、本当に実験の経過が良好なせいか、はたまた本日のカリキュラムが思いのほか順調に進んだことに満足したのか、妙に上機嫌に見えた。

もちろん、気のせいかもしれないけれど。

「あと２日しかないんだよな。」

「なに？ 聞いてなかった、もう一度言って。」

僕は少し憤慨しながら、こう言い直した。

「あと２日で、君と会えなくなるかもしれないんだよな。」

「別に、クビになっても会おうと思えば会えるじゃない。それに、そんな弱気な発言されると私の教え方に問題があるみたいだし。」

ぐぅ。

実は僕には、反論できない状況に陥ったときに、ぐうの音を出すという何の役にも立たない特技がある。
せめて、ぐうの音ぐらいは出してやろうという思いで密かに練習を重ねてほぼ無意識に出せるのだが、残念ながら一度たりとも功を奏したことがない。
確かに、ソフィーの言う通り、教えてもらっている立場でまったくもってなんとも失礼な物言いになってしまった。

「逆に言えば、もう５日も頑張ったんじゃないの。弱気になるのも分かるけど、もう少し頑張りましょうよ。」

……。
僕の特技が初めて役に立った瞬間かもしれない。ただ、英語にもフランス語にも、ぐうの音が存在するのかは知らないけどね。

しかし待て。
ちょっとおかしい気がする。普通、怒るところだろ、ここは。

正直、どうしてソフィーがこれほどまでに僕に肩入れしてくれるのか、その理由がわからない。

　同僚とはいえ、まだたかが半年程度の付き合いだ。同じフランスのマイナー歌手のファンだったからといって、(希少価値は高いけれど)プライベートの時間を大幅に割いてまで付き合う理由になるとは思えない。

　何か裏があるのかもしれない。

　このままだと、僕の妄想はソフィーまでもアンブレラ社[4]の社員にしてしまいかねない。

　しかし、理由もなくこんなふうに励まされると逆にストレスがかかってくる。

　残念ながら僕への恋愛感情ではないらしいのは、ヘンドリックの一件でわかっている。

　では、彼女には何の得があって、こんなに僕に尽くしてくれるのだろう。

　ソフィーの上機嫌に裏打ちされた寛容さは、本当に僕にストレスを与えたらしく、次の瞬間、僕はおよそ言うべきではない言葉を口にしてしまっていた。

「昨日はヘンドリックと何を食べたの?」

　何を聞いてるんだ、僕は。
　この台詞で、機嫌がよかった女神の顔色は一変した。

「ヘンドリックに聞いたの? 最悪…。口が軽いにもほどがあるわ。なにか聞いた?」

「いや、君と食事をしたって話だけ…だよ。」

「本当に?」

　打って変わって、やけに鬼気せまる尋ね方。もしかすると、よほど

重要な機密性の高い話でもしたのだろうか。同じ実験を共有する同僚である僕にも聞かれたくないような。

「本当だよ。彼、僕の今の状況を知っていたみたいでさ、君以外の誰にも言ってなかったんで、ボスから聞いたのかと思ったら、君に聞いたっていうから。それだけだよ。しかも、彼は君から聞いたってことは言わないでくれって念押ししてたんだけど…まぁ僕も口は堅いんですとか調子のいいこと言った割に…。」
しどろもどろとは、まさにこのことだ。

「本当に本当ね？」

うん、神に誓って。
日本には閻魔大王という神様がいてね、嘘をついた人は彼に舌を抜かれてしまうんだ、だから、日本人は決して嘘はつかないんだよ。もしくは、針を千本飲むという因習があってね…。
我ながら、どうしてこうも無駄に信用されない言い訳しかできないものかと思う。
ソフィーは、眼鏡越しに僕の顔をじっと見つめると、小さくため息をつき、まぁいいわと小さくつぶやいて立ち上がった。

「トシ、単語を発音するのを忘れてる時があるわよ。明日はちゃんと目、耳、口をフルに使ってね。
あと今夜は、ジャーマンカモミールとレモンバーベナを合わせて飲むといいわよ。神経が休まってゆっくり眠れるわ。
ほら、明日も何があるかわからないないじゃない？」

うん、ありがとう。そうするよ。
5日前のボスの宣告が突然だったように、本当に明日のことはわからない。風邪を引いて熱が出るかもしれないし、培養中の細胞がすべてコンタミ[5]してしまっているかもしれない。
未来はわからないのだから、僕たちはただそれに備えるしかない。

ソフィーを見ていると今やっていることに無駄なことなんてないという強い確信を感じる。

まずは強い自分ありきなんだよな。留学を決心したときの自分の高揚感と根拠のない自信を思い出して反芻を試みる。

頑張るよ。だからこれ以上、僕とヘンドリックをこれ以上比較しないでくれたらうれしいな。

---

1) プロトコルシート (protocol sheet)
　実験の手順や決まりなどを記載したシートのこと。特に定型があるわけではない。

2) コントロール (control)
　臨床研究などで、あるケース（症例）に対して、このケースと性別や年齢などの要因が似た比較する群をコントロール（対照）という。統計的にバイアスが排除された比較対照のこと。

3) 有意差 (statistical significance)
　統計的に意味のある差のこと。統計的に優れているという意味では断じてない。

4) アンブレラ社 (Umbrella Corp.)
　株式会社カプコンの世界的大ヒットゲーム『バイオハザード』の架空企業。製薬会社と偽って生物兵器開発を行っている。私設軍隊もあれば、政界へのパイプもあり、他社や財政界への二重スパイ活動なども日常的に行っている国際巨大企業である。

5) コンタミ (contamination)
　コンタミネーションの略。文字通り汚染。たとえば無菌操作が徹底されず、雑菌が混入した場合などに使用する。

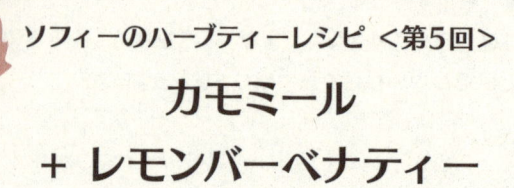

ソフィーのハーブティーレシピ ＜第5回＞
カモミール
＋ レモンバーベナティー

　トシはいろいろと心配事が多くて、気が休まる暇もないみたいですね。日常は、さまざまなストレスが一杯…ちょっとした不安も安眠の妨げになります。

　何度も登場したカモミールとレモンバーベナを合わせて、不安を和らげ、やる気を起こさせる…そんなブレンドを試してみましょう。

　美しい黄緑色はそのままに、少し野性味のあったレモンバーベナの酸味と香りが、カモミールの優しさと程よく溶け合い、とげとげしつつあった気分を、ゆっくりと解きほぐしてくれるでしょう。

　寝る前に飲めば、やさしい香りとハーブティーの温かさがあなたを芯から温め、穏やかな安眠へと誘ってくれるはずです。

　逆に、同じブレンドを朝試してみてもいいでしょう。その時は、レモンバーベナを少し多めで…。

　レモンバーベナのリフレッシュさせる香りが活力を与え、カモミールのやさしさが昨日の重みから解き放ってくれることでしょう。

6

6日目「神はついに人を作り、僕は人として決意する。」

ラボに来た僕を待っていたのは、ボスからの呼び出しだった。
そして今、5日前にはなんの緊張感もなくノックしたボスの部屋への扉が、魔王の宮殿へと続く門扉のようにズズンとそびえ立っている。
いよいよ期限は明日。呼び出しの用件はもちろん医療英単語100倍テストの実施についてだろう。
ここでタチの悪い冗談でしたと言われても、僕は一切怒ったりはしませんよ、ボス。

2、3回の逡巡を経た後、僕は意を決して扉をノックした。

「トシです。失礼します。」

白い壁、ボスの性格を見事に反映した鋭角な家具の配置。
壁の見事なまでに中心に掲げられたスイープセコンド[1]の時計。
前回とまったく変わらない印象のこの部屋。
ただひとつだけ大きな違いがあった。

ボスの机の隣には、前回にはなかったある人影が立っていた。
そう、そこには僕の個人教授であるところのソフィーの姿があったのだ。

本当に何が起こるかわからないものだな。

ソフィーとボスを往復で一瞥した後、僕の視線はすぐ行き先を見失った。あわてて僕の視線は壁の時計の秒針へと逃げ込む。それ以外にこの部屋には動いているものがなかったのだ。
僕は時計の秒針はクォーツタイプよりもスイープセコンドタイプが好みだ。
強制的なリズムを刻むクォーツ。それと比べて、否応なしに時間

を流していくスイープセコンドの連続的な秒針の動きは、ツッコミどころを逸した永遠に続くボケのような時間の深遠を見せてくれる気がする。

ただこの状況で、流れるように過ぎ去っていくこの秒針の動きは、なかなかに拷問に近いものがある。
死ぬ間際の走馬灯が見えてしまいそうな数秒が流れ、ようやく、ボスが口を開いた。

「トシ、まず最初にあなたに謝らなくてはいけないの。」

はぁ？

「ごめんなさい。」

この突然の『ねるとんパーティー[2]の告白タイムの残念シーン』みたいなシチュエーションはなんだろう。
神妙な面持ちで、ソフィーも立ちつくしている。
まったくもって話が見えない。
訝しげな僕の表情を読み取ったのか、ボスがソフィーを遮るように話し始めた。

果たして、続いてボスの口から語られた衝撃の事実をかいつまむと次のようになる。ちなみに（　）内は僕の素直な気持ちだ。

☞このラボではちょうど1年ほど前から産業スパイ疑惑があった。
そのスパイ疑惑は次の通りである。
　（ほらきた、やっぱりスパイだよ）

☞1年少し前、ボスのところに1通のメールが届いた。
　（1年少し前だとソフィーが入る前だよな）

☞メールには、あるBBSのURLが記載されており、そこにはラボ内の人間しか知らないはずのある実験のプロトコルナンバーが記載されていた。

　（おお、これは超機密実験のコードに違いない、まさか、アレはやばいだろ）

☞プロトコルナンバーは単なる実験の識別コードである。外部の人間が見れば、なんの役にも立たないアルファベットと数字の羅列であり、そのものが何かを示すことはない。さらに、そのプロトコルナンバーの示す実験内容は情報としてはまず価値のない基礎実験で、実験である以上機密情報扱いに分類されているだけのものだった。

　（ふーん。これは絶対裏があるな）

☞そのメールの目的が不明であり、事故なのかミスなのか、内部による愉快犯なのか警告なのか、独自調査を行った。

　（絶対裏がある）

☞しかし、ラボの全ネットワークを調査し怪しい履歴がないかを確認したがその正体をつかむことができなかった。

　（相手はプロだよ、素人じゃ駄目だ）

☞実害はないものの、どんな情報が洩れているかがわからない。事態を重く見たボスは、スポンサーへの報告と共に専門家による対策の必要性を進言した。そして、程なくラボ内のネットワークに新しいセキュリティソフトが導入されると同時に、1人の調査員が派遣された。

　（ふむふむ、面白くなってきた）

☞というわけで、なんとソフィーはスポンサーサイドが派遣してきた調査員だそうだ。

　（なにーっ！！）

☞ソフィーの調査で、例のBBSへの書き込みが僕の前任者のドイツ人のノートPCからであったことが判明、他のラボのスタッフに影響が出ないよう密かに解雇という流れになった。
　（行動早すぎ、敏腕過ぎだろ。空気読んでつまづいたりして盛り上げようよ）

☞そんなこんなで、僕を採用する時には徹底的な身辺調査が行われていたので、産業スパイであるような疑いはそもそも皆無だったそうだ。
　（オイッ）

「ここまでの冗談のような事情はなんとなくわかりました。しかし、それと僕の今置かれている状況と、謝られた理由が結びつかないんですが？」

「トシ、それは、私から説明するわ。」

　というわけで、続いてソフィーの口から語られた衝撃の事実をかいつまむと次のようになる。（　）内はやっぱり僕の素直な気持ちだ。

☞1年の調査期間がほぼ完了し、ソフィーは来月にもラボを去る頃合いだったそうだ。
　（！！）

☞ほんの1週間前のこと、ソフィーは偶然本当の産業スパイの存在に気づいたのだそうだ。解雇されたドイツ人はそれを隠すため、目をそらすためのスケープゴートだったというのだ。
　（やはりいたか、本物の敵が）

☞本当のスパイはかなり巧妙なやり口で、このラボの最重要な実験成果の『ある遺伝子情報』を盗み出していたのだ。細かく分割・管理された膨大な情報に同時にアクセスし一気に盗むことはできない。スパイは、一気に盗むことを画策したのではなく、新しいセキュリティソフトのさまざまなログに紛れ込ませて、1年近くの時間をかけてほんの少しずつ抜き出していくという手法を取ったらしいのだ。ソフィーがこれに気づいたのは"本当に幸運な偶然"だそうだ。
　（うんうん、大抵偶然を味方にしないと、正義は勝てないからな）

☞間違いなく内部の人間の犯行だが、最初のBBS事件はセキュリティソフトを更新させるための計画的なものだろうというのがソフィーの見方。しかし、ここまで個人につながる痕跡は徹底的に消されており、このままだとスパイの正体を見抜くことは容易ではない。
　（やはりヘンドリックが怪しいよ。セキュリティ担当してるし）

☞しかし、すべての情報を盗まれる前に気づけたことも幸運だった。
　（またも、偶然は正義にだけ味方してくれる法則発動だ）

☞スパイが入手し損なった情報は残り5％程度。そして、その5％がないとこの遺伝子情報はまったく意味を成さない。これは当然スパイ側も認識している。ほぼ手中にした情報を邪魔されたスパイ側には悔しさと焦りがあるだろう。
　（スパイの背後の組織はもっと怒り狂ってるぞ）

☞そこで、ソフィーは、一計を案じた。スパイの悔しさと焦り、自分がスパイだとばれたのではないかという猜疑心を利用する強行手段。
　（ワクワク）

☞要するにラボの全職員に理不尽な圧力をかけ、犯人をあぶり出すための罠を張り、何らかの行動に出ざるを得ない状況に追い込む作戦だ。
　（…もしかして…これか…）

☞ボスの疑いが僕の目に向けられているように仕向けること…そう思わせるのも手だったそうだ。

（オイッ）

そんなわけで、冒頭のボスの謝罪の言葉になったらしい。
騙してごめん、利用してごめんってところか。

直接的でない理不尽な通告を受けると、確かに僕のようにいろいろと勘繰ってしまうだろう。心にやましいところがある人間は特にだ。
正直巻き込まれた立場としては他にやり方があったような気もするが、スパイ事件なんだから、無意味に知恵比べしたくなる気分もわからないではない。
しかし、やはりひとつの疑問が浮かぶ。

「どうして、今日、僕にこの情報を伝えたのですか？」

この問いにはボスが即答した。

「ソフィーが言うには、あなたがいろいろと想像しているうちに、偶然真実に近いことを言い当ててしまったと。冗談まじりで誰かにそれを話されると計画が台無しになる恐れがあったからよ。」

なるほど。ボスの言葉を受けて、調査員ソフィーが続けた。

「明日の夜7時ごろ、奥のミーティングルームで実際に医療英単語の試験を行うわ。そこで、犯人を糾弾する仕掛けと準備は整っているの。ただ…。」

どこでスパイが見ているかわからない。そこで、僕が気を抜いてしまうと計画がばれてしまう恐れもあるということで、疑われない

ように、気を抜かず、本気で今日と明日も学習に励んでもらいたいのだとのこと。
　なるほど、話はわかった。しかし、それにはひとつ条件がある…。

「調査員殿は手伝ってくれるのでありますか？」

　厭味に聞こえただろう。しかし、そんな忙しい最中、アリバイ作りのためにダミーの学習に付き合うわけないだろう、僕はそういうつもりで言ったのだ。
　しかし、ソフィーはいつもの笑顔を浮かべてこう切り返したのだった。

「もちろん、ビシバシやるわよ。覚悟なさい。」

　条件は簡単に満たされた。それと同時に、スパイ事件に挑むという不謹慎な高揚感が、僕のモチベーションを刺激した。

＊＊＊

　時間もあまりなかったので、近くの「Le Pain Quotidien」に。マンハッタン界隈で10店舗近くあるようだ。
　チョコクロワッサンと大きめのコーヒーがテーブルに並ぶ。

ソフィーの教え⑥　やり遂げた人間だけが頂きを見られるのよ。

T：しかし、君も物好きだな。わざわざ、こんな面倒な仕掛けをしなくてもいいだろうに。

S：この5日間無駄な時間を過ごしたと思ってる？

T:いいや、無駄どころか、ためになってるよ。効率のよいやり方を考えている暇があったら、まず行動しろってこと、実験と同じで成果を出すには根気が必要だってことを実感したよ。それに単純作業を繰り返していると、ある時点から気持ちよくなってくるしね。
ここまできたら、完全にソフィーのやり方をマスターして見せるさ。

S:そういってもらえるとうれしいわ。本当に効果がある方法ってことは実感あると思うの。見てもいない映画の文句を言ったり、読んでもいないベストセラーの文句を言うのは意味のないことと同じで、学習法もまず実感する、それが一番大事なの。
苦労して、やり遂げた人間だけが見られる頂きがあるはずよ。
最後のレッスン、声を出して頑張っていきましょ。

* * *

[hyster/o]は『子宮』に関する単語に用いられます。
[metr/o]は『子宮』に関するもうひとつの連結形です。

例外はありますが、一般には[hyster/o]は『器官あるいは臓器としての子宮』を意味し、[metr/o]はその『組織という意味の子宮』を意味することを、覚えておきましょう。

たとえば、metr/itis は「子宮筋層の炎症」を意味し、
metr/o/par/a/lysis は「子宮の麻痺」を意味します。

metr/itis　　　　　ミトライティス｜子宮(筋層)炎｜
metr/o/par/a/lysis　メトロパラリシス｜子宮麻痺｜

次の意味の単語を作ってください。
「子宮からの漏出」〔　　　　／　／　　　　　〕
metrorrhea
metr/o/rrhea　ミトロリーア｜子宮漏｜

「子宮の出血」〔　　　/　/　　　/　〕
metrorrhagia
metr/o/rrhag/ia　ミトロレイジア｜子宮出血｜

「子宮の病気一般」〔　　　/　/　　　/　〕
metropathy または **hysteropathy**
metr/o/path/y　ミトロパシィ　｜メトロパチー、慢性子宮症｜
hyster/o/path/y　ヒステロパシィ｜子宮疾患｜

「子宮のヘルニア形成」〔　　　/　/　　　〕
metrocele または **hysterocele**
metr/o/cele　ミトロシール　｜子宮ヘルニア、子宮瘤｜
hyster/o/cele　ヒステロシール｜子宮ヘルニア、子宮瘤｜

end/o/metr/ium は「子宮の内膜」です。

では、次の意味の単語を作ってください。
「子宮内膜炎」〔　　　/　/　　　/　〕
endometritis
end/o/metr/itis　エンドミトライティス｜子宮内膜炎｜

「慢性子宮症」〔　　　/　/　　　〕
metropathy
metr/o/path/y　ミトロパシィ｜メトロパチー、慢性子宮症｜

epi/gastr/ic region とは「胃より上」の部分です。
epi/splen/itis は「脾臓より上の組織の炎症」を意味します。
このように、[epi]は『上の』を意味します。

[epi]を用いて、次の意味の単語を作ってください。
「膀胱より上の組織の炎症（膀胱周囲炎）」
〔　　　/　　　/　　　〕

epicystitis
epi/cyst/itis　エピシスタイティス｜膀胱周囲炎｜

「腎臓の上の組織の炎症（副腎炎）」〔　　／　　／　　〕
epinephritis
epi/nephr/itis　エピネフライティス｜副腎炎｜

「皮膚の上の組織（表皮）の」〔　　／　　／　　〕
epidermal または epidermic
epi/derm/al　エピダーマル｜表皮の｜
epi/derm/ic　エピダーミック｜表皮の｜

「頭蓋を被う組織の」〔　　／　　／　　〕
epicranial
epi/crani/al　エピクレイニアル｜頭外被の｜

「胸骨の上の部分の」〔　　／　　／　　〕
episternal
epi/stern/al　エピスターナル｜胸骨上の｜

extra/nucle/ar は「核の外の」を意味します。
また、extra/uterine は「子宮の外の」を意味します。
このように、[extra]は『〜の外の』という意味の接頭辞です。

次の単語を分析してください。
【 extra-articular 】 ⇒〔　　　　　　　　　　　　〕
extra-/articul/ar
extra-articular　エクストラ・アーティキュラー｜関節外の｜

【 extracystic 】 ⇒〔　　　　　　　　　　　　〕
extra/cyst/ic
extracystic　エクストラシスティック｜胆嚢外の、膀胱外の、嚢腫外の｜

【 extradural 】 ⇒ 〔   〕
extra/dur/al
extradural　エクストラデュラル｜硬膜外の｜

【 extrahepatic 】 ⇒ 〔   〕
extra/hepat/ic
extrahepatic　エクストラヘパティック｜肝(臓)外の｜

［extra］は通常、名詞または形容詞の接頭辞として用いられます。

［infra］は『〜より下の』を意味する接頭辞です。
たとえば、infra/mamm/ary は「乳腺下の」という意味があります。
また、infra/patell/ar は「膝蓋下の」を意味します。

infra/mamm/ary　　インフラマンマリー｜乳腺下の｜
infra/patell/ar　　インフラパテラー｜膝蓋下の｜

［sub］は『下』『〜より下の』を意味する接頭辞です。
sub/abdomin/al は「腹腔下の」を意味します。
sub/aur/al は「耳下の」を意味します。

接頭辞［infra］と［sub］はともに『下の』を意味するため、単語を作る際にまぎらわしいことがあります。まずは、どちらの接頭辞を付けてもよい単語を学びましょう。
［sub］または［infra］があれば、常に『〜より下の』または『下』という意味を考えましょう。

［stern/o］を用いた「胸骨下の」を意味する単語は infra/stern/al です。もうひとつの同じ意味の単語を作ってください。
〔　　　　/　　　　/　　　〕
substernal
sub/stern/al　サブスターナル｜胸骨下の｜

「胸骨上の」を意味する単語は〔supra /　 /　 〕です。
suprasternal
supra/stern/al　スープラスターナル｜胸骨上の｜

[cost/o]を用いた「肋骨下の」を意味する単語のひとつは
sub/cost/al です。もうひとつの同じ意味の単語を作ってください。
〔　　　　／　　　　／　　　〕
infracostal
infra/cost/al　インフラコスタル｜肋骨下の｜

「肋骨上の」を意味する単語は〔　 /　 /　 〕です。
supracostal
supra/cost/al　スープラコスタル｜肋骨上の｜

[pub/o]を用いた「恥骨下の」を意味する単語のひとつは
infra/pub/ic です。もうひとつの同じ意味の単語を作ってください。
〔　　　　／　　　　／　　　〕
subpubic
sub/pub/ic　サブピュービック｜恥骨下の｜

「恥骨上の」を意味する単語は〔　 /　 /　 〕です。
suprapubic
supra/pub/ic　スープラピュービック｜恥骨上の｜

ここまでで、「位置」に関する接頭辞を学んだことになります。今後も意味との関連により注意して単語を分析してみましょう。

seps/is（セプシス、敗血症）は「バクテリアおよびその毒素に対する反応」を意味する名詞です。この場合 seps/is を引き起こすような感染があると思われます。
「seps/is 無し」または「seps/is からまぬがれている」という意味を表す名詞は a/seps/is です。

a/seps/is アセプシス｜無菌｜

sept/ic は seps/is の形容詞形です。
感染からまぬがれているという意味の形容詞は〔　/　　/　〕です。

aseptic
a/sept/ic　アセプティック｜無菌(性)の、防腐(性)の｜

septic/em/ia は「血流中の感染(敗血症)」を意味します。
血流中の膿を持った感染(膿敗血症)は〔　/　/　/　〕といいます。

septicopyemia
septic/em/ia　　　　セプティシーミア　　　｜敗血症｜
septic/o/py/em/ia　セプティコパイイーミア｜膿敗血症｜

これで、「敗血症」に関連のある連結形は
[sept/i] または [septic/o] であることがわかると思います。

敗血症	〈名　詞〉	seps/is
敗血(症)(性)の	〈形容詞〉	sept/ic
無菌	〈名　詞〉	a/seps/is
無菌(性)の	〈形容詞〉	a/sept/ic

[anti] は『反して』を意味する接頭辞です。
anti/pyret/ic は熱に"反して"働く薬剤です。
また、anti/toxin は、毒素(toxin)に"反して"働く薬剤です。

anti/pyret/ic　アンティパイレティック｜解熱(作用)の、解熱(性)の｜
anti/toxin　　　アンティトキシン　　　　｜抗毒素｜

anti/narc/otic は麻薬に"反して"働く薬剤です。

anti/narc/otic　アンティナルコティック｜麻薬拮抗薬｜

anti/bi/otic はあらゆる感染症に"反して"働く薬品（抗生物質）です。

anti/bi/otic　アンティバイオティック｜抗生の、抗生物質｜

次のものを抑えるために働く薬剤を表す単語を作ってください。
『リウマチ』〔　　　　　　／　　　　　　／　　　〕
antirheumatic
anti/rheumat/ic　アンティリューマティック｜抗リウマチ薬｜

『痙縮』〔　　　　　　／　　　　　　／　　　〕
antispasmodic
anti/spasmod/ic　アンティスパスモディック｜鎮痙薬｜

『毒素』〔　　　　　　／　　　　　　〕
antitoxin
anti/toxin　アンティトキシン｜抗毒素｜

『痙攣症状（convulsive states）』〔　　　　　　／　　　　　　／　　　〕
anticonvulsive
anti/convuls/ive　アンティコンヴァルシヴ｜鎮痙薬、抗痙攣薬｜

『関節疾患（arthritic diseases）』〔　　　　　　／　　　　　　／　　　〕
antiarthritic
anti/arthr/itic　アンティアースリティック｜抗関節炎薬｜

［contra］も『反対』を意味する接頭辞です。
［contra］は近代英語で用いられるようになりました。
たとえば、**to contra/dict someone** は、ある人の言っていることに"反対"して言う、つまり「反駁すること」です。

S: トシ、ちょっとこの単語を発音して、意味を言ってみてくれる？
① contra/indicat/ion
② contra/cept/ive
③ contra/volition/al
④ contra/later/al

T: えーと、
コントラインディケーション、これは「禁忌」だね。
コントラセプティヴ。「避妊薬」のことだ。
コントラヴォリショナル、これは、「不随意」を意味している。
コンントララテラル、これは、「反対側の」って感じだね。
全部、[contra]が付いた単語だけど、これがどうかしたの？

S: そうね、これらは[contra]（『反対の』）の意味から転じた意味の集まり。たとえば、contra/indicat/ion、文字通りには、「指示に反する」という意味よね。薬学的には「適用に反する」というのかしら。そこから転じて、「禁忌」という意味になっているわ。何に対して、[contra]（『反対の』）なのかを見定めることで、意味しているものが見えてくるの。
じゃ、例によって繰り返しになると思うけど、練習してみましょ。

以上の4つの単語のうち、文字通りには次の意味を表す単語を書いてください。
▶「意に反する」〔　　　／　　　／　　　〕
contravolitional
contra/volition/al　コントラヴォリショナル｜不随意の｜

▶「適用に反すること」〔　　　／　　　／　　　〕
contraindication
contra/indicat/ion　コントラインディケーション｜禁忌｜

▶「妊娠に反する」〔　　　／　　　／　　　〕
contraceptive
contra/cept/ive　コントラセプティヴ｜避妊薬｜

▶「側から反した」〔　　　／　　　／　〕
contralateral
contra/later/al　コントララテラル｜反対側の｜

▶「妊娠を防止する工夫物」〔　　　／　　　／　　　〕
contraceptive
contra/cept/ive　コントラセプティヴ｜避妊薬｜

▶「反対側に関する」〔　　　／　　　／　　〕
contralateral
contra/later/al　コントララテラル｜反対側の｜

▶「不随意の」〔　　　／　　　／　〕
contravolitional
contra/volition/al　コントラヴォリショナル｜不随意の｜

▶「禁忌症」〔　　　／　　　／　　〕
contraindication
contra/indicat/ion　コントラインディケーション｜禁忌｜

[trans]は『越えて』を意味する接頭辞です。
一般用語で、荷物を trans/port するといえば、それを海または陸を越えて運ぶという意味です。
trans/position は文字通りには「越えた位置」を意味します。
医学用語では、ある器官が身体の他の側に（通常見られる位置から）越えた位置を占める状態を、〔　　／　　〕と呼びます。
transposition
trans/position　トランスポジション｜転位｜

cardiac trans/position は心臓が身体の右側にあることを意味します。胃が身体の右側にある場合には、その状態を
gastric〔 / 〕と呼びます。

transposition
gastric trans/position
ギャストリック・トランスポジション｜胃転位｜

右側にあるはずの患者の肝臓が身体の左側にある場合には、その状態を hepatic〔 / 〕と呼びます。

transposition
hepatic trans/position
ヘパティック・トランスポジション｜肝転位｜

脾臓が通常の位置の反対側にある場合には、その状態を
splenic〔 / 〕と呼びます。

transposition
splenic trans/position
スプレニック・トランスポジション｜脾転位｜

膵臓が通常の位置の反対側にある場合には、その状態を
pancreatic〔 / 〕と呼びます。

transposition
pancreatic trans/position
パンクリアティック・トランスポジション｜膵転位｜

trans/fusion（輸血）が行われる場合、血液はある人から他の人へ"越えて"移されることになります。

次の単語を分析してください。
【 transvaginal 】⇒〔   〕

trans/vagin/al
transvaginal トランスヴァジナル｜経腟の、経腟的な｜

【 transthoracic 】⇒ 〔　　　　　　　　　　　　　　　　　〕
trans/thorac/ic
transthoracic　トランスソラシック｜胸郭を経由して｜

【 transurethral 】⇒ 〔　　　　　　　　　　　　　　　　　〕
trans/urethr/al
transurethral　トランスユーレスラル｜経尿道の｜

trans/pir/a/tion（蒸散）は肺または皮膚組織を通して水蒸気を体外へ発散させる作用です。「呼吸」はre/spir/a/tionといいます。呼吸は、呼気と吸気の2つの過程から成り立ちます。

では、この2つの単語を参考に、次の単語の意味をa～cより選んでください。
【 expiration 】〔　　　　〕
a）呼息　　　b）発汗　　　c）吸息
答．**a**
ex/pir/a/tion　エクスピレーション｜呼息｜

【 inspiration 】〔　　　　〕
a）呼息　　　b）発汗　　　c）吸息
答．**c**
in/spir/a/tion　インスピレーション｜吸息｜

[in]は『中へ』、もしくは『無、不、非』など否定を意味する接頭辞です。
たとえば、**in/compatible drugs**は互いに適合"しない"薬剤のことです。**compatible**は「適合し合う、両立する」という意味です。[in]によってその意味を否定しています。
よって、**in/compatible drugs**は「適合しない薬剤」という意味になります。

血液が大動脈弁(aortic valves)を通して逆流する場合には、それを
aortic〔　/　/　　〕といいます。

incompetence
aort/ic in/compet/ence
エイオーティック・インコンペテンス｜大動脈弁閉鎖不全(症)｜

[in]は『中へ』もしくは『不全』を意味する接頭辞です。
in/cis/e は「中へ切る」を意味する動詞です。
in/cis/e の名詞は〔　/　/　　〕です。

incision
in/cis/ion インシジョン｜切開(術)｜

[itis]は『炎症』にあたる接尾辞でしたね。
「炎症」を意味する単語には、in/flamm/ation があります。

in/flamm/ation インフラメイション｜炎症｜

次の単語を分析してください。
【 inject 】 ⇒〔　　　　　　　　　　　　　　　〕
in/ject
inject インジェクト｜注入する、注射する｜

【 injected 】 ⇒〔　　　　　　　　　　　　　　　〕
in/ject/ed
injected インジェクティッド｜注入された、注射された｜

【 injector 】 ⇒〔　　　　　　　　　　　　　　　〕
in/ject/or
injector インジェクター｜注射器｜

【injection】⇒〔   〕
in/ject/ion
injection　インジェクション｜注入、注射｜

以上の単語では、接頭辞[in]は『中へ』を意味します。

では、次の単語を分析してください。
【insane】　⇒〔   〕
in/sane
insane　インセイン｜精神錯乱の、精神病の｜

【insomnia】⇒〔   〕
in/somn/ia
insomnia　インソムニア｜不眠症｜

【insanitary】⇒〔   〕
in/sanit/ary
insanitary　インサニテリー｜非衛生的な、不健全な｜

以上の単語では、接頭辞[in]は『否定』を意味します。

《mal》は「悪い」を意味するフランス語です。
このように、[mal]は『悪い』もしくは『不良』を意味する接頭辞です。
mal/odor/ous は「悪い臭い(odor)を持った」という意味です。

mal/odor/ous　マルオダラス｜悪臭を放つ｜

mal/aise は一般的な「気分の悪さ」あるいは「不快感」を意味します。
mal/form/ation は「悪い形成、奇形」を意味します。

mal/aise　　　　マレイズ｜倦怠(感)｜
mal/form/ation　マルフォーメーション｜奇形、先天異常｜

次の単語について、空欄にあてはまるものをa～cより選んでください。
▶ mal/nutri/tion は〔　　　〕を意味します。
a) 栄養過剰　　　b) 栄養失調　　　c) 栄養
答. b
mal/nutri/tion　マルニュートリション｜栄養失調｜

▶ mal/position は〔　　　〕を意味します。
a) 正位置　　　b) 位置異常　　　c) 位置
答. b
mal/position　マルポジション｜位置異常、偏位｜

蚊がマラリアを媒介するということがわかる前は、この病気は「悪い空気」によって起こされると考えられていました。よって、[mal]を接頭辞に持つmal/ar/iaという単語が「マラリア」を意味するようになっています。

mal/ar/ia　マレイリア｜マラリア｜

マラリアに関係のある次の単語を分析してください。
【 malarial 】　　⇒〔　　　　　　　　　　　　　　〕
mal/ari/al
malarial　マレイリアル｜マラリア(性)の、マラリア感染した｜

【 malariology 】　　⇒〔　　　　　　　　　　　　　　〕
mal/ari/o/log/y
malariology　マレイリオロジィ｜マラリア学｜

【 malariotherapy 】　　⇒〔　　　　　　　　　　　　　　〕
mal/ari/o/therap/y
malariotherapy　マレイリオセラピィ｜治療的マラリア(マラリア療法)｜

[mal/ari/o]が『マラリア』を意味する連結形です。

＊＊＊

S：例によって突然やってくる接頭辞の復習の時間よ。今度は、量を示す接頭辞をまとめてみたの。

●接頭辞	●意味	（説明）
uni	1、単	
bi	2、重、双	
tri	3	
semi	半	近代英語または近代英語に近い語とともに用いられる
hemi	半	純医学用語とともにより多く用いられる

T：なるほど。

S：単純だからこそ意外と奥が深いのよ。解剖生理的な観点から見直してみても面白いの。たとえば、trigeminal nerve は知ってるわよね？

T：三叉神経がどうかしたの？

S：[tri]が付いているということは、『3』に関連するということよね。三叉神経は、眼神経、上顎神経、下顎神経の三神経に分かれているからそう呼ばれるわけよね…。
たとえば、[tri]は『3』だったな、ではこの場合の『3』は何を示しているんだろうってふうに思い出すようにすると、いろいろと効果的かも。
そんな感じで、ちょっと練習してみましょう。

空欄にあてはまる数字(1〜3)を書いてください。
▶ tri/ceps muscle は〔　　　〕個の筋頭のある筋肉です。
答．3
tri/ceps muscle　トライセプス・マスル｜三頭筋｜

▶ tri/cusp/id valve は心臓の右心房と右心室の間にあり、〔　　　〕個の弁尖を持つ弁です。
答．3
tri/cusp/id valve　トライカスピッド・ヴァルヴ｜三尖弁｜

▶ tri/gemin/al nerve は〔　　　〕個の枝を持つ神経です。
答．3
tri/gemin/al nerve　トライジェミナル・ナーヴ｜三叉神経｜

▶ bi/cusp/id は〔　　　〕個の頭を持つ歯です。
答．2
bi/cusp/id　バイカスピッド｜両尖の、二尖の、双頭歯｜

▶ bi/furcat/ion は〔　　　〕個のフォークまたは枝を持っていることを意味します。
答．2
bi/furcat/ion　バイファーケイション｜分岐、分枝｜

▶ uni/corn は〔　　　〕個の角を持ったものです。
答．1
uni/corn　ユニコーン｜単角の、一角の｜

▶ uni/ov/al は〔　　　〕個の卵子から胎生した双生児に関するという意味です。
答．1
uni/ov/al　ユニオーヴァル｜一卵(性)の｜

▶ uni/vers/al は〔　〕つの全体の中に組込まれたという意味です。

答．**1**

uni/vers/al　ユニヴァーサル｜全体の｜

* * *

later/al は「側の」を意味します。
[later/al]を用いて、次の意味の単語を作ってください。
「一側の」〔　　　／　　　／　　〕

unilateral

uni/later/al　ユニラテラル｜一側の、片側の｜

「両側の」〔　　　／　　　／　　〕

bilateral

bi/later/al　バイラテラル｜両側の｜

「三側の」〔　　　／　　　／　　〕

trilateral

tri/later/al　トライラテラル｜三側の｜

multi/cellular は「多くの細胞でできた」という意味です。

multi/cellular　マルティセルラー｜多細胞の｜

[cellular]を用いて、次の意味の単語を作ってください。
「2つの細胞でできた」〔　　　／　　　〕

bicellular

bi/cellular　バイセルラー｜二細胞性の｜

「ただ1つの細胞でできた」〔　　　／　　　〕

unicellular

uni/cellular　ユニセルラー｜単細胞の｜

multi/par/a は一児以上出産したことのある婦人を指します。
では、次の意味の単語を作ってください。

「一児出産したことのある婦人」〔　　　　/　　　　/　　〕
unipara
uni/par/a　ユニパラ｜1回経産婦｜

「二児出産したことのある婦人」〔　　　　/　　　　/　　〕
bipara
bi/par/a　バイパラ｜2回経産婦｜

「三児出産したことのある婦人」〔　　　　/　　　　/　　〕
tripara
tri/par/a　トライパラ｜3回経産婦｜

空欄をあてはまるものをa〜cより選んでください。
▶[uni]は〔　　　〕を意味します。
a) 単　b) 重、双　c) 3つ、三重　d) 4つ、四重　e) 多数
答. **a**

▶[bi]は〔　　　〕を意味します。
a) 単　b) 重、双　c) 3つ、三重　d) 4つ、四重　e) 多数　答. **b**

▶[tri]は〔　　　〕を意味します。
a) 単　b) 重、双　c) 3つ、三重　d) 4つ、四重　e) 多数　答. **c**

▶[mult/i]は〔　　　〕を意味します。
a) 単　b) 重、双　c) 3つ、三重　d) 4つ、四重　e) 多数　答. **e**

『半』を意味する接頭辞は2つあります。
それらは[semi]と[hemi]です。

次の意味の単語を作ってください。
「半ば意識のある」〔　　　　/　　　　/　　　〕
semiconscious
semi/consci/ous　セミコンシャス｜半意識の｜

「半分の心臓しか持っていないこと」〔　　　　/　　　　/　〕
hemicardia
hemi/cardi/a　ヘミカーディア｜片側(一側)心臓症｜

「胃半切除術」〔　　　　/　　　　/　　/　　　〕
hemigastrectomy
hemi/gastr/ec/tom/y　ヘミギャストレクトミィ｜胃半切除(術)｜

「半身麻痺(不随)」〔　　　　/　　　　/　　　〕
hemiplegia
hemi/pleg/ia　ヘミプリージア｜半身麻痺(不随)｜

「半円の」〔　　　　/　　　　/　　〕
semicircular
semi/circul/ar　セミサーキュラー｜半円の、半輪の｜

「半規定の」〔　　　　/　　　　〕
seminormal
semi/normal　セミノーマル｜半規定の｜

「半ば昏睡(comatose)の」〔　　　　/　　　　/　　　〕
semicomatose
semi/comat/ose　セミコマトス｜半昏睡の｜

「片側の萎縮」〔　　　　／／　　　　／　　　〕
hemiatrophy
hemi/a/troph/y　ヘミアトロフィ｜片側(半側)萎縮｜

「片側の過栄養(肥大)」〔　　　／　　　／　　　〕
hemihypertrophy
hemi/hyper/troph/y　ヘミハイパートロフィ｜片側(半側)肥大(症)｜

「片側異栄養症」〔　　　／　　　／　　　〕
hemidystrophy
hemi/dys/troph/y　ヘミディストロフィ｜片側(半側)異栄養症｜

[con]は『共に』を意味する接頭辞です。
たとえば、con/genit/al は「先天性の」を意味します。

con/genit/al　コンジェニタル｜先天(性)の、先天的な｜

con/genit/al cataract(白内障)を持っている幼児は、白内障と
〔　　　〕生まれてきたことを意味しています。
共に
con/genit/al cataract
コンジェニタル・カタラクト｜先天性白内障｜

先天性の奇形はしばしば見かけられるものです。
脊柱側弯症を持って生まれた幼児は〔　／　／　〕scoliosis を持
つ、といわれます。
congenital
con/genit/al scoliosis
コンジェニタル・スコリオシス｜先天(脊柱)側弯(症)｜

先天性の水眼を持つ幼児は〔　／　／　〕glaucoma(緑内障)を
持つ、といわれます。

congenital
con/genit/al glaucoma
コンジェニタル・グラウコーマ｜先天的緑内障｜

先天性梅毒を持つ幼児は〔　　／　　／　　〕syphilis を持つ、といわれます。
congenital
con/genit/al syphilis　コンジェニタル・シフィリス｜先天的梅毒｜

以下の単語の要素から必要なものを用いて、文字通りには「血を共にしたもの」あるいは用法上では「血縁」を意味する単語を作ってください。
【con】共に〈接頭辞〉　【sanguin/o】血液〈連結形〉
【ity】〈名詞接尾辞〉
〔　　　　／　　　　／　　　　〕
consanguinity
con/sanguin/ity　コンサンギニティ｜血族、血縁｜

con/sanguin/ity は共通の祖先からの血統による関係です。
よって、「いとこ」の関係を表す名詞も「con/sanguin/ity」です。
[sanguin/o]は『血液の』を意味します。
では、この連結形を基にして、「血液に関する」という意味の形容詞を作ってください。
〔　　　　／　　〕
sanguinal
sanguin/al　サンギナル｜血液の、血液に関する｜

[dis]は『除く』、『剝ぐ』を意味する接頭辞です。
dis/ease（病気）は文字通りには「安楽（ease）を除く（dis）」を意味します。
dis/sect は研究目的のために組織を切るあるいはそれを小部分に剝ぐという意味の動詞です。

次の単語を分析してください。

【 dissect 】　　⇒〔　　　　　　　　　　　　　　　　　　　　　〕

dis/sect

dissect　ディセクト｜解剖する、切開する｜

【 dissection 】　⇒〔　　　　　　　　　　　　　　　　　　　　　〕

dis/sect/ion

dissection　ディセクション｜解剖、切開｜

dis/infect は「感染（infection）を除く」を意味します。
次の単語を分析してください。

【 disinfect 】　⇒〔　　　　　　　　　　　　　　　　　　　　　〕

dis/infect

disinfect　ディスインフェクト｜消毒する｜

【 disinfectant 】　⇒〔　　　　　　　　　　　　　　　　　　　　　〕

dis/infect/ant

disinfectant　ディスインフェクタント｜殺菌性の、消毒薬｜

【 disinfection 】　⇒〔　　　　　　　　　　　　　　　　　　　　　〕

dis/infect/ion

disinfection　ディスインフェクション｜消毒（法）、殺菌｜

空欄にあてはまるもの a 〜 c よりを選んでください。
▶[dis]は〔　　　　〕を意味する接頭辞です。
a) 除く　　　b) 共に　　　c) 中へ

答．**a**

▶[con]は〔　　　　〕を意味する接頭辞です。
a) 除く　　　b) 共に　　　c) 中へ

答．**b**

post/cibal は「食後の」を意味します。
post/esophag/eal は食道(esophagus)の「後方」を意味します。
このことから、[post]が『後』または『後方』を意味する接頭辞ことがわかります。

post/cibal　　　　　ポストシバル　　　　　｜食後(性)の｜
post/esophag/eal　　ポストエソファジール｜食道後(方)の｜

pre/an/esthet/ic は「麻酔"前、以前"」を意味します。
pre/hyoid は「舌骨(hyoid bone)の"前"」を意味します。
このことから、[pre]は『前』または『前方』を意味する接頭辞であることがわかります。

pre/an/esthet/ic　プリアンエスセティック｜麻酔前の｜
pre/hyoid　　　　プリヒオイド　　　　　｜舌骨前(方)の｜

ante/pyret/ic は「発熱"前、以前"」を意味します。
また、ante/flexion は「"前方"への屈曲」を意味します。
このことから、[ante]も『前』または『前方』を意味する接頭辞であることがわかります。

ante/pyret/ic　アンテパイレティック｜発熱前の｜
ante/flexion　アンテフレクション　｜前屈｜

[natal]は『出産の、分娩の』を意味します。

では、次の単語の意味をa～cより選んでください。
【 postnatal 】〔　　　　〕
a) 生後の　　　b) 分娩中の　　　c) 出産前の
答. **a**
post/natal　ポストネイタル｜生後の｜

【prenatal】〔　　　〕
a) 生後の　　b) 分娩中の　　c) 出産前の
答．c
pre/natal　プリネイタル｜出生前の、出産前の｜

【antenatal】〔　　　〕
a) 生後の　　b) 分娩中の　　c) 出産前の
答．c
ante/natal　アンテネイタル｜出生前の、出産前の｜

[febr/ile]は『熱の』を意味します。
では、次の単語の意味をa～cより選んでください。
【postfebrile】〔　　　〕
a) 発熱前の　　b) 発熱中の　　c) 発熱後の
答．c
post/febr/ile　ポストフィーブラル｜発熱後の｜

【antefebrile】〔　　　〕
a) 発熱前の　　b) 発熱中の　　c) 発熱後の
答．a
ante/febr/ile　アンテフィーブラル｜発熱前の｜

次の単語を分析してください。
【postoperative】⇒〔　　　　　　　　　　　　　〕
post/operat/ive
postoperative　ポストオペラティヴ｜術後(性)の｜

【postparalytic】⇒〔　　　　　　　　　　　　　〕
post/par/a/lyt/ic
postparalytic　ポストパラリティック｜麻痺後の｜

【postuterine】 ⇒〔   〕
post/uterine
postuterine　ポストユーテリン｜子宮後(方)の｜

【postpartum】 ⇒〔   〕
post/partum
postpartum　ポストパータム｜分娩後に、産後に｜

【preoperative】 ⇒〔   〕
pre/operat/ive
preoperative　プリオペラティヴ｜(手)術前の｜

【prefrontal】 ⇒〔   〕
pre/front/al
prefrontal　プリフロンタル｜前頭葉前部の｜

【precancerous】 ⇒〔   〕
pre/cancer/ous
precancerous　プリキャンサラス｜前癌の｜

【anteversion】 ⇒〔   〕
ante/vers/ion
anteversion　アンテヴァージョン｜前傾｜

【antepartum】 ⇒〔   〕
ante/partum
antepartum　アンテパータム｜分娩前｜

【anteposition】 ⇒〔   〕
ante/position
anteposition　アンテポジション｜前位、前偏｜

mortem は「死」を意味します。
では、次の単語の意味を a～c より選んでください。
【 postmortem 】〔　　　〕
a) 死後　　　b) 死前　　　c) 死に行く
答. a
post/mortem　ポストモーテム｜死後の｜

【 antemortem 】〔　　　〕
a) 死後　　　b) 死前　　　c) 死に行く
答. b
ante/mortem　アンテモーテム｜死前に｜

[intra]は『内』『内部の』を意味する接頭辞です。
たとえば、intra/-abdomin/al は「腹腔内の」を意味します。

intra/-abdomin/al　イントラアブドミナル｜腹腔内の｜

空欄にあてはまるものを a～c より選んでください。
▶ intra/cellular は〔　　　　〕を意味します。
a) 細胞内の　　　b) 細胞外部の　　　c) 細胞膜中の
答. a
intra/cellul/ar　イントラセルラー｜細胞内の｜

[intra]および形容詞 ven/ous（静脈の）を用いて、次の意味の単語を作ってください。
「静脈内の」〔　　　／　　　／　　〕
intravenous
intra/ven/ous　イントラヴェナス｜静脈(内)の｜

[intra]および形容詞 spin/al（脊髄の）を用いて、次の意味の単語を作ってください。

「脊髄内の」〔　　　/　　　/　　　〕
intraspinal
intra/spin/al イントラスパイナル｜脊髄内の、脊椎内の｜

次の意味の単語を作ってください。
「動脈内の」〔　　　/　　　/　　　〕
＊「内」を意味する接頭辞の後に -（ハイフン）を付けて続けてください
intra-arterial
intra-/arteri/al イントラアーティリアル｜動脈内の｜

「頭蓋内の」〔　　　/　　　/　　　〕
intracranial
intra/crani/al イントラクレイニアル｜頭蓋内の｜

「嚢内の」〔　　　/　　　/　　　〕
intracystic
intra/cyst/ic イントラシスティック｜嚢(胞)内の、膀胱内の｜

「皮内の」〔　　　/　　　/　　　〕
intradermal
intra/derm/al イントラダーマル｜皮内の｜

「胸内の」〔　　　/　　　/　　　〕
intrathoracic
intra/thorac/ic イントラソラシック｜胸(腔)内の｜

＊＊＊

S：単数形と複数形で特定の語尾変化をする単語があるわよね。その語尾変化を表にまとめてみたので見てくれる？

T：いろいろあるな。具体的な単語がすぐには思い浮かばないけど。

S：こういう例外事例は、とにかく触れて覚えるしかないものね。じゃ、トシ、この表を見ながらでいいから、これから出す問題に答えていって。

T：OK。単数形と複数形の切り換えの練習だね。

●単数形の接尾辞が次の場合、複数形の接尾辞は次のようになる

単数形		複数形
a	→	ae （イーと発音）
us	→	i
um	→	a
ma	→	mata
on	→	a
is	→	es
ix	→	ices
ex	→	ices
ax	→	aces

次の単語の複数形を作ってください。

【 bursa 】　　→〔複数形：　　　　　　　　　　〕
bursae
burs/ae　バースィー｜包、嚢｜＊bursaの複数形

【 conjunctiva 】　　→〔複数形：　　　　　　　　　　〕
conjunctivae
conjunctiv/ae　コンジャンクタイヴィ｜結膜｜＊conjunctivaの複数形

【 fossa 】　　→〔複数形：　　　　　　　　　　〕
fossae
foss/ae　フォスィー｜窩｜＊fossaの複数形

次の単語の単数形を作ってください。

【 vertebrae 】 →〔単数形：   〕

vertebra

vertebr/a　ヴァーティブラ｜椎骨、椎｜*pl.* vertebrae

【 pleurae 】 →〔単数形：   〕

pleura

pleur/a　プルーラ｜胸膜｜*pl.* pleurae

【 corneae 】 →〔単数形：   〕

cornea

corne/a　コルニア｜角膜｜*pl.* corneae

次の単語の複数形を作ってください。

【 bacillus 】 →〔複数形：   〕

bacilli

bacill/i　バシライ｜バシライ｜＊bacillusの複数形
※*Bacillus*属の細菌を表すのに用いる通称

【 bronchus 】 →〔複数形：   〕

bronchi

bronch/i　ブロンカイ｜気管支｜＊bronchusの複数形

【 coccus 】 →〔複数形：   〕

cocci

cocc/i　コクサイ｜球菌｜＊coccusの複数形

次の単語の単数形を作ってください。

【 foci 】 →〔単数形：   〕

focus

foc/us　フォーカス｜焦点、病巣｜*pl.* foci

【 loci 】　→〔単数形：　　　　　　　　　　　　　　　　　　　〕
locus
loc/us　ローカス｜位置、座｜*pl.* loci

【 nuclei 】　→〔単数形：　　　　　　　　　　　　　　　　　　　〕
nucleus
nucle/us　ニュークリアス｜核｜*pl.* nuclei

次の単語の複数形を作ってください。
【 atrium 】　→〔複数形：　　　　　　　　　　　　　　　　　　　〕
atria
atri/a　エイトリーア｜房｜＊atriumの複数形

【 delirium 】　→〔複数形：　　　　　　　　　　　　　　　　　　　〕
deliria
deliri/a　ディリリーア｜せん妄｜＊deliriumの複数形

次の単語の単数形を作ってください。
【 data 】　→〔単数形：　　　　　　　　　　　　　　　　　　　〕
datum
dat/um　デイタム｜情報（の個々の構成要素）｜*pl.* data

【 bacteria 】　→〔単数形：　　　　　　　　　　　　　　　　　　　〕
bacterium
bacteri/um　バクティリアム｜細菌、バクテリア｜*pl.* bacteria

【 ova 】　→〔単数形：　　　　　　　　　　　　　　　　　　　〕
ovum
ov/um　オウバム｜卵、卵子｜*pl.* ova

次の単語の複数形を作ってください。
【 carcinoma 】　→〔複数形：　　　　　　　　　　　　　〕
carcinomata
carcino/mata　カーシノーマタ｜癌(腫)｜＊carcinomaの複数形

【 fibroma 】　→〔複数形：　　　　　　　　　　　　　〕
fibromata
fibro/mata　ファイブローマタ｜線維腫｜＊fibromaの複数形

【 lipoma 】　→〔複数形：　　　　　　　　　　　　　〕
lipomata
lipo/mata　リポーマタ｜脂肪腫｜＊lipomaの複数形

次の単語の単数形を作ってください。
【 enemata 】　→〔単数形：　　　　　　　　　　　　　〕
enema
ene/ma　エネマ｜浣腸、注腸｜*pl.* enemata

【 gummata 】　→〔単数形：　　　　　　　　　　　　　〕
gumma
gum/ma　ガンマ｜ゴム腫、梅毒性ゴム腫｜*pl.* gummata

【 stigmata 】　→〔単数形：　　　　　　　　　　　　　〕
stigma
stig/ma　スティグマ｜標徴、徴候、スチグマ｜*pl.* stigmata

次の単語の複数形を作ってください。
【 ganglion 】　→〔複数形：　　　　　　　　　　　　　〕
ganglia
gangli/a
ギャングリア｜神経節、結節腫、ガングリオン｜＊ganglionの複数形

【 phenomenon 】 →〔複数形: 　　　　　　　　　　　　　　　〕

phenomena
phenomen/a　フェノメナ｜現象、徴候｜＊phenomenonの複数形

【 protozoon 】 →〔複数形: 　　　　　　　　　　　　　　　〕

protozoa
protozo/a　プロトゾーア｜原生動物、原虫｜＊protozoonの複数形

次の単語の単数形を作ってください。

【 zoa 】 →〔単数形: 　　　　　　　　　　　　　　　〕

zoon
zo/on　ゾーン｜個虫｜*pl.* zoa

【 encephala 】 →〔単数形: 　　　　　　　　　　　　　　　〕

encephalon
encephal/on　エンセファロン｜脳｜*pl.* encephala

【 spermatozoa 】 →〔単数形: 　　　　　　　　　　　　　　　〕

spermatozoon
spermatozo/on　スパーマトゾーン｜精子、精虫｜*pl.* spermatozoa

次の単語の複数形を作ってください。

【 aponeurosis 】 →〔複数形: 　　　　　　　　　　　　　　　〕

aponeuroses
aponeuros/es　アポニューローシズ｜腱膜｜＊aponeurosisの複数形

【 diagnosis 】 →〔複数形: 　　　　　　　　　　　　　　　〕

diagnoses
diagnos/es　ダイアグノーシズ｜診断｜＊diagnosisの複数形

【 pelvis 】　→〔複数形：　　　　　　　　　　　　　〕

pelves
pelv/es　ペルヴィズ｜骨盤｜＊pelvisの複数形

次の単語の単数形を作ってください。
【 crises 】　→〔単数形：　　　　　　　　　　　　　〕

crisis
cris/is　クライシス｜発症、分利、クリーゼ｜*pl.* crises

【 nares 】　→〔単数形：　　　　　　　　　　　　　〕

naris
nar/is　ネイリス｜外鼻孔｜*pl.* nares

【 prognoses 】　→〔単数形：　　　　　　　　　　　　　〕

prognosis
prognos/is　プログノーシス｜予後｜*pl.* prognoses

次の単語の複数形を作ってください。
【 appendix 】　→〔複数形：　　　　　　　　　　　　　〕

appendices
appendic/es　アペンダイシズ｜垂、虫垂｜＊appendixの複数形

【 cortex 】　→〔複数形：　　　　　　　　　　　　　〕

cortices
cortic/es　コーティシズ｜皮質｜＊cortexの複数形

【 thorax 】　→〔複数形：　　　　　　　　　　　　　〕

thoraces
thorac/es　ソレイシズ｜胸郭｜＊thoraxの複数形

これまで学んだ語根、連結形の知識をもとにして、次の意味の単語を作ってみましょう。

「虫垂(appendix)炎」〔　　　／　　　〕
appendicitis
appendic/itis　アペンディサイティス｜虫垂炎｜

「皮質(cortex)の」〔　　　／　〕
cortical
cortic/al　コーティカル｜皮質の｜

「胸腔の外科的穿刺」〔　　／／　　／　〕
thoracocentesis
thorac/o/centes/is　ソーラコセンティーシス｜胸腔穿刺｜

次の単語の複数形を作ってください。
【 apex 】　→〔複数形：　　　　　　　　　　　　　　　　　〕
apices
apic/es　アピシズ｜尖｜＊apexの複数形

【 fornix 】　→〔複数形：　　　　　　　　　　　　　　　　　〕
fornices
fornic/es　フォーニシズ｜円蓋｜＊fornixの複数形

【 varix 】　→〔複数形：　　　　　　　　　　　　　　　　　〕
varices
varic/es　ヴァリシズ｜静脈瘤｜＊varixの複数形

【 sarcoma 】　→〔複数形：　　　　　　　　　　　　　　　　　〕
sarcomata
sarco/mata　サーコマータ｜肉腫｜＊sarcomaの複数形

【 septum 】　→〔複数形：　　　　　　　　　　　　　　　　　〕
septa
sept/a　セプタ｜中隔、隔壁｜＊septumの複数形

【 radius 】　→〔複数形：　　　　　　　　　　　　　　　〕
radii
radi/i　レイディアイ｜橈骨｜＊radiusの複数形

【 maxilla 】　→〔複数形：　　　　　　　　　　　　　　〕
maxillae
maxill/ae　マクシリー｜上顎骨｜＊maxillaの複数形

cervix は子宮頸管です。cervix の複数形は〔　　　　〕になります。
cervices
cervic/es　サーヴィシズ｜頸、子宮頸管｜＊cervixの複数形

cervix の連結形は〔　　／　〕です。
その連結形には末尾に "o" を付けることになります。書いてみましょう。
cervico

[cervic/o]を用いて、次の意味の単語を作ってください。
「子宮頸管切除術」〔　　　　／　　　／　　　／　　〕
cervicectomy
cervic/ec/tom/y　サーヴィセクトミィ｜子宮頸(管)切除(術)｜

「子宮頸管炎」〔　　　　／　　　　　〕
cervicitis
cervic/itis　サーヴィサイティス｜子宮頸(管)炎｜

「子宮頸部の」〔　　　　　／　　〕
cervical
cervic/al　サーヴィカル｜子宮頸(部)の、頸の｜

[cervic/o]は『子宮頸部』だけでなく『頸』も意味します。

cervic/o/faci/al は「頸および顔面の」を意味します。

cervic/o/faci/al　サーヴィコフェイシャル｜頸顔面の｜

cervic/o/brachi/al は「頸および腕の」を意味します。

cervic/o/brachi/al　サーヴィコブレイキアル｜頸腕の｜

cervic/o/vesic/al は「子宮頸管および膀胱の」を意味します。

cervic/o/vesic/al　サーヴィコヴェシカル｜(子宮)頸膀胱の｜

共通していることは、こうした部分には、「あらゆる頸部様構造」があるということです。

＊＊＊

S：ここからは、しばらく呼吸器系の単語が続くけど、呼吸器の解剖知識は自信ある？

T：うーん、自信があるとはいえないかな。

S：自信がなければ次の解剖図（p.290）を利用して。ここまでに何度か解剖図は出てきてるけど、図を参照しながら用語を学ぶのは視覚的効果もあるし、知識を充実させてくれるわ。
それに、解剖図があるとなんとなく学習意欲が刺激されるような気もするし…。

T：うん、それは感覚的にわかる気がする。

S：じゃ、その刺激が消えないうちに、今日の追い上げにいきましょう。

●空気の流れ

> nose（鼻）　　　＝ [nas/o]　　※[rhin/o]を覚えていますか？
> ⇩　　　　　　　　　　　　　ここでは[nas/o]を用いて
> pharynx（咽頭）　＝ [pharyng/o]　　ください
> ⇩
> larynx（喉頭）　 ＝ [laryng/o]
> ⇩
> trachea（気管）　＝ [trache/o]
> ⇩
> bronchi（気管支）＝ [bronch/o]　　※bronchus は単数形
> ⇩
> lung（肺）の一部、ここで血流に入り込みます。

肺は次のものに被われています。
pleura（胸膜）＝ [pleur/o]

nas/o/ment/al は「鼻および顎の」を意味します。
[nas/o]が『鼻』を表す連結形でしたね。

[nas/o]を用いて、次の意味の単語を作ってください。
「鼻の」〔　　　　　/　　　　　〕
nasal
nas/al　ネイザル｜鼻の、鼻側の、鼻骨の｜

「鼻炎」〔　　　　　/　　　　　〕
nasitis
nas/itis　ネイザイティス｜鼻炎｜＝ rhinitis

「鼻骨および前頭骨（frontal bone）の」
〔　　　　/　　/　　　　　/　　　〕
nasofrontal
nas/o/front/al　ネイゾフロンタル｜鼻前頭の｜

frontal sinus
前頭洞

nose
鼻

nasal cavity
鼻腔
vestibule
前庭
nostril
外鼻孔

larynx
喉頭

trachea
気管

right principal bronchus
右気管支

right lobar bronchus
右葉気管支

nasal concha
鼻甲介
superior 上
middle 中
inferior 下

sphenoid sinus
蝶形骨洞

pharynx
咽頭

left lung
左肺

---

the respiratory system 呼吸器系

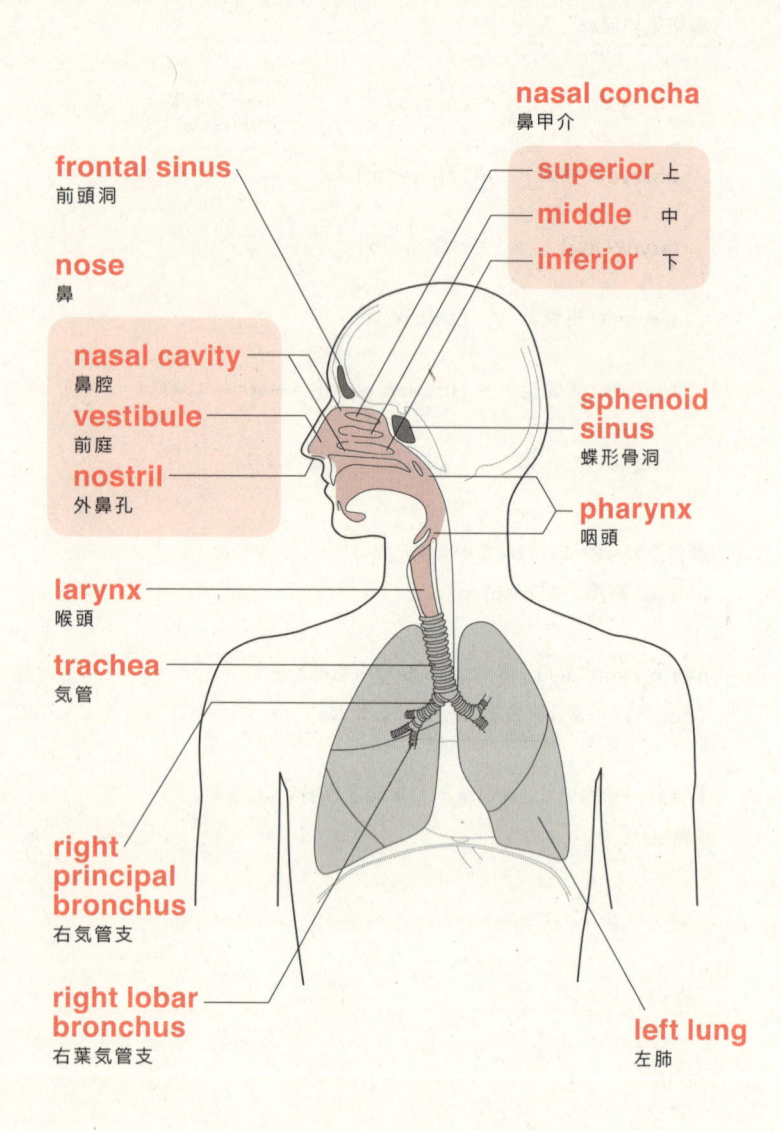

「鼻および涙管（lacrimal duct）の」
〔　　　／／　　　／　　〕
nasolacrimal
nas/o/lacrim/al　ネイゾラクリマル｜鼻涙の｜

「鼻と咽頭の炎症」〔　　　／／　　　　／　　〕
nasopharyngitis
nas/o/pharyng/itis　ネイゾファリンジャイティス｜鼻と咽頭の炎症｜

「鼻と咽頭に関する」〔　　　／／　　　　／　　〕
nasopharyngeal
nas/o/pharyng/eal　ネイゾファリンジール｜鼻咽頭の｜

pharyng/o/lith は「咽頭壁における結石」です。
[pharyng/o]は『咽頭』に関する単語に用いる連結形です。

pharyng/o/lith　ファリンゴリス｜咽頭結石｜

[pharyng/o]を用いて、次の意味の単語を作ってください。
「咽頭炎」〔　　　／　　　　〕
pharyngitis
pharyng/itis　ファリンジャイティス｜咽頭炎｜

「咽頭ヘルニア」〔　　　／／　　　〕
pharyngocele
pharyng/o/cele　ファリンゴシール｜咽頭ヘルニア｜

「咽頭切開術」〔　　　／／　　　／　　〕
pharyngotomy
pharyng/o/tom/y　ファリンゴトミィ｜咽頭切開（術）｜

「咽頭の外科的修復(形成術)」〔 　　/ /　　　　 / 　〕
pharyngoplasty
pharyng/o/plast/y　ファリンゴプラスティ | 咽頭形成(術) |

「咽頭を検査する器械(咽頭鏡)」〔 　　/ /　　　　 / 　〕
pharyngoscope
pharyng/o/scop/e　ファリンゴスコープ | 咽頭鏡 |

laryng/o/cele は「喉頭ヘルニア」を意味します。
[laryng/o]は『喉頭』に関する単語に用いる連結形です。

laryng/o/cele　ラリンゴシール | 喉頭気腫、喉頭ヘルニア |

[laryng/o]を用いて、次の意味の単語を作ってください。
「喉頭を検査する器械(喉頭鏡)」〔 　　/ /　　　　 / 　〕
laryngoscope
laryng/o/scop/e　ラリンゴスコープ | 喉頭鏡 |

「喉頭の痙攣(声門痙攣)」〔 　　/ /　　　　 　〕
laryngospasm
laryng/o/spasm　ラリンゴスパズム | 喉頭痙攣、声門痙攣 |

trache/o/rrhag/ia は「気管からの出血」を意味します。
[trache/o]は『気管』に関する単語に用いる連結形です。

trache/o/rrhag/ia　トレイキオレイジア | 気管出血 |

次の意味の単語を作ってください。
「気管痛」〔 　　/ 　　　/ 　〕
trachealgia
trache/alg/ia　トレイキアルジア | 気管痛 |

「気管切開術」〔　　/　　/　　〕
tracheotomy
trache/o/tom/y　トレイキオトミィ｜気管切開(術)｜

「気管ヘルニア(気管瘤)」〔　　/　　/　　〕
tracheocele
trache/o/cele　トレイキオシール｜気管瘤｜

「気管鏡検査」〔　　/　　/　　〕
tracheoscopy
trache/o/scop/y　トレイキオスコピィ｜気管鏡検査(法)｜

「気管の」〔　　/　　〕
tracheal
trache/al　トレイキアル｜気管の｜

「気管と喉頭に関する」〔　　/　　/　　〕
tracheolaryngeal
trache/o/laryng/eal　トレイキオラリンジール｜気管喉頭の｜

bronch/itis は「気管支炎」を意味します。
bronch/o/scop/e は「気管支を検査する器械」を意味します。
[**bronch/o**]は『気管支』に関する単語に用いる連結形です。

bronch/itis　　　ブロンカイティス｜気管支炎｜
bronch/o/scop/e　ブロンコスコープ｜気管支鏡｜

次の意味の単語を作ってください。
「気管支における結石」〔　　/　　/　　〕
broncholith
bronch/o/lith　ブロンコリス｜気管支結石｜

「気管支鏡検査」〔　　　／／　　　　／　〕
bronchoscopy
bronch/o/scop/y　ブロンコスコピィ｜気管支鏡検査(法)｜

「気管支に新しい開口部をつくること」
〔　　　／／　　　／　〕
bronchostomy
bronch/os/tom/y　ブロンコストミィ｜気管支造瘻術｜

「気管支痙攣」〔　　　／／　　　　〕
bronchospasm
bronch/o/spasm　ブロンコスパズム｜気管支痙攣｜

「気管支の縫合」〔　　　／／　　　　／　〕
bronchorrhaphy
bronch/o/rrhaph/y　ブロンコラフィ｜気管支縫合(術)｜

pleur/al は「胸膜の」を意味し、pleur/itis は「胸膜炎」を意味します。

pleur/al　プルーラル　　　　｜胸膜の｜
pleur/itis　プルーライティス｜胸膜炎｜

次の意味の単語を作ってください。
「胸膜の痛み」〔　　　／　　　／　〕
pleuralgia または **pleurodynia**
pleur/alg/ia　プルラルジア　｜胸膜痛｜
pleur/o/dyn/ia　プルロディニア｜胸膜痛｜

「胸膜の外科的穿刺」〔　　　／／　　　／　〕
pleurocentesis
pleur/o/centes/is　プルロセンティーシス｜胸膜穿刺｜

「胸膜と内臓(viscera)の」〔　　　/　/　　　　/　〕
pleurovisceral
pleur/o/viscer/al　プルーロヴィセラル｜内臓胸膜の｜

「胸膜結石」〔　　　/　/　　　　〕
pleurolith
pleur/o/lith　プルーロリス｜胸腔結石｜

「胸膜切除術」〔　　　/　/　　/　〕
pleurectomy
pleur/ec/tom/y　プルーレクトミィ｜胸膜切除(術)｜

pleurisy という単語にも「胸膜炎」という意味があります。
もうひとつの単語を覚えていますか?
〔　　　/　　　〕
pleuritis
pleur/itis　プルーライティス｜胸膜炎｜
pleur/isy　プルーリシィ　　｜胸膜炎｜

sinister という単語は「悪い、悪意ある」という意味です。
ラテン語の《sinister》には「左、左利きの」という意味がありました。
中世において、左利きの人は悪魔に呪われているという迷信があったのです。そのため、これら"左利きの"不運な人たちは、悪魔の化身と見なされました。こうして、sinister が今日において、「悪い、悪意ある」という意味を持つに至ったということです。

医学の分野で[sinistr/o]という連結形を見たら、sinister の原義に立ち戻って考えてみましょう。
sinister の原義は「左」という意味です。
sinistr/ad は「左方へ」を意味します。

sinistr/ad　シニストラッド｜左方へ｜

次の意味の単語を作ってください。
「左の」〔　　　　　／　〕
sinistral
sinistr/al　シニストラル｜左側の｜

「左心臓（症）」〔　　　　／／　　　　／　〕
sinistrocardia
sinistr/o/cardi/a　シニストロカーディア｜左心症、心左方偏位｜

「脳の左半分の」〔　　　　／／　　　　／　〕
sinistrocerebral
sinistr/o/cerebr/al　シニストロセリブラル｜左脳半球の｜

「左手利きの」〔　　　　／／　　　　〕
sinistromanual
sinistr/o/manual　シニストロマニュアル｜左手利きの｜

「左足利きの」〔　　　　／／　　　　〕
sinistropedal
sinistr/o/pedal　シニストロペダル｜左足利きの｜

［sinistr/o］の反対は［dextr/o］です。
［dextr/o］は『右』を意味します。dextr/ad は「右方へ」を意味します。

dextr/ad　デクストラッド｜右方へ｜

次の意味の単語を作ってください。
「右の」〔　　　　／　〕
dextral
dextr/al　デクストラル｜右方の｜

「右心臓(症)」〔　　　/ /　　　　/　　〕
dextrocardia
dextr/o/cardi/a　デクストロカーディア｜右胸心｜

「右胃(症)」〔　　　/ /　　　　/　〕
dextrogastria
dextr/o/gastr/ia　デクストロギャストリア｜右胃症｜

「右手利きの」〔　　　/ /　　　　　〕
dextromanual
dextr/o/manual　デクストロマニュアル｜右手利きの｜

「右足利きの」〔　　　/ /　　　　　〕
dextropedal
dextr/o/pedal　デクストロペダル｜右足利きの｜

vas は「管(脈管、血管)」を意味する単語で、[vas/o]は『脈管、血管』にあたる連結形です。
たとえば、vas/o/dilatat/ion は「血管の直径の拡張」を意味します。

vas/o/dilatation　ヴェイソディラテイション｜血管拡張｜

vas/o/constrict/ion は vas/o/dilatat/ion の反対語です。

空欄にあてはまるものを a ～ c より選んでください。
▶ vas/o/constrict/ion は〔　　　〕を意味します。
a) 血管拡張　　b) 血管収縮　　c) 血管膨張
答．b
vas/o/constrict/ion　ヴェイソコンストリクション｜血管収縮｜

▶ vas/o/motor は〔　　　　〕壁の緊張力を統御する神経に関する形容詞です。
a）動脈　　b）静脈　　c）血管
答．c
vas/o/motor　ヴェイソモーター｜血管運動の｜

[vas/o] が「血管」を意味するのでしたね。

[vas/o]を用いて、次の意味の単語を作ってください。
「脈管の」〔　　　　／　〕
vasal
vas/al　ヴェイサル｜（脈）管の｜

「血管痙攣」〔　　　／／　　　　〕
vasospasm
vas/o/spasm　ヴェイソスパズム｜血管痙攣｜

[vas]や[vas/o]で始まっている単語のうち、いままで学んだものが『血管』に関する医学用語です。
しかしながら、[vas]や[vas/o]には『精管』の意味もあります。

『精管』を意味する[vas/o]を用いて、次の意味の単語を作ってください。
「精管切開術」〔　　　／／　　　／　〕
vasotomy
vas/o/tom/y　ヴェイソトミィ｜精管切開（術）｜

「精管造瘻術」〔　　　／／　　　／　〕
vasostomy
vas/os/tom/y　ヴェイソストミィ｜精管造瘻術｜

「精管切除術」〔　　　/　/　　　/　　〕
vasectomy
vas/ec/tom/y　ヴェイセクトミィ｜精管切除(術)｜

『組織』に関する連結形は[hist/o]です。
たとえば、hist/o/tome は研究用に「組織」を切り取るために用いられる器具です。

hist/o/tome　ヒストートム｜組織刀｜

hist/o/gen/ous な物質とは「組織」によって形成された物質です。

hist/o/gen/ous　ヒストジェナス｜組織原性の｜

[hist/o]を用いて、次の単語を意味する単語を作ってください。
「組織学」〔　　　/　/　　　/　〕
histology
hist/o/log/y　ヒストロジィ｜組織学｜

「組織学者」〔　　　/　/　　　/　　　〕
histologist
hist/o/log/ist　ヒストロジスト｜組織学者｜

「組織腫」〔　　　/　　　〕
histoma
hist/oma　ヒストーマ｜組織腫｜

「組織芽細胞」〔　　　/　/　　　〕
histoblast
hist/o/blast　ヒストブラスト｜組織芽細胞、組織芽球｜

「組織性細胞(組織球)」〔　　　／　　／　　　／　〕
histocyte
hist/o/cyt/e　ヒストサイト｜組織球｜

「組織様の」〔　　　　／　　　　〕
histoid
hist/oid　ヒストイド｜組織様の｜

［neo］は『新』を意味します。
たとえば、neo/genesis は〔　　　　〕組織の再生を意味します。
新
neo/genesis　ニオジェネシス｜新生｜

『新』を表す［neo］を使った例として、neo/natal は「新生児の」を指し、neo/plasm は「腫瘍」または「新生物」(形成 -plasm/o) を意味します。

neo/natal　ニオネイタル｜新生児(期)の｜
neo/plasm　ニオプラズム｜新生物｜

neo/plasm はあらゆる「腫瘍」または「新生物」を指します。
良性(nonmalignant)腫瘍は neo/plasm と称されます。
悪性の場合はガンと呼ばれますが、これもまた neo/plasm のひとつです。黒腫もまた neo/plasm です。
肉腫(sarcoma)もやはり〔　／　〕です。
neoplasm
neo/plasm　ニオプラズム｜新生物｜

［neo］を用いて、次の意味の単語を作ってください。
「新しい細胞(幼若白血球)」〔　　　　／　　　　／　〕
neocyte
neo/cyt/e　ニオサイト｜幼若白血球｜

「新病一般」〔　　　／　　　／　　　〕
neopathy
neo/path/y　ニオパシィ｜新病変｜

新しいものに対する異常な恐怖〔　　　／　　　／　　　〕
neophobia
neo/phob/ia　ニオフォービア｜新奇恐怖(症)｜

＊＊＊

　もちろん、レッスンが終わって足早に去るソフィーを引き止めるようなことはしなかった。
　去り際の軽いウィンクが、彼女のこれからの"仕事"を想像させる。
　産業スパイを洗い出す調査の最後の詰めが彼女を待っているのだ。

　それにしても、まさに瓢箪から駒。
　まさか僕の妄想がピシャリと当たるとは…これはこれで面白い反面、ソフィーの立場を考えるとなんとも微妙な気分になる。
　これが映画なら、僕はソフィーと行動を共にすることとなり、数々の罠を乗り越えて、スパイの背後にある巨大バイオ企業と対峙する役回りになれたかもしれない。
　しかし、これは映画ではない。明日すべてが明らかになったら、ソフィーの仕事はそこで実質的に終わってしまう。
　そう、彼女は"仕事"で僕の医療英単語のレッスンをしていたのだから。

　果たして、スパイは誰だろう。
　最近気がつくと姿が見えないポーランド人のクリスティアン、挙動不審なインド人のラジュ、個人的見立てでは、ドイツ人のヘンドリックが最も怪しい。彼は権限も持っているし何よりキャラがたっている。そのほかにも、アメリカ人のポスドクが3名。

共通点としては、全員がいい奴で、全員が優秀で、全員が研究熱心だ。
　要するに、そのスパイとやらは、よほどうまくやっているということなんだろうな。

　ハーブティーを入れて、メールをチェックする。
　いつもの連中からのいつものメール。先輩は、新しく開講される講座の特任准教授の口が見つかりそうだとのこと。
　めでたい話だ。
　そこからスパムメールを2つ挟んだ後、妹からのメールのタイトルがHappy Birthdayになっていることに気づく。
　誰の…?
　ああ、僕のか。
　自分の誕生日なんて、30半ば独身の恋人なしのひとり暮らし、しかも慣れない異国ということになれば、真っ先に記憶から抹消するイベントだもの、そんなことすっかり忘れていたよ。
　そうか、日本は1日早く僕の誕生日を迎えているのだ。
　姪と妹がろうそくを立てたケーキを頬張っている写真が添付されている。おいおい、そのケーキを食べるのは僕の役目だろ。

　アメリカで初めて迎える誕生日は、偶然にも産業スパイ退治のイベントに重なった。確かに、ひとり淋しく過ごすよりは何倍も刺激的だ。
　こんなこともある。

　ふと有名な誕生日のパラドックスを思い出した。
　40人以上のクラスなら同じ誕生日の人間がいる確率は90%近いという事実。
　50人を超えると、その確率は97%以上になってしまう。
　偶然は人が思うよりも"偶然"ではないという話だ。

　僕が初めてこの事実を知った時、当時僕と好きな女の子を結ん

でくれていた運命の赤い糸は単なる確率論に取って代わられてしまった。もちろん、赤い糸ではなかったのでその恋は成就することもなかった。

　確率論的に考えれば、自分の星回りを無闇に悲観する必要もなくなるけれど、同時に夢やロマンも退化してしまう気がする。

　人間の一般的な直感はあまりあてにはならないという厳しさも同時に学んだはずなのに、どうやらまったく身についていないらしい。
　ああ、ソフィーとはうまくいきそうな気がしたんだけどな。
　僕はハーブティーを口に運んだ。ゆっくりと鼻から香りを吸い込み、目を閉じた。
　やはり今回も僕の直感はあてにならないだろう。

　そうだ！！
　僕の脳裏に浮かんだのは、1分前の自分には思いもよらない決意だった。

　そうだ、もし本当に医療英単語を100倍にすることができたら、ソフィーに告白をしよう。

　どうせ彼女は、明日事件を処理したらどこかへ消えてしまうのだ。
　本当に明日までに医療英単語を100倍にしてやろう。
　最後のモチベーションを沸き立たせ、僕は悲壮の決意をしたのだった。

---

1) スイープセコンド (sweep second)
　連続秒針。秒針がすべるように進みコチコチ音がしない。

2) ねるとんパーティー
　司会をとんねるず、構成・ディレクターをテリー伊藤がつとめたバラエティ番組『ねるとん紅鯨団』(1987〜1994年)の集団お見合い企画にちなんで、集団お見合いパーティーをねるとんパーティーと呼ぶようになった。

ソフィーのハーブティーレシピ＜第6回＞

ハイビスカス + ローズヒップ + レモングラスティー

　最後は、私がいつも飲んでいる…というか美容のためのハーブティーブレンドを紹介します。

　ローズヒップはビタミンCを筆頭にビタミンA・B・Eも豊富。さまざまな美肌効果が期待できる美容のハーブの代表格で、女性に高い人気があります。

　甘い香りと比較的強めの酸味。色は真紅のバラの色。ドッグローズというバラの実から作られ、出し殻の実は食べられます。

　この美容のハーブと、目の疲れを癒してくれるハイビスカスは、色味と酸味の点で同系統で相性がとってもいいのです。

　この2つの酸味にレモンの香りを添えるのが、レモングラス。レモンバーベナよりも鮮烈なレモンの香りを持ちますが味の主張をしないため、ブレンドに向いたハーブです。

　ハイビスカスとローズヒップの美しいルビー色とレモングラスのさわやかな香りが渾然となった、誰もが楽しめるブレンドハーブティーといえるでしょう。

　ハーブティーは、ストレート、2種類、3種類のブレンドといろいろな楽しみ方ができます。

　本書の学習のような"一種の力業"は、うまく息抜きをするのが続けるコツです。ハーブティーに限らず、自分なりの続け方を見つけてみるのもいいかもしれませんね。

7

7日目「神は休むが、僕は休日を返上する。」

　意外に爽やかな目覚めだった。今日は僕は本来休みの日である。もちろん、ボスと調査官の意向に従うことに変わりはない。
　表向きには医療英単語100倍プロジェクトの最終日であり、午後にはソフィーの指定する時間にいつも通りの勉強会が予定されている。
　午後にソフィーの時間に合わせて最後の詰めをして、もちろん僕はこの医療英単語100倍計画を達成するつもりだ。
　その結果がどうなるのかなんて、神様も気にかけていないかもしれないけど。

　スパイ確保というイベントに、今日の学習がどう影響するのかはちっともわからないが、それとは関係なく、僕の集中力は最高レベルにまで高まっていた。

　そう、僕は保身や職の確保のために医療英単語を身につけるのでない。
　僕は、僕自身のためにこの医療英単語を身につけるのだ。

＊＊＊

　ロウアー・マンハッタンのほぼ中心にある「カフェ・メディナ」でソフィーと落ち合う。ランチ時のサンドイッチとスープが評判だが、今日は苦み走ったコーヒーだけだ。

ソフィーの教え⑦　最後は自分を信じること。

S：トシ、なんだか目がキラキラしてるわ。すごいやる気ね。

T：ああ、僕は自分のために、君の学習法をマスターすることに決めたんだ。今日で最後だ、よろしく頼むよ。

S：すごくうれしいわ。私が父親にこの方法を教わった時、実は何度も挫折しそうになったの。でも、その度に父親が励ましてくれて、私も7日目には、早くやり遂げたくて仕方なくなったわ。
今回は、変なことに巻き込んじゃって本当に申し訳ないけど、この学習法で私が医療英単語をマスターしたことも、父親の話にも嘘はないわ。

T：大丈夫だよ。君のことも信じているし、今は、自分自身のこともしっかり信じられるんだ。

S：そう、父さんが言ってたの。最後は自分を信じることが大事だって。雑念を振り払って、ただ集中して最後まで突っ走りましょ！！

* * *

『夜』を意味する連結形は2つあります。ひとつは [noct/i] です。
たとえば、noct/i/phob/ia は「暗夜恐怖症」を意味します。

noct/i/phob/ia　ノクティフォービア｜暗夜恐怖(症)｜

音楽を学んだことのある人は、noct/urne という単語を聞いたことがあるかと思います。これはノクターンといってうっとりさせられるような美しい音楽なのですが、よく「夜想曲」と訳されていますね。
このように、[noct/i] は『夜』に関する連結形だとわかります。

noct/ambul/ism は文字通りには「夜歩くこと」を意味します。
〔　/　/　〕は眠りながら歩く、つまり「夢遊病」を指します。
noctambulism
noct/ambul/ism　ノクタンビュリズム｜夢遊病｜

夢遊病はどの年齢期でも起きる可能性があります。なかでも、幼年期は〔　/　〕の最もよく起こる年齢期です。

noctambulism
noct/ambul/ism　ノクタンビュリズム｜夢遊病｜

夢遊病患者は、眠りながら歩いていても、実際はよく眠っていないのです。そういう人たちは眠っているようには見えますが、実際は自分の行動の記憶を抑えつけているのです。
この人たちは〔　/　〕に陥っている、といいます。

noctambulism
noct/ambul/ism　ノクタンビュリズム｜夢遊病｜

『夜』を意味するもうひとつの連結形は[nyct/o]です。
たとえば、nyct/alg/ia は「夜の間の痛み」を意味します。

nyct/alg/ia　ニクタルジア｜夜間痛｜

また、nyct/albumin/ur/ia は「夜間、尿中にアルブミン(albumin)が存在すること」を意味します。

nyct/albumin/ur/ia　ニクタルブミニュリア｜夜間アルブミン尿(症)｜

nyct/al/opia は夜間における視覚困難、つまり「夜盲症」を意味します。ビタミンA が夜視力に関連しています。
ビタミンAの欠乏は〔　//　〕の一原因となります。

nyctalopia
nyct/al/opia　ニクタロピア｜夜盲(症)｜

nyct/al/opia にはいくつかの原因があります。非常にまぶしい光線にさらされたために起こる網膜疲労も〔　//　〕の原因です。

nyctalopia
nyct/al/opia　ニクタロピア｜夜盲(症)｜

retinitis pigmentosa（色素性網膜炎）もまた〔　/　/　〕の原因です。

nyctalopia
nyct/al/opia　ニクタロピア｜夜盲（症）｜

[noct/i]あるいは[nyct/o]を用いて、次の単語と同じ意味の単語を作ってください。

「夜に対する異常な恐怖（暗夜恐怖症）」
noct/i/phob/ia =〔　　　/　/　　　/　〕
nyctophobia
nyct/o/phob/ia　ニクトフォービア｜暗夜恐怖（症）｜

「夜に対する異常な嗜好（暗夜嗜好）」
noct/i/phil/ia =〔　　　/　/　　　/　〕
nyctophilia
nyct/o/phil/ia　ニクトフィリア｜暗夜嗜好｜

「夜間における過度の放尿」
noct/uria =〔　　　/　　　/　〕
nycturia
nyct/ur/ia　ニクテューリア｜夜間多尿（症）、夜間頻尿（症）｜

[ankyl/o]は『固い』または『動かない（状態）』を意味します。
たとえば、ankyl/osed は、「強直した」という意味があります。
ankyl/o/blephar/on は癒着して「眼瞼が動かなくなった」ことを意味します。
ankyl/osis は「固い状態」を意味します。

ankyl/osed　　　　　　アンキロスト　　　　｜強直した｜
ankyl/o/blephar/on　アンキロブレファロン｜眼瞼癒着｜
ankyl/osis　　　　　　 アンキロシス　　　　｜強直（症）｜

[ankyl/o]を用いて、次の意味の単語を作ってください。
「強直に対する異常な恐怖」〔　　　//　　　/　　〕

ankylophobia

ankyl/o/phob/ia　アンキロフォービア｜硬直恐怖｜

「舌小帯短縮症」〔　　　//　　　/　　〕

ankyloglossia

ankyl/o/gloss/ia　アンキログロッシア｜舌小帯短縮(症)、舌癒着症｜

「強直指症」〔　　　//　　　/　　〕

ankylodactylia

ankyl/o/dactyl/ia　アンキロダクティリア｜強直指(症)、指癒着症｜

[ia]は名詞をつくる接尾辞でしたね。

oophor/o の語源を覚えていますか？
oophor/o は卵子を「運ぶ」器官に関係しています。

[phor/o]は『運ぶこと』あるいは『斜位』を意味する連結形です。

ex/o/phor/ia は「眼を外方に運ぶ または 動かす筋肉の不平衡（外斜位）」を意味します。
es/o/phor/ia は「眼を内方に運ぶ または 動かす筋肉の不平衡（内斜位）」を意味します。

ex/o/phor/ia　エクソフォーリア｜外斜位｜
es/o/phor/ia　エソフォーリア　｜内斜位｜

眼を運ぶ（動かす）筋肉の緊張力と引っ張りを測定する器械は
〔　　/　　/　　〕です。

phorometer

phor/o/meter　フォーロミター｜眼位計｜

hyper/phor/ia は眼筋が一方の眼を上方に向けた場合に起こります（上斜位）。

一眼のみが下方に向く場合、それを〔　／　／　〕と呼びます。

hypophoria
hypo/phor/ia　ハイポフォーリア　|下斜位|
hyper/phor/ia　ハイパーフォーリア|上斜位|

dys/phor/ia は「不快気分」を意味します。

文字通りには、「患者が不快感を自分に伴って運んでいる状態」ということです。

この反意語である、「幸福感」を意味する単語は〔　／　／　〕です。

euphoria
eu/phor/ia　ユーフォーリア　|多幸(症)、多幸感|
dys/phor/ia　ディスフォーリア|不快気分|

もしある人の食事が良好で十分に休息を取り、そして世界がその人にとってすばらしい場所だと感じているならば、

その人は〔　／　／　〕を享受している、ということになります。

euphoria
eu/phor/ia　ユーフォーリア　|多幸(症)、多幸感、上機嫌|

[stas/is]は『中止』または『抑制』を意味します。

ある器官またはその器官の生産するものを抑制することを表すには、【その器官(もしくは産生物)にあたる連結形】+【stasis】を使います。

たとえば、fungi/stas/is(制菌剤)は「真菌の発育を"中止または抑制"する状態」を意味します。

fungi/stas/is　ファンジスタシス|制菌剤|

chol/e/stas/is は「胆汁分泌停止」つまり「胆汁うっ滞」を意味します。

chol/e/stas/is　コレスタシス|胆汁うっ滞|

[stas/is]は『中止』または『抑制』を意味します。
では、次の意味の単語を作ってください。
「小腸の(活動)抑制」〔　　　　／／　　　　／　　〕
enterostasis
enter/o/stas/is　エンテロスタシス｜腸内容うっ滞｜

「血流の抑制(止血、うっ血)」〔　　　　／／　　　　／　　〕
hemostasis
hemo/stas/is　ヒーモスタシス｜止血、血流遮断、うっ血｜

「静脈の血流の抑制(静脈血うっ滞法)」〔　　　／　　　　／　　〕
phlebostasis
phlebo/stas/is　フレボスタシス｜静脈(血)うっ滞(法)｜

同じ意味を表す単語に、venostasis(静脈うっ血)があります。

veno/stas/is　ヴィーノスタシス｜静脈うっ血｜

[schiz/o]、[schist/o]、[schis/o]はすべて連結形で、ギリシア語から発展した言葉の一部です。
もともと、これらの部分は、『裂(裂け目あるいは割れ目)』を意味していました。現在の英語にある次の単語、schiz/o/phren/ia は「精神分裂病(統合失調症)」を指します。

schiz/o/phren/ia　スキゾフリーニア｜精神分裂病｜＝統合失調症

次の単語を分析してみてください。
【 schistoglossia 】 ⇒〔　　　　　　　　　　　　　〕
schist/o/gloss/ia
schistoglossia　スキストグロシア｜舌裂｜

【 schistocyte 】　　⇒〔　　　　　　　　　　　　　〕

schist/o/cyt/e
schistocyte　スキストサイト｜分裂赤血球、シスサイト｜

【 schistothorax 】　⇒〔　　　　　　　　　　　　　　　　　〕
schist/o/thorax
schistothorax　スキストソラックス｜胸裂｜

【 palatoschisis 】　⇒〔　　　　　　　　　　　　　　　　　〕
palat/o/schis/is
palatoschisis　パラトスキシス｜口蓋(披)裂｜

【 uranoschisis 】　⇒〔　　　　　　　　　　　　　　　　　〕
uran/o/schis/is
uranoschisis　ユラノスキシス｜(硬)口蓋(披)裂｜

【 rachischisis 】　⇒〔　　　　　　　　　　　　　　　　　〕
rachi/schis/is
rachischisis　ラキスキシス｜脊椎披裂｜

［schiz/o］、［schist/o］、［schis/o］はすべて『裂』を意味します。

　　　　　　　　　　　＊＊＊

S：ここに全身骨格のシェーマを用意しておいたわ（p.314）。トシ、calcaneum（踵骨）の位置を確かめてみて。もちろん、発音しながらよ。

T：さすがに、踵の位置ぐらいはわかるけど。

S：じゃ、calcaneumの複数形は？

T：あ、ちょっと待って。

scapula
肩甲骨

humerus
上腕骨

radius
橈骨

ulna
尺骨

carpus
手根

phalanges
指節骨

femur
大腿骨

tibia
脛骨

fibula
腓骨

calcaneum
踵骨

clavicle
鎖骨

acromion
肩峰

sternum
胸骨

rib
肋骨

vertebra
椎骨

sacrum
仙骨

ilium
腸骨

pubis
恥骨

ischium
坐骨

patella
膝蓋骨

condyle
顆

the skeletal system　骨格系

[um]の語尾（接尾辞）の複数形変化だから、calcaneaだね。

S：そそ。この単数複数の語尾変化は、datumとdataの関係を思い出せればわかりやすいわよね。
calcaneumとcalcaneaからわかる、『かかと』にあたる語根は[calcane]。連結形は[calcane/o]になるわね。

[calcane/o]を用いて、次の意味の単語を作ってください。
「踵骨」〔　　　　／　　〕
calcaneum
calcane/um　カルケイニアム｜踵骨｜*pl.* calcanea

「かかとに関する（踵骨の）」〔　　　　／　　〕
calcaneal
calcane/al　カルケイニアル｜かかとに関する、踵骨の｜

「かかとの痛み（踵骨痛）」〔　　／／　　／　〕
calcaneodynia
calcane/o/dyn/ia　カルケイニオディニア｜踵骨痛｜

[calcane/o]が単語中にあれば、それは『かかと』を指します。

carpus（手首）の位置を確かめてください。
carpusの複数形は〔　／　〕です。
carpi
carp/i　カーパイ｜手根、手首｜＊carpusの複数形

carpusおよびcarpiから、『手根』にあたる語根を書き抜いてみましょう。
〔　　　　　　〕
carp

[carp]は『手根』を意味する語根です。
手根に関する単語に用いられる連結形は[carp/o]です。
[carp/o]を用いて、次の意味の単語を作ってください。
「手根に関する」〔　　　　　/　　　　　〕

carpal
carp/al　カーパル｜手根(骨)の、手首の｜

「垂手症」〔　　　　/　　　　/　　　　〕

carpoptosis
carp/optos/is　カーポプトーシス｜垂手(症)｜

「手根(骨)の全部もしくは一部を切除する手術」
〔　　　/　　/　　　/　　〕

carpectomy
carp/ec/tom/y　カーペクトミィ｜手根骨切除(術)｜

[carp/o]が単語中にあれば、それは『手根』を指します。

ischi/um(坐骨)の位置を確かめてください。
ischi/um の複数形は〔　　　　〕になります。

ischia
ischi/a　イスキア｜坐骨｜＊ischiumの複数形

ischi/um および ischi/a から、「座る時にのしかかる寛骨の一部」に
あたる語根を書き抜いてみましょう。
〔　　　　　　　〕

ischi

7

『坐骨』に関する単語に用いられる連結形は[ischi/o]です。

[ischi/o]を用いて、次の意味の単語を書いてください。
「坐骨および直腸に関する」〔　　　　/ /　　　　 /　　　〕
ischiorectal
ischi/o/rect/al　イスキオレクタル｜坐骨直腸の｜

「坐骨および恥骨に関する」〔　　　　/ /　　　　 /　　　〕
ischiopubic
ischi/o/pub/ic　イスキオピュービック｜坐骨恥骨の｜

「坐骨の」〔　　　　/　　〕
ischial
ischi/al　イスキアル｜坐骨の｜

「坐骨ヘルニア」〔　　　　/ /　　　　　〕
ischiocele
ischi/o/cele　イスキオシール｜坐骨ヘルニア｜

[ischi/o]が単語中にあれば、「坐骨」として知られる寛骨の一部を指す、と覚えましょう。

pubisの位置を確かめてみましょう。
pubisの複数形は〔　　　〕です。
pubes
pub/es　ピュービズ｜恥骨｜＊pubisの複数形

pubis（恥骨）に関する単語に用いられる連結形は
[pub/o]（主に使用される形）、または[pubi/o]です。

では[pub/o]を用いて、次の意味の単語を作ってください。
「恥骨の」〔　　　　/　　〕
pubic
pub/ic　ピュービック｜恥骨の｜

「恥骨および大腿（femur）の」〔　　　/　　　/　　　〕
pubofemoral
pub/o/femur/al　ピューボフェモラル｜恥骨大腿骨の｜

［pub/o］が単語中にあれば、それは〔　　　〕を指します。
恥骨

stern/um（胸骨）の位置を確かめてみましょう。
stern/um の複数形は〔　　　〕です。
sterna
stern/a　スターナ｜胸骨｜＊sternumの複数形

『胸骨』を意味する連結形［stern/o］を参考にして、次の意味の単語を書いてみましょう。
「胸骨および心膜（pericardium）の」
〔　　　/　　　/　　　/　　　〕
sternopericardial
stern/o/peri/cardi/al　スターノペリカーディアル｜胸骨心膜の｜

「胸骨および肋骨の」〔　　　/　　　/　　　〕
sternocostal
stern/o/cost/al　スターノコスタル｜胸肋の｜

「胸骨の」〔　　　/　　　〕
sternal
stern/al　スターナル｜胸骨の｜

「胸骨痛」〔　　　/　　　〕
sternalgia または **sternodynia**
stern/alg/ia　スターナルジア　｜胸骨痛｜
stern/o/dyn/ia　スターノディニア｜胸骨痛｜

［stern/o］が単語中にあれば、「胸骨」を意味する sternum を思い出すようにしましょう。

phalang/es（指節骨）の位置を確かめてみましょう。
phalang/es は〔　　　　〕の複数形です。
phalanx
phalanx　　ファランクス｜指(趾)節骨｜ *pl.* phalanges
phalang/es　ファランジーズ｜指(趾)節骨｜＊phalanxの複数形

phalang/es の語根は［phalang］になります。

［phalang］を用いて、次の意味の単語を作ってください。
「指骨炎」〔　　　　/　　　　〕
phalangitis
phalang/itis　ファランジャイティス｜指骨炎｜

「ひとつ、あるいはそれ以上の指節の切除」
〔　　　/　　　/　　　/　　　〕
phalangectomy
phalang/ec/tom/y　ファランジェクトミィ｜節骨切除(術)｜

acromi/on（肩峰）の位置を確かめてみましょう。
それは「肩甲骨（scapula）」の突起です。

acromi/on　アクロミオン｜肩峰｜

acromi/on に対応する連結形は［acromi/o］です。

［acromi/o］を用いて、次の意味の単語を書いてください。
「肩峰の」〔　　　　/　　　〕
acromial
acromi/al　アクローミアル｜肩峰の｜

「肩峰および上腕骨（humerus）の」
〔　　　/　/　　　/　〕
acromiohumeral
acromi/o/humer/al　アクロミオヒューメラル｜肩峰上腕骨の｜

acromi/o/humer/al から、「上腕骨」を意味する連結形を書き抜いてください。
〔　　　/　〕
humero

[humer/o]は『上腕骨』を意味する連結形です。
[humer/o]は上腕の骨に関する単語に用いられ、humerus（上腕骨）と称されます。

「顆」を意味する condyle の位置を確かめてみましょう。
condyle は多くの骨に見られる円い突起です。「骨頭」とも呼ばれます。
condyle の語根は[condyl]です。

condyl/e　コンダイル｜顆｜

次の意味の単語を作ってください。
「顆切除術」〔　　　/　/　　　/　〕
condylectomy
condyl/ec/tom/y　コンディレクトミィ｜顆切除（術）｜

「顆状の」〔　　　/　　　〕
condyloid
condyl/oid　コンディロイド｜顆（状）の｜

「上顆」〔　　　/　　　/　〕
epicondyle
epi/condyl/e　エピコンダイル｜上顆｜

***

ganglion は「神経細胞体の集団（神経節）」を意味します。
では、これまでに学んだ単語構成システムを使って、
ganglion に対応する連結形を作ってみましょう。
〔　　　　／　〕
ganglio

ここから先は、単数形、複数形の正しい使用法を学びます。

[gangli/o]から作られた名詞の単数形は gangli/on です。

gangli/on　ギャングリオン｜神経節｜*pl.* ganglia

[gangli/o]から作られた名詞の複数形は gangli/a です。

gangli/a　ギャングリア｜神経節｜＊ganglionの複数形

第三脳室の下に basal optic〔　　／　〕と称される灰白質の部分
があります。
「神経節」を意味する単語（単数形）を入れてください。
ganglion
gangli/on　ギャングリオン｜神経節｜*pl.* ganglia
basal optic gangli/on
ベイサル・オプティック・ギャングリオン｜脳底視神経節｜

主要な脳神経中枢は cerebral〔　　／　〕と称されます。
「神経節」を意味する単語（複数形）を入れてください。
ganglia
cerebral gangli/a　セレブラル・ギャングリア｜脳神経節｜

頸部にある3つの神経集団はどれもそれぞれ cervical 〔　　/　　〕
と称されます。
「神経節」を意味する単語(単数形)を入れてください。

ganglion

cervical gangli/on
サーヴィカル・ギャングリオン｜子宮頸管、頸神経節｜

[thromb/o]は『血栓、凝血(clot)』を意味する連結形です。
たとえば、thromb/o/angi/itis は「血栓の形成を伴う血管の炎症」
を意味します。

thromb/o/angi/itis　スロンボアンジアイティス｜血栓(性)血管炎｜

thromb/ec/tom/y は「血栓切除術」を意味します。

thromb/ec/tom/y　スロンベクトミィ｜血栓切除術｜

凝固、血栓(clot)は医学用語的には、thrombu/s といいます。
これは clot の同義語になります。

thromb/us　スロンバス｜血栓｜

thromb/o/lymph/ang/itis は「血栓形成を伴う、またはこの症状を
持ったリンパ管の炎症」を意味します。

thromb/o/lymph/ang/itis
スロンボリンファンジャイティス｜血栓(性)リンパ管炎｜

thromb/o/phleb/itis は「血栓形成を伴った静脈の炎症」を意味し
ます。

thromb/o/phleb/itis　スロンボフレバイティス｜血栓(性)静脈炎｜

[thromb/o]を用いて、次の意味の単語を作ってください。
「血栓形成の症状(血栓症)」〔　　　/　　　　　〕
thrombosis
thromb/osis　スロンボーシス｜血栓症｜

「凝血を促す細胞(血小板)」〔　　　//　　　/　〕
thrombocyte
thromb/o/cyt/e　スロンボサイト｜血小板、栓球｜

「血栓様の」〔　　　//　〕
thromboid
thromb/o/id　スロンボイド｜血栓様の｜

「血栓形成の」〔　　　//　　/　〕
thrombogenic
thromb/o/gen/ic
スロンボジェニック｜血栓形成の、トロンボゲン形成の｜

「血栓崩壊」〔　　　//　　　〕
thrombolysis
thromb/o/lysis　スロンボリシス｜血栓崩壊｜

「血小板減少症」〔　　　//　　　//　　　〕
thrombocytopenia
thromb/o/cyt/o/penia　スロンボサイトピーニア｜血小板減少(症)｜

[trich/o]は『毛、髪』を意味する単語に用いられます。
たとえば、trich/o/gen/ous substance(発毛促進剤)は毛の成長を促進します。

trich/o/gen/ous　トリコジェナス｜発毛の、毛髪成長促進の｜

lith/iasis は「正常では生じない部分に」結石が形成されることです。
また、trich/iasis は「正常ではない部分」に「毛」が生えることです。

lith/iasis　　リサイアシス　|結石症|
trich/iasis　　トリカイアシス|睫毛乱生(症)、逆さ睫毛|

[trich/o]を用いて、次の意味の単語を作ってください。
「毛舌症」〔　　　　/ /　　　　　/　　〕
trichoglossia
trich/o/gloss/ia　　トリコグロッシア|毛舌症|

「毛髪様の」〔　　　　　　/ /　　〕
trichoid
trich/o/id　　トリコイド|毛髪様の、毛に似た|

「毛に対する異常な恐怖(恐毛症)」
〔　　　/ /　　　　/　　〕
trichophobia
trich/o/phob/ia　　トリコフォービア|毛髪恐怖(症)|

「毛病一般(毛髪病)」〔　　　　/ /　　　　　/　　〕
trichopathy
trich/o/path/y　　トリコパシィ|毛髪病|

[phag/o]は『食べる』を意味します。
たとえば、phag/o/cyt/e は「微生物を食べる食細胞」です。

phag/o/cyt/e　　ファゴサイト|(貪)食細胞|

phag/o/cyt/osis は「食細胞が微生物を食べる過程」です。

phag/o/cyt/osis　　ファゴサイトーシス|食(菌)作用、貪食作用(能)|

大きな食細胞は macr/o/phag/e（大食細胞）といい、小さな食細胞は〔　／　／　〕といいます。

microphage
micr/o/phag/e　マイクロフェイジ｜小食細胞、小食球｜

onych/o/phag/y は「爪を咬むこと」です。
「毛を飲み込むこと（食毛症）」を意味する単語は〔　／　／　〕です。

trichophagy
trich/o/phag/y　トリコファジィ｜食毛（症）｜
onych/o/phag/y　オニコファジィ｜爪咬み｜

空気を飲み込む（空気嚥下症）は〔　／　／　〕です。

aerophagy
aer/o/phag/y　エアロファジィ｜空気嚥下（症）｜

　　　　　　　　　　＊＊＊

corne/a は「角膜」を意味します。
corne/al は「角膜の」という形容詞です。
『角膜』に関する単語に付く連結形は［corne/o］です。

corne/a　　コーニア　｜角膜｜
corne/al　コーニアル｜角膜の｜

scler/a（強膜）は眼の外包を形成している線維性膜層です。

scler/a　　スクリラ｜強膜｜

scler/a の語根［scler］には『硬い』という意味があります。
連結形は［scler/o］となります。

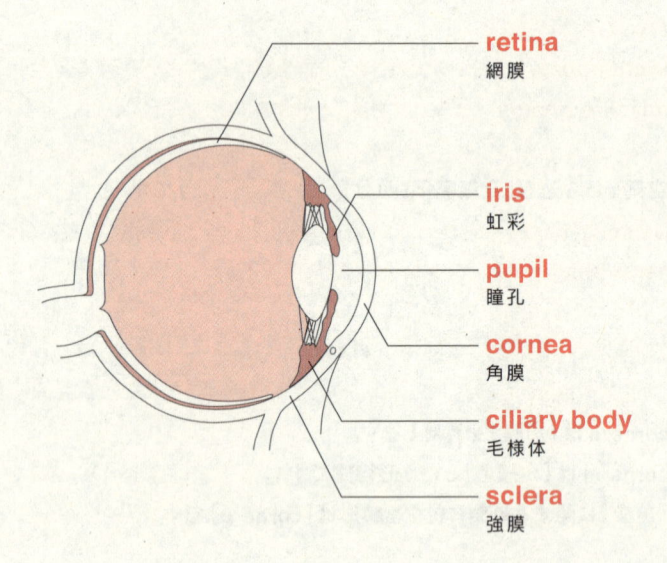

retina
網膜

iris
虹彩

pupil
瞳孔

cornea
角膜

ciliary body
毛様体

sclera
強膜

the eyeball 眼球

[scler/o]を用いて、次の意味の単語を作ってください。
「強膜の」〔　　/　　〕

scleral

scler/al　スクリラル｜強膜の｜

「強膜切除術（全部もしくは一部）」〔　　/　　/　　/　〕

sclerectomy

scler/ec/tom/y　スクレレクトミィ｜強膜切除(術)｜

「強膜切開術」〔　　/　/　　/　〕

sclerotomy

scler/o/tom/y　スクレロトミィ｜強膜切開(術)｜

「虹彩」を意味する単語 ir/is にある[ir]は、iris に対応するひとつの語根です。
その使用はきわめて限られていますが、「炎症」を表すのにしばしば用いられるので重要です。

ir/is　アイリス｜虹彩｜

次の意味の単語を作ってください。
「虹彩炎」〔　/　　　　〕

iritis

ir/itis　アイライティス｜虹彩炎｜

「角膜虹彩炎」〔　　/　/　　/　　〕

corneoiritis

corne/o/ir/itis　コーニオアイライティス｜角膜虹彩炎｜

「強膜虹彩炎」〔　　/　/　　/　　〕

scleroiritis

scler/o/ir/itis　スクリロアイライティス｜強膜虹彩炎｜

iris の複数形は irides になります。
『虹彩』に関する単語に付く連結形は [irid/o] になります。

irid/es　イリディズ｜虹彩｜＊irisの複数形

[irid/o] を用いて、次の意味の単語を作ってください。
「虹彩ヘルニア（虹彩嚢胞）」〔　　　／　／　　　　　〕
iridocele
irid/o/cele　イリドシール｜虹彩嚢胞｜

「虹彩切除術」〔　　　／　／　　　／　〕
iridectomy
irid/ec/tom/y　イリデクトミィ｜虹彩切除（術）｜

「虹彩脱出症」〔　　　／　／　　　／　〕
iridoptosis
irid/o/ptos/is　イリドプトーシス｜虹彩脱（出症）｜

「虹彩軟化症」〔　　　／　／　　　／　〕
iridomalacia
irid/o/malac/ia　イリドマレイシア｜虹彩軟化（症）｜

虹彩麻痺を表すには2つの方法があります。
ひとつは irid/o/pleg/ia で、もうひとつは、〔　／　／　／　〕です。
iridoparalysis
irid/o/para/lysis　イリドパラリシス｜虹彩（括約筋）麻痺｜
irid/o/pleg/ia　　イリドプリージア｜虹彩（括約筋）麻痺｜

次の連結形が意味するものを a～c より選んでください。
▶ [irid/o]〔　　　〕
a) 角膜　　　b) 強膜（または硬い）　　　c) 虹彩
答．**c**

▶ [scler/o] 〔   〕
a) 角膜   b) 強膜（または硬い）   c) 虹彩
答. b

▶ [corne/o] 〔   〕
a) 角膜   b) 強膜（または硬い）   c) 虹彩
答. a

retin/a は「網膜」を意味します。
『網膜』に関する単語に付く連結形は [retin/o] です。
[retin/o] を用いて、次の意味の単語を作ってください。
「網膜の」〔   /   〕
retinal
retin/al　レティナル｜網膜の｜

「網膜炎」〔   /   〕
retinitis
retin/itis　レティナイティス｜網膜炎｜

「網膜復位術」〔   / /   / 〕
retinopexy
retin/o/pex/y　レティノペクシィ｜網膜復位術｜

網膜を検査するために用いられる器械は〔   / /   〕です。
retinoscope
retin/o/scop/e　レティノスコープ｜レチノスコープ｜

網膜を検査するプロセスは〔   / /   〕といいます。
retinoscopy
retin/o/scop/y　レティノスコピィ｜検影法｜

瞳孔(pupil)は虹彩における入口で、ここを光が通ります。
眼球の図(p.326)で、その位置を確かめましょう。

瞳孔(pupil)に関する単語に付く連結形は[cor/e]もしくは
[cor/e/o]です。元の単語と大きく異なるので注意が必要です。

では、次の意味の単語を作ってください。
「瞳孔変位(あるいは偏位)」〔　　　　/ /　　　　〕
corectopia
cor/e/ctopia　コレクトーピア｜瞳孔変位｜

「瞳孔を測定する器械(瞳孔計)」〔　　　　/ / /　　　　〕
coreometer
cor/e/o/meter　コリオミター｜瞳孔計｜

「瞳孔の測定」〔　　　/ / /　　　/　〕
coreometry
cor/e/o/metr/y　コリオミトリィ｜瞳孔の測定｜

「瞳孔(虹彩)形成術」〔　　　/ / /　　　/　〕
coreoplasty
cor/e/o/plast/y　コリオプラスティ｜虹彩(瞳孔)形成(術)｜

角膜(cornea)に関する語根のひとつはすでに学びましたね。
それは[corne]でした。
もうひとつ「角膜」に関する単語に付く語根があります。
それは[kerat]であり、こちらの方がよく用いられます。

最も一般的に角膜の語根として用いられる単語の部分は[kerat]
です。連結形は[kerat/o]になります。

[kerat/o]を用いて、次の意味の単語を作ってください。
「角膜拡張」〔　　　／　　　／　　　　〕

keratectasia
kerat/ectas/ia　ケラテクテイジア｜角膜拡張(症)｜

「角膜ヘルニア(角膜瘤)」〔　　　／／　　　　　〕

keratocele
kerat/o/cele　ケラトシール｜角膜瘤｜

「角膜形成術(角膜移植)」〔　　　／／　　　／　〕

keratoplasty
kerat/o/plast/y　ケラトプラスティ｜角膜移植(術)｜

「角膜切開術」〔　　　／／　　　／　〕

keratotomy
kerat/o/tom/y　ケラトトミィ｜角膜切開(術)｜

「角膜破裂」〔　　　／／　　　／　〕

keratorrhexis
kerat/o/rrhex/is　ケラトレクシス｜角膜破裂｜

「角膜および強膜の炎症」〔　　　／／　　　／　　　〕

keratoscleritis
kerat/o/scler/itis　ケラトスクレライティス｜角膜強膜炎｜

脈絡膜と虹彩間の眼球血管膜の肥厚した部分は「毛様体(ciliary body)」です。『毛様体』に関する連結形は[cycl/o]です。

[cycl/o]を用いて、次の意味の単語を書いてください。
「毛様体(筋)麻痺」〔　　　／／　　　／　〕

cycloplegia
cycl/o/pleg/ia　サイクロプリージア｜毛様体筋麻痺｜

「毛様体(筋)麻痺の」〔　　/　/　　/　〕

cycloplegic

cycl/o/pleg/ic　サイクロプリージック｜毛様体筋麻痺の｜

cycl/o/pleg/ia および cycl/o/pleg/ic は眼科の診療で頻繁に用いられる単語です。

では、「毛様体筋麻痺」を意味する単語を書いてみましょう。

〔　　/　/　　/　〕

cycloplegia

cycl/o/pleg/ia　サイクロプリージア｜毛様体筋麻痺｜

次の連結形が意味するものを a～c より選んでください。

▶ [retin/o] 〔　　〕
a) 角膜　　b) 網膜　　c) 瞳孔
答. b

▶ [cor/e] または [cor/e/o] 〔　　〕
a) 角膜　　b) 網膜　　c) 瞳孔
答. c

▶ [kerat/o] 〔　　〕
a) 角膜　　b) 網膜　　c) 瞳孔
答. a

▶ [cycl/o] 〔　　〕
a) 角膜　　b) 毛様体　　c) 瞳孔
答. b

＊＊＊

S：この涙器の図を見ると、『涙』に関する語根にはすぐ気がつくわよね。

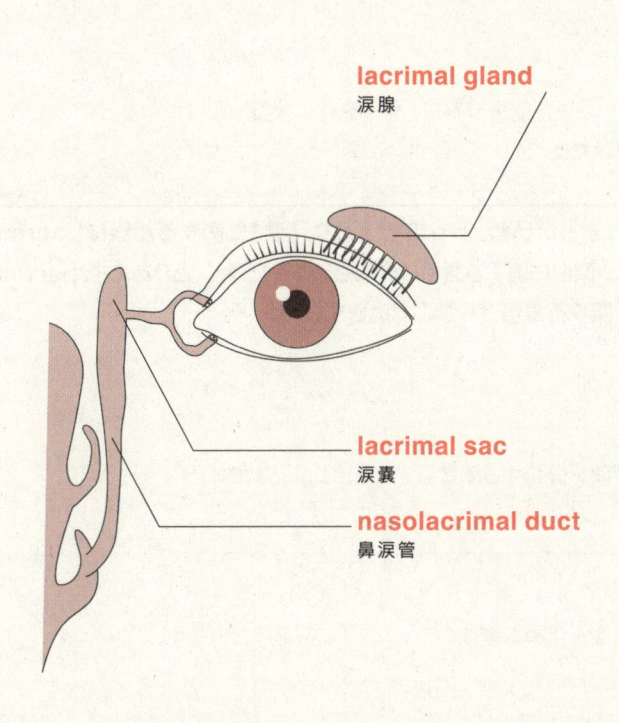

lacrimal gland
涙腺

lacrimal sac
涙嚢

nasolacrimal duct
鼻涙管

the lacrimal apparatus　涙器

T: そうだね。[lacrim]だ。[lacrim/al]は「涙の、涙液の」を意味するわけだね。
そういえば、イタリアワインにLacryma Christiっていうのがあったね。キリストの涙っていう名前の。これも語源的には同じだな。

S: あら、トシはイタリアワインなんて飲むのね。フランスワインじゃなく…。

T: いやいや、一時期日本でやけに流行ったんでなんとなく知ってるだけだよ。

S: まぁいいわ。トシの言う通り、『涙』に関する語根は[lacrim]よ。涙液に関する語根は他にもあるんだけど、とりあえず、[lacrim]に関する単語から学んでいきましょう。

* * *

涙液を分泌する腺は〔　　/　〕gland です。
lacrimal
lacrim/al gland　ラクリマル・グランド｜涙腺｜

涙液を集める嚢は〔　　/　〕sac と呼ばれます。
lacrimal
lacrim/al sac　ラクリマル・サック｜涙嚢｜

涙液は〔　/　/　/　〕duct を通じて排出されます。
nasolacrimal
nas/o/lacrim/al duct　ナゾラクリマル・ダクト｜鼻涙管｜

涙液は眼の表面の湿りを保持し、絶えず形成され排出されています。器官からの排出量よりも形成する量のほうが多い場合には、その人は「泣いている、涙を流している」というわけです。

lacrim/ation（流涙、催涙）は泣くこと（crying）を意味します。
過度に泣くことは dacry/o/rrhea といいい、この単語は『涙液』にあたる別の語根を示しています。
語根を書き抜いてみましょう。
〔　　　　　　　　〕

dacry

dacry/o/rrhea　ダクリオリア｜涙流過多、多涙症｜

語根[dacry]の連結形は[dacry/o]になります。

次の単語を分析してください。
【 dacryocystitis 】　⇒〔　　　　　　　　　　　　　〕

dacry/o/cyst/itis

dacryocystitis　ダクリオシスタイティス｜涙嚢炎｜

【 dacryopyorrhea 】　⇒〔　　　　　　　　　　　　　〕

dacry/o/py/o/rrhea

dacryopyorrhea　ダクリオパイオリア｜膿様流涙｜

【 dacryocystocele 】　⇒〔　　　　　　　　　　　　　〕

dacry/o/cyst/o/cele

dacryocystocele　ダクリオシストシール｜涙嚢ヘルニア｜

【 dacryolith 】　⇒〔　　　　　　　　　　　　　〕

dacry/o/lith

dacryolith　ダクリオリス｜涙(結)石｜

次の単語の意味をa～cより選んでください。
【 dacryorrhea 】〔　　　〕
a) 涙嚢炎　　　b) 多涙症　　　c) 涙管腫
答.**b**

dacry/o/rrhea　ダクリオリア｜涙流過多、多涙(症)｜

【dacryocystoptosis】〔　　　〕
a）嚢切開刀　　b）涙嚢下垂症　　c）涙管腫
答．b
dacry/o/cyst/o/ptos/is　ダクリオシストプトーシス｜涙嚢下垂症｜

【dacryocystotome】〔　　　〕
a）嚢切開刀　　b）涙嚢下垂症　　c）涙管腫
答．a
dacry/o/cyst/o/tome　ダクリオシストーム｜嚢切開刀｜

dacry/o/cyst/o/tome は涙嚢を切開するための器具です。
これを参考にして、次のものを切開する器具を示す単語を書いてみましょう。
『強膜』→「強膜（切開）刀」〔　　／　／　　〕
sclerotome
scler/o/tome　スクリロトーム｜強膜（切開）刀｜

『膀胱』→「膀胱切開刀」〔　　／　／　　〕
cystotome
cyst/o/tome　シストトーム｜膀胱切開刀、胆嚢切開刀｜

『組織』→「組織刀」〔　　／　／　　〕
histotome
hist/o/tome　ヒストトーム｜組織刀｜

次のものを切開する器具を意味する単語を作ってください。
『骨』〔　　／　／　　〕
osteotome
oste/o/tome　オスティオトーム｜骨切りのみ、骨刀｜

『軟骨(cartilage)』〔　　　/　/　　　　〕
chondrotome
chondr/o/tome　コンドロトーム｜軟骨刀｜

『気管(trachea)』〔　　　/　/　　　　〕
tracheotome
trache/o/tome　トレイキオトーム｜気管切開刀｜

『筋肉(muscle)』〔　　　/　/　　　　〕
myotome
my/o/tome　マイオトーム｜筋切開刀｜

『神経(nerve)』〔　　　/　/　　　　〕
neurotome
neur/o/tome　ニューロトーム｜神経切開刀｜

phag/o/cyt/e（食細胞）という単語を作るのに用いられている２つの連結形は[phag/o]および[cyt/o]です。

phag/o/cyt/e　ファゴサイト｜(貪)食細胞｜

phagocyte は他の細胞、バクテリア、老廃物を摂取する、つまり「吸収し食べる細胞」です。
phagocytoblast は「食芽細胞」です。

phag/o/cyt/o/blast　ファゴサイトブラスト｜食芽細胞｜

「食細胞」を意味する単語を空欄に入れてください。
phagocytosis は〔　　/　　/　　〕による吸収または消化の状態です。
phagocyte
phag/o/cyt/e　ファゴサイト｜(貪)食細胞｜

血球（細胞）を測定する器械は〔　／／　〕です。
cytometer
cyt/o/meter　サイトミター｜血球計算器｜

血球（細胞）を測定するプロセスは〔　／／　／　〕です。
cytometry
cyt/o/metr/y　サイトメトリィ｜血球計算法｜

細胞の制止、つまり細胞性塞栓は〔　／／　／　〕と称されます。
cytostasis
cyt/o/stas/is　サイトスタシス｜細胞性塞栓｜

細胞の検査は〔　／／　／　〕と称されます。
cytoscopy
cyt/o/scop/y　サイトスコピィ｜細胞検査（法）｜

＊＊＊

ここからは、連結形を見つける問題です。
医学用語は、医学の発展につれて、同様に発展しまた増えていくものです。そのためにも、ここでは連結形を見つける練習をしてみましょう。

tympan/um は「鼓室、鼓膜」を意味します。
tympan/o/centes/is は中耳液を吸引するために針を用いて鼓膜を穿刺すること、つまり「鼓室穿刺術」を指します。

この単語から「鼓室、鼓膜」に対応する連結形を書き抜いてください。
〔　　　　　／　〕
tympano
tympan/o/centes/is　ティンパノセンティーシス｜鼓室穿刺（術）｜

［**tympan/o**］は『鼓室、鼓膜』に関連する単語に付く連結形です。

vesica、vesicle は「嚢、小嚢（膀胱）」を指します。
vesic/o/cele は「膀胱ヘルニア」を意味します。
これらの単語から、連結形は〔　　/　　〕であることがわかります。

vesico

vesic/o/cele ベシコシール｜膀胱ヘルニア、膀胱瘤｜

[vesic/o]は『膀胱』『嚢』『小嚢』に関する単語に付く連結形です。

ren（複数形は renes）は「腎臓」を意味します。
連結形は〔　　/　　〕です。

reno

pod/alg/ia を調べてみましょう。
pod/alg/ia は〔　①　〕の痛みを意味します。
連結形は〔　②　〕です。

①足　②**podo**

pod/alg/ia ポダルジア｜足痛｜

chirospasm を調べてみましょう。その意味は〔　①　〕です。
連結形は〔　②　〕です。

①手の痙攣　②**chiro**

chir/o/spasm カイロスパズム｜手痙攣｜

これまでに学んだ連結形を用いて、次の意味の単語を作ってください。
「鼓室の」〔　　　　/　　　〕

tympanic または **tympanal**

tympan/ic ティンパニック｜鼓室の、鼓膜の｜
tympan/al ティンパナル　｜鼓室の、鼓膜の｜

「鼓膜切開術」〔　　　//　　　/　　〕

tympanotomy

tympan/o/tom/y ティンパノトミィ｜鼓膜切開（術）｜

「鼓膜切除術」〔　　　/　　　/　　　　/　　　〕
tympanectomy
tympan/ec/tom/y　ティンパネクトミィ｜鼓膜(全)切除(術)｜

「太鼓のようにぴんと張った＝ガスで膨満した(状態)→鼓脹症」を意味する単語は tympanites といいます。
tympanites の語尾が[es]であることに注意してください。

tympan/ites　ティンパナイティズ｜鼓脹(症)｜

次の意味の単語を作ってください。
「腎臓の」〔　　　　/　　　〕
renal
ren/al　リーナル｜腎臓の｜

「腎臓のX線による記録」〔　　　　/　/　　　　　〕
renogram
ren/o/gram　リーノグラム｜レノグラム｜

「腎腸の」〔　　　/　/　　　/　　〕
renointestinal
ren/o/intestin/al　リノインテスティナル｜腎腸の｜

「腎胃の」〔　　　/　/　　　/　　〕
renogastric
ren/o/gastr/ic　リノガストリック｜腎胃の｜

「膀胱の」〔　　　　/　　〕
vesical
vesic/al　ヴェシクル｜膀胱の｜

「膀胱ヘルニア」〔　　　／　／　　　　〕
vesicocele
vesic/o/cele　ヴェシコシール｜膀胱ヘルニア、膀胱瘤｜

「膀胱の洗浄」〔　　　／　／　　　／　〕
vesicoclysis
vesic/o/clys/is　ヴェシコクリシス｜膀胱洗浄(法)｜

「足痛」〔　　　／　　　／　〕
podalgia または **pododynia**
pod/alg/ia　　ポダルジア　｜足痛｜
pod/o/dyn/ia　ポドディニア｜足痛｜

「足底像」〔　　　／　／ gram 〕
podogram
pod/o/gram　ポドグラム｜足底像｜

[pod]が単語中にあれば『足』を思い出してください。
たとえば、chir/o/pod/ist という単語には、[pod]が単語中にあるので、「足」に関する単語であることが推測されます。

chir/o/pod/ist　カイロポディスト｜手足治療医｜

chir/o/pod/ist の[chir/o]は『手』に関する単語に付く連結形と覚えましょう。

次の意味の単語を作ってください。
「手の肥大症」〔　　　／　／　　　／　〕
chiromegaly
chir/o/megal/y　カイロメガリィ｜巨手症、大手症｜

「手(指)形成術」〔　　　/ /　　　　/ 　〕
chiroplasty
chir/o/plast/y　カイロプラスティ｜手(指)形成術｜

「手足あんま術」〔　　　/ /　　　　/ 　〕
chiropody
chir/o/pod/y　カイロポディ｜手足治療(術)、手足あんま(術)｜

＊＊＊

S：ここからは、しばらく接尾辞問題を続けるわ。名詞を作る接尾辞と形容詞を作る接尾辞について、例によって表にまとめておいたの。

T：しかし、ここまで、本当にたくさんの接尾辞に触れてきたね。覚えれば覚えるほど単語の幅を広げてくれるような気がするよ。

S：確かに、そろそろ仕上げの段階にきているわ。ゴールはもう少しよ。だからこそ、ここでは、それぞれの意味をもう一度しっかり把握してほしいの。

T：何度も言うけど、最後まで気を抜かずやり通すって決めたんだ。バッチリ仕上げてみせるよ。

S：うん、トシ、その意気よ！！　じゃ、ラストスパートを一緒に頑張りましょう！！

●名詞接尾辞		一般例
ism	（状態、理論）	communism
tion	（状態、行動）	stimulation、satisfaction
ist	（〜する人）	communist
er	（〜する人）	prompter
ity	（性質）	readability

●形容詞接尾辞		一般例
ous	（状態、物質）	pious、porous
able	（能力、〜し得る）	readable
ible	（能力、〜し得る）	edible

空欄にあてはまるものを a 〜 c より選んでください。
▶ crypt/orchid/ism は潜伏睾丸を持った〔　　　〕です。
a) 性質　　　b) 物質　　　c) 状態
答. c

crypt/orchid/ism
クリプトオーキディズム｜潜伏(潜在)精巣(睾丸)(症)、停留精巣(睾丸)｜

［ism］が『状態』を示す接尾辞ですね。

2つの空欄にあてはまるものを a 〜 c より選んでください。
▶ hyper/thyroid/ism は甲状腺の分泌が過多の〔　　　〕です。
iso/dactyl/ism は同じ長さの指を持った〔　　　〕です。
a) 性質　　　b) 物質　　　c) 状態
答. c

hyper/thyroid/ism　　ハイパーサイロイディズム｜甲状腺機能亢進(症)｜
iso/dactyl/ism　　アイソダクティリズム　｜等指症｜

同様に [ism] は『状態』を示す接尾辞です。

Darwin/ism は進化の理論を提示し、Mendel/ism は遺伝の理論を提示します。
このように、[ism] は『理論』という意味もある接尾辞です。

次の文章が正しければ○、間違っていれば×を選んでください。
▶ hypo/pituitar/ism は形容詞です。〔　　　〕
答. ×
hypo/pituitar/ism　ハイポピテュイタリズム｜下垂体(機能)低下(不全)症｜

[ism] は名詞を作る接尾辞です。

空欄にあてはまるものを a ～ c より選んでください。
▶ contrac/tion は筋肉を収縮させる〔　　　〕です。
a) 性質　　　b) 物質　　　c) 行動
答. c
contrac/tion　コントラクション｜収縮、緊縮｜

▶ relaxa/tion は緊張が減少した〔　　　〕です。
a) 性質　　　b) 状態　　　c) 物質
答. b
relaxa/tion　リラクセーション｜弛緩、緩和｜

[tion] は『状態、行動』を表す接尾辞です。

次の文章が正しければ○、間違っていれば×を選んでください。
▶ contrac/tion および relaxa/tion は名詞です。〔　　　〕
答. ○
[tion] は名詞を作る接尾辞です。よって、どちらの単語も名詞です。

▶ psych/iatr/ist は「精神医学 (psych/iatr/y) の診療を"する人、専門医"」であり、medical practitioner は「実地に診療を"する人、専門医"」です。〔　　　〕
答. ◯

[ist][er]ともに『〜する人、専門医』を表します。

▶ practitioner は形容詞です。〔　　　〕
答. ×

[er]は単語を名詞化する接尾辞です。

▶ conductiv/ity は神経組職の刺激を「伝達することに関係のある"性質"」を表し、sensitiv/ity は神経組織の「刺激を受けることに関する"性質"」を表します。〔　　　〕
答. ◯
conductiv/ity　コンダクティヴィティ｜伝導性｜
sensitiv/ity　センシティヴィティ　｜感受性｜

接尾辞の[ity]は『性質』を表します。

▶ irritabil/ity は形容詞です。〔　　　〕
答. ×
irritabil/ity　イリタビリティ｜被刺激性｜

[ity]は単語を名詞化する接尾辞です。

▶ mucous は「粘膜によって分泌される"物質"の性質」を指し、serous は「体腔の内側を被う"物質"の性質」を指します。〔　　　〕
答. ◯
muc/ous　ミューカス｜粘液(性)の｜
ser/ous　シーラス　｜漿液(性)の、血清の｜

[ous]は『状態、物質』を意味する形容詞接尾辞です。

空欄にあてはまるものを a〜c より選んでください。
▶ nerv/ous は緊張過多の〔　　　〕を指します。
a) 行動　　　b) 状態　　　c) 理論
答. b

[ous]いう形容詞を作る接尾辞は『状態、物質』を表します。

次の文章が正しければ○、間違っていれば×を選んでください。
▶ [ous]で終わる単語は名詞です。〔　　　〕
答. ×

[ous]は単語を形容詞化する接尾辞です。

▶ある食品が digest/ible ということは、その食品が「消化"しうる"」ということです。骨折が reduc/ible ということは、「整復"しうる"」ということです。〔　　　〕
答. ○

[ible]は『〜しうる、できる』という意味を示す接尾辞です。

空欄にあてはまるものを a〜c より選んでください。
▶肺が inflat/able ということは、肺が膨張〔　　　〕ということです。
a) することができない　　　b) することができる　　　c) しない
答. b

[able]は『可能、能力、〜できる』を意味する接尾辞です。

次の文章が正しければ○、間違っていれば×を選んでください。
▶ [ible]または[able]で終わる単語は名詞です。〔　　　〕
答. ×

[ible]または[able]は形容詞を作る接尾辞です。

[em/ia]は取り上げてきませんでしたが、すでに何度も使ってきた接尾辞です。[em/ia]は『血液(の状態)』を意味する名詞接尾辞です。
isch/em/ia は「局部的に血液が排出されてしまった状態」です。
血液のガン、つまり「血液中の白血球過多」は leuk/em/ia と称されます。

isch/em/ia イスキミア ｜虚血、乏血｜
leuk/em/ia リューキミア｜白血病｜

次の意味の単語を作ってください。
「十分な血液のない状態(貧血症)」〔　　　/　　　/　　　〕
anemia
an/em/ia アニーミア｜貧血｜

「(局部的に)血液過多(充血)」〔　　　/　　　/　　　〕
hyperemia
hyper/em/ia ハイパリーミア｜充血｜

「血液中の尿成分(尿毒症)」〔　　　/　　　/　　　〕
uremia
ur/em/ia ユーリーミア｜尿毒症｜

次の単語を分析してください。
【xanthemia】 ⇒〔　　　　　　　　　　　　　　〕
xanth/em/ia
xanthemia ザンシーミア｜黄色血(症)｜

【chloremia】 ⇒〔　　　　　　　　　　　　　　〕
chlor/em/ia
chloremia クロリーミア｜萎黄病｜

【erythremia】⇒〔   〕
erythr/em/ia
erythremia エリスリミア｜赤血症、エリトレミー｜

spine という単語は「脊柱」を意味します。
一般的な英語に、backbone という同義語がありますね。
spine（脊柱）を意味する語根は[rach]です。もうひとつ同じ意味を表す語根として、[spondyl]があります。
両者とも、spine と大きく語形が異なるので注意が必要です。

語根[spondyl]を用いて、「脊髄の炎症」を意味する単語を作ってください。
〔   /   〕
spondylitis
spondyl/itis スポンディライティス｜脊椎炎｜

[rachi/o]または[spondyl/o]で始まる語は『脊柱』に関係があると覚えましょう。

[rachi/o]を用いて、次の意味の単語を作ってください。
「脊柱切除術」〔   / /   /   〕
rachiotomy
rachi/o/tom/y レイキオトミィ｜脊柱切除(術)｜

「rachi/algia の同義語」〔   / /   /   〕
ヒント：別の「痛み」を表す単語の一部を使います。
rachiodynia
rachi/o/dyn/ia レイキオディニア｜脊柱痛｜

「脊柱彎曲を測定する器械（脊柱彎曲計）」
〔   / /   〕
rachiometer

rachi/o/meter　レイキオミター｜脊柱弯曲計｜

「脊柱（背側筋）麻痺」〔　　　　／　／　　　　／　　〕
rachioplegia
rachi/o/pleg/ia　レイキオプリージア｜脊髄麻痺｜

「脊椎破裂（二分脊柱）」〔　　　　／　／　　　　／　　〕
rachischisis
rach/i/schis/is　ラキスキシス｜脊椎披裂｜

navel（臍）は医学用語では umbilicus といいます。
umbilicus を意味する連結形は [omphal/o] です。語形が大きく異なるので注意が必要です。

umbilicus　アンビリカス｜臍、へそ｜

[omphal/o] を使って、次の意味の単語を作ってください。
「臍の炎症」〔　　　　／　　　　〕
omphalitis
omphal/itis　オンファライティス｜臍炎｜

「臍」に関する連結形を書いてみましょう。
〔　　　　／　〕
omphalo

[omphal/o] で始まる単語は「臍（navel または umbilicus）」に関係があります。

[omphal/o] を用いて、次の意味の単語を作ってください。
「臍の」〔　　　　／　〕
omphalic
omphal/ic　オンファリック｜臍の｜

「臍切除術」〔　　　／　／　　　／　〕
omphalectomty
omphal/ec/tom/y　オンファレクトミィ｜臍切除(術)｜

「臍ヘルニア」〔　　　／／　　　　〕
omphalocele
omphal/o/cele　オンファロシール｜臍ヘルニア｜

「臍の出血」〔　　　／／　　　／　〕
omphalorrhagia
omphal/o/rrhag/ia　オンファロレイジア｜臍出血｜

「臍からの漏出」〔　　　／／　　　　〕
omphalorrhea
omphal/o/rrhea　オンファロリア｜臍リンパ液漏｜

「臍の破裂」〔　　　／／　　　／　〕
omphalorrhexis
omphal/o/rrhex/is　オンファロレクシス｜臍破裂｜

[omphal/o]を含む単語は『臍』に関係があり、これを意味する英語はふたつあります。
navel および umbilicus です。

[onych/o]は『爪(nail)』に関する単語に付く連結形です。
nail と語形が異なるため、注意が必要です。

[onych/o]を用いて、次の意味の単語を作ってください。
「爪状の、爪様の」〔　　　／　　　　〕
onychoid
onych/oid　オニコイド｜爪状の、爪様の｜

「爪（または爪床）の腫瘍」〔　　　/　　　　　〕
onychoma
onych/oma　オニコーマ｜爪腫｜

「爪の病的状態（爪障害）」〔　　　//　　　/　　　〕
onychopathy
onych/o/path/y　オニコパシィ｜爪障害｜

「爪軟化症」〔　　　//　　　/　　　〕
onychomalacia
onych/o/malac/ia　オニコマレイシア｜爪(甲)軟化症｜

「爪真菌症」〔　　　//　　　/　　　〕
onychomycosis
onych/o/myc/osis　オニコマイコーシス｜爪(甲)真菌症｜

「爪咬み」〔　　　//　　　/　　　〕
onychophagia
onych/o/phag/ia　オニコフェイジア｜爪咬み｜

onych/o/crypt/osis の文字通りの意味は「隠れた爪または爪が隠れている状態」です。
医学用語として、**onych/o/crypt/osis** は「爪嵌入」と呼ばれます。

onych/o/crypt/osis　オニコクリプトーシス｜爪(甲)嵌入(症)｜

S：トシ…。

T：ん？

S：本当におつかれさま…。

T：おつかれさまって…!? あ、もしかして、ソフィー…。

S：そう。あなたは立派にやり遂げたの。もう、これでレッスンは終る。実感はないかもしれないけど、トシ、あなたの医療英語の知識は100倍の力を持っているはずよ。

T：うん、そういう実感があるよ。

S：トシ、あなたはこれで単語構成システムを身につけたわ。本当にたくさんの接頭辞、接尾辞、連結形を身につけたし、単語の単数形や複数形から連結形を探す方法も身につけたわ。
ねぇ、トシ、最後の確認をしてもいい？

T：うん、もちろんだよ、ソフィー。なんでも来いだ。

S：じゃ、最後の確認問題。最後の単語は trauma よ。

trauma トラウマ｜外傷、損傷、障害｜

辞書には、trauma に続く単語として、traumat/o/therap/y（外傷治療）、traumat/ic fever（外傷熱）、traumat/o/path/y（外傷性疾患）などがあります。
これらの単語から、trauma に対応する連結形は〔　　／　　〕であることがわかります。
traumato

[traumat/o]が『外傷、損傷、傷害』に関する連結形です。

外傷の治療に関する研究は〔　　／　　／　　〕と称されます。
traumatology
traumat/o/log/y トロマトロジィ｜外傷学｜

　　　　　　　＊　＊　＊

「おめでとう、トシ。本当によく頑張ったわ。間違いない。あなたはどんな試験が来てもクリアできる。私を、そして自分を信じて。」

　僕がトロマトロジィトロマトロジィトロマトロジィと繰り返し終わった後、ソフィーがやさしく7日間の終了を告げた。
　最後の語根にトラウマを持ってくるあたりが、彼女の洒落なのか天然なのかわからないが、僕は確かな達成感を感じていた。

　昨夜の僕の決心は、決して揺らいではいない。
　揺らぐどころか、最近にない強固な意志だ。この7日間を乗り切った自信が、今僕を強く支えている。
　ただ、最後に身につけた語根がトラウマであるあたりが、僕の運命を象徴しているような気がしないでもないが、今の僕にとってネガティブな思考など入り込む余地もないのだ。

「ソフィー」
「トシ」

　意を決した僕の呼びかけが、タイミングよく相殺される。

「なに？」
「なんだい？」

　もはやコントだ。次に来る台詞は、お互いどうぞどうぞで、譲歩した僕が聞くことになるのは、ソフィーの恋愛相談ないしは、実は結婚していて10歳になる子供がいるの…とかいう告白と相場は決まっている。

「じゃ、私は行くわね。ああ見えてボスはこだわり屋だから、仕掛けのために本物の試験問題を用意しているみたいよ。トシが本当

に満点とれるように祈ってる。」

あれ？

「そうそう、昨日も言ったけれど、今日の仕掛けは7時からよ。これから私も準備するけど、あなたは7時きっかりにラボのミーティングルームに来て。それまでは情報がもれるといけないから、くれぐれも気をつけて。今日はあなたは休みのはずだし、ラボには顔を出さない方がいいわ。途中、ラボの誰かにあっても、昨日した話は決してしないこと。いい？」

わかったよ。

「それじゃ、行くわ。またね。」

彼女の金色のシニョンが二三度揺れて、そのまま遠ざかろうとした瞬間、僕はようやく声を絞り出した。

「ちょっと待って。」

ソフィーは、たちどまり振り返る。

「なに？」

「ありがとう。ソフィー。それで…。」

「それで？」

「今度は医療英単語を抜きにして、食事をご馳走させてくれないか。できれば、スパイ事件も抜きにして。そして、もちろん二人きりで。」

こんなとき、時間はクォーツで進む気がする。きっちりと1分を60に分割して、次の1秒を待ち望む人の前で、わざと歩みを止めたりするのだ。
　僕にとっての無限の1秒。

「その返事は後でいい？」

　せき止められていた時間が、今度はスイープセコンドで一気に流れ出し、ソフィーはそのまま歩きだした。

　後で。ソフィーが言う後というのは、未来のことだ。そして、未来は誰にとっても平等に不明なところが、僕は好きだ。
　どんな"後"がやってくるのかは誰にもわからない。
　僕とソフィーの食事の行く末だけじゃない。スパイ事件は解決するのか、スパイが糾弾された後、このラボはやっていけるのか。僕は本当に職探しをしなくてもいいのか？

　集合時間の7時まで3時間あまり。
　ソフィーの残した意味深な台詞とコーヒー1杯だけで、時間をつぶすネタとしては十分過ぎる。
　僕はここ1週間で書き留めた無数の医療英単語ノートを開きながら、ウェイターにコーヒーのお代わりを注文した。

Epilogue

Epilogue

ラボに着くと、誰もいなかった。
すでにミーティングルームに集まっているのだろう。
CO_2削減の煽りを受けて、ラボの廊下は毎夜非常電源のような暗さに包まれる。その奇妙なまでに静けさと薄暗さが、ちょっぴり背中をゾクゾクさせた。
子供の頃、夜中にトイレに行かなくてはならない時の感覚によく似ている。幽霊とお化けは平気だが暗闇から泥棒が出てくるのを恐れた僕は、トイレに行くまでずっと壁に背中を当てて移動したものだ。

キュッキュッとゴム底が擦れる足音だけが響く。空調整備が年中稼働しているラボの中は、いつだって清廉潔白な空気を自己主張している。
僕はもういい大人なので、薄暗い廊下のど真ん中を、空気をかき分けるように進んだ。

どんな試験をさせられるのかわからないが、ボスとソフィーに言われた通り、最善は尽くしたつもりだ。

子宮卵管卵巣摘除術は？

hysterosalpingo-oophorectomy。
ちなみに、hysteroが子宮、salpingoが卵管、oophorが卵巣で、ectomyは切除を示す接尾辞。

色を示す連結形を6つあげよ。

leukoが白、melanoが黒だ。
erythroが赤で、cyanoが青。
chloroは緑で、xanthoが黄。

これで医療英単語で新しい戦隊シリーズのストーリーを作れという問題が出たとしても対応が可能だ。

　ここ1週間の出来事を思い出す。
　ソフィーと過ごした学習時間は、それが別の目的があったにせよ、有意義で楽しいものだった。

　しかし、医療英単語の試験はダミーであり、問題はソフィーがうまくスパイを追い詰められるかどうかなのだ。
　僕は、正体がばれたスパイが暴れ出したときに、格好よく彼女を守れるかどうかを簡単にシミュレートしてみる。
　しかし、探偵小説のように、最後の最後まで犯人が大人しく待っているとは思えない。
　いきなり拳銃を取り出されたらどうしよう。スパイなら秘密の暗殺道具を持ち出すかもしれない。
　中学時代に通信教育で勉強した合気道がついに役立つ時が来るのだろうか？

　そうこうするうちに、僕はミーティングルームの前に着いた。
　ラボ内の扉はどこも分厚く中の声は聴こえてこない。

「トシです。失礼します。」

　僕がゆっくりとその重い扉を開けると廊下からの光が細い筋を作った。
　あれ？　真っ暗？
　なんかおかしいぞ…。

　パチンッッッ！！！！

　うわ、なんだ！？
　僕がおそるおそる足を踏み入れた瞬間、音を立てて一斉にミー

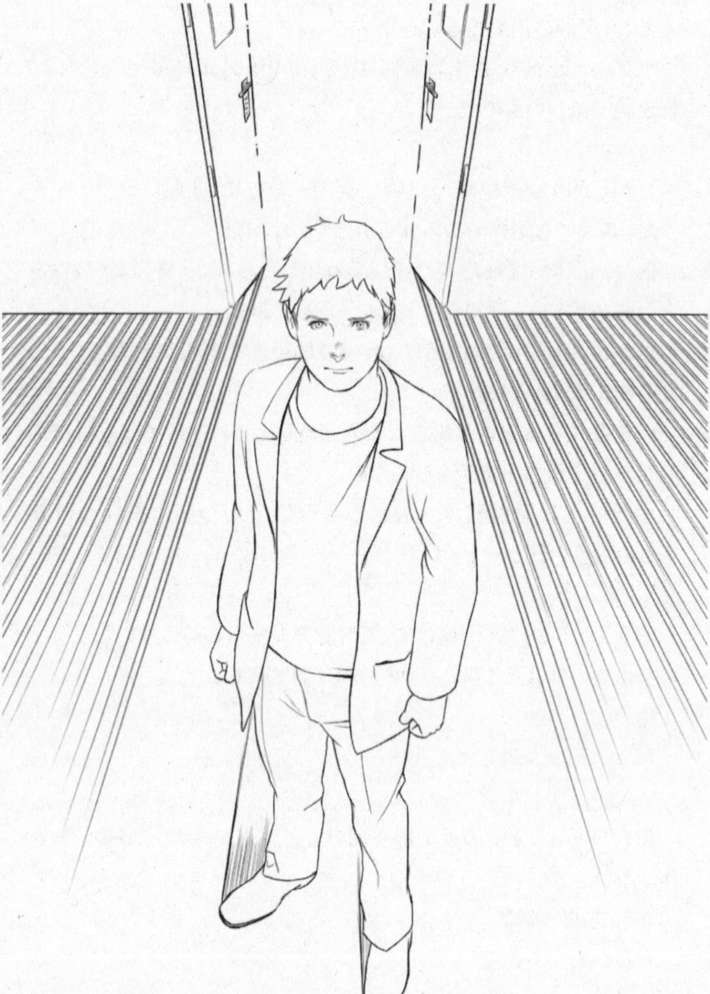

ティングルームの明かりが点いた。
　パンパンパパンパン！！

　はうわっ！！！！！？？？？？

　間髪入れず響くけたたましい破裂音に、僕は思わず意味不明な叫び声をあげてしまっていた。
　なんだなんだなんだ、早くも銃撃戦なのか！？　僕は何もできないまま、巻き添えで憤死！？

　腰の引けたハニワのようなおかしなポーズを取っていた僕は、思わずつむってしまった瞳をこわごわと開けてみた。
　そこには、ボスをはじめとしてニヤニヤしたラボのスタッフ全員の姿…。

「……」なんだこれ？

「ハッピーバースデー、トシ！！」
「ハッピーバースデー」
「おめでとう」
「おめでとう、トシ」
「おめでとう」
「おめでとう」

…絶句。
　確かにここはサプライズパーティーの本場アメリカだ。
　しかし、サプライズパーティーみたいなことが本当に存在するなんて、ましてや、それがわが身にふりかかるなんて…。
　本場ではやるからには細かい役回りを決めてかなりのネタを仕込むとは聞いていたが、それにしても、ここまでやるとは。
　あのボスまでが、ニヤニヤとしてやったりの顔をして、その隣でヘンドリックがウィンクしながら親指を立てている。

どうやら、僕のハニワポーズはご希望通りのリアクションだったようだ。

「誕生日おめでとう、トシ！！」

いつまにかソフィーが可愛らしいブーケを持って立っていた。

「ありがとう、ソフィー。」

「ラボの新人には必ずこれをやるのが伝統なの。驚いたでしょ。」

「とってもね。僕は、ここに来る廊下の間も医療英単語を復習してたんだぜ。」

「毎年エスカレートするのよ。私のときなんか、最重要機密の細胞サンプルを輸送する担当にさせられたのよ。狙われる可能性が高いので、敢えて裏をかいて私に頼むとか言って。結果的に運んだ先がパーティー会場で、自分が後生大事に運んでいたのが、皆からのプレゼントだったってわけ。ひどいラボだし、ひどいボスだわ。」

「まったくだね。」

僕は笑った。
奥からケータリングのディナーとビールやらなにやらが運ばれてくる。運んできたのは見知らぬ男性だった。

「彼はあなたの前任のホルストよ。今は自分の研究室を持っているの。ヘンドリックの先輩よ。」

……。
10万のデータを入力させられた彼か。

それから、僕は用意されたテーブルの方に向かうと手渡されたピルスナーを片手に、一人ひとりから改めて祝福の言葉を受け談笑した。

ボスが軽くて含蓄のあるスピーチをした後、僕もお礼のスピーチを述べた。

今考えればラジュの演技がわざとらしかったこと、ヘンドリックの発言は実際はうっかりした失言だったのではないかという分析、ボスのことが本気で怖くなって夜も眠れなかったというちょっとした脚色、そして、ソフィーの個人教授の見事さと本当にまじめに勉強したせいで大幅に医療英単語力が増したことへの謝辞。

ひと通り全員にお礼を言い終えたところで、周囲は僕を主役としないでよい雑談モードに入った。僕はゆっくりとテーブルを離れ、ソフィーの側へと向かった。

「ソフィー、さっきの返事をもらえないかな？」

思わぬ誕生日の高揚感が僕を大胆にさせていたのは間違いない。ソフィーはいたずらっぽく微笑んで、こう言う。

「医療英単語のテストに合格したらね！」

彼女の教えてくれた学習の効果は僕が一番よく知っている。

『まちがいない。あなたはどんな試験が来てもクリアできる。私を、そして自分を信じて。』

ほんの3時間前の彼女の台詞。必ず報われるだろう未来の予感。

「だったら、なんの問題もないよ。」

僕は自信満々にそう答えた。

Index

Index

英	日	頁
a		
abarticulation	不明瞭な発音	218
abdomen	腹	73
abdominal	腹の	73
abdominocentesis	腹腔穿刺	73、74
abdominocystic	腹部膀胱の、腹部胆嚢の	74、101
abdominothoracic	腹胸の	75
abduct	外転する	218
abduction	外転	72、73、217、226
aberrant	異常の、迷走(性)の、異所の	72、217
abiotic	生命のない	238
abirritant	刺激除去の、鎮静の、鎮静剤	217
ablactation	離乳、乳離れ	217
ablastemic	非生殖性の、非芽性の	238
abneural	神経から離れる方向の	218
abnormal	異常の、不規則の	71、72
aboral	口から離れた、口腔外の	217
abort	堕胎する	218
abrade	剥離する、擦過する	218
absorb	吸収する	22
absorber	吸収体	22
acholia	胆汁欠乏(症)	238
achromophilic	不染色性の	179
acrocyanosis	先端チアノーゼ	29、32
acrodermatitis	先端(肢端)皮膚炎	29、31、32
acromegaly	先端巨大症、末端肥大症	29、30、36
acromial	肩峰の	319
acromiohumeral	肩峰上腕骨の	320
acromion	肩峰	314、319
acroparalysis	先端麻痺(症)	29、33
addiction	嗜癖	73
adduction	内転	73、226
adenectomy	腺切除(術)	58、59、60
adenitis	腺炎	58、60
adenoma	腺腫	59、60
adenopathy	腺症	59、60
adermia	無皮膚(症)	238
adhesion	癒着、癒合、粘着、付着	73
adipometer	(皮下)脂肪(測定)計	80
aerial	空気の	175
aerobic	好気(性)の、有酸素(性)の、好気(性)生物に関する	177
aerocele	気瘤	176
aerophagy	空気嚥下(症)	325
aerophilia	空気に対する親和性	231
aerophobia	空気恐怖(症)	176、231
aerotherapy	大気療法(学)、空気療法(学)	176
afebrile	無熱(性)の	238
agalactia	アガラクシア、乳汁分泌欠如	238
agenesis	無発育	106
agnosia	失認、認知不能(症)	165
akinesia	運動不能(症)、無動(症)	238
alalia	構語障害	238
algesia	痛覚、痛覚過敏	151
algesic	疼痛性の、痛覚過敏の	151
algesimeter	痛覚計、圧痛計	151
algesthesia	痛覚、痛覚過敏	151

ambidextrous	両利きの	158
ambilateral	両側の	158
amena	無月経	238
amenorrhea	無月経	181
anaerobic	嫌気性の、無酸素(性)の	177、178
analgesia	痛覚脱失(消失)(症)、無痛覚(症)、無痛(法)	151、238
anaphia	触覚脱失(消失)(症)、無触覚(症)	238
anemia	貧血	238、347
anencephaly	無脳症	238
anesthesia	感覚(知覚)脱失、知覚麻痺、無感覚	149、238
anesthesiology	麻酔学	150
angiectasia	血管拡張(症)、脈管拡張(症)	148
angioblast	血管芽細胞	108
angiofibroma	血管線維腫	109
angiospasm	血管痙攣	108
anhidrosis	無汗(症)	200、238
aniridia	無虹彩(症)	238
anisocoria	瞳孔不同	224
anisocytosis	赤血球(大小)不同(症)	224、225、238
anisomastia	乳房不等	224
ankyloblepharon	眼瞼癒着	309
ankylodactylia	強直指(症)、指癒着症	310
ankyloglossia	舌小帯短縮(症)、舌癒着症	310
ankylophobia	硬直恐怖	310
ankylosed	強直した	309
ankylosis	強直(症)	309
anonychia	無爪(症)、爪甲欠損(症)	238
anopsia	視覚消失、全盲	22、238
anteflexion	前屈	210、275
antemortem	死前に	278
antenatal	出生前の、出産前の	276
antepartum	分娩前	277
anteposition	前位、前偏	277
antepyretic	発熱前の	275
anterolateral	前外側の	174
anteromedian	前正中の	174
anteroposterior	前後の、前後方向の、腹背の	174
anterosuperior	前上方の	174
anteversion	前傾	277
antiarthritic	抗関節炎薬	259
antibiotic	抗生の、抗生物質	259
anticonvulsive	鎮痙薬、抗痙攣薬	259
antinarcotic	麻薬拮抗薬	258、259
antipyretic	解熱(作用)の、解熱(性)の	258
antirheumatic	抗リウマチ薬	259
antispasmodic	鎮痙薬	259
antitoxin	抗毒素	258、259
anulus	輪	238
anuria	無尿(症)	238
anus	肛門	140
aorta	大動脈	39、118
aphasia	失語(症)	153
aphonia	失声(症)	154
apex | pl. apices	尖	286
aplasia	発育不全(症)、形成不全(症)、無形成(症)	161
apnea	無呼吸	105、238
aponeurosis | pl. aponeuroses	腱膜	284
appendicitis	虫垂炎	286
appendix | pl. appendices	垂、虫垂	140、285

	areflexia	反射消失、無反射(症)	238
	arteriosclerosis	動脈硬化(症)	109、147
	arteriostasis	動脈血うっ滞(法)	182
	artery	動脈	39
	arthritis	関節炎	69
	arthroplasty	関節形成(術)	69
	arthrotomy	関節切開(術)	69
	asepsis	無菌	238、257
	aseptic	無菌(性)の、防腐(性)の	258
	atrium ǀ pl. atria	房、心房	39、282
	autodermic	自皮の、自家皮膚の	212
	autolysis	自己分解、自己破壊	212
	autonomic	自律神経(性)の	212
	autophagia	自食症、自咬症	213
	autophilia	自己愛	231
	autophobia	自己恐怖症、孤独恐怖症	213、231
	autopsy	剖検、検死	229
b	bacillus ǀ pl. bucilli	バシライ	281
	bacterium ǀ pl. bacteria	細菌、バクテリア	282
	bicellular	二細胞性の	269
	bicuspid	両尖の、二尖の、双頭歯	39、268
	bifurcation	分岐、分枝	268
	bilateral	両側の	269
	biochemistry	生化学	176
	biogenesis	生物発生	176
	biologist	生物学者	176
	biology	生物学	176
	bipara	2回経産婦	270
	bladder	膀胱	117、118
	blastoderm	胚葉	205、207
	blepharitis	眼瞼炎	116
	blepharoplasty	眼瞼形成(術)	116
	blepharoptosis	眼瞼下垂	115、116
	blepharospasm	眼瞼痙攣	116
	blepharotomy	眼瞼切開(術)	116
	bradycardia	徐脈	103、104
	bradykinesia	運動緩徐	103、104
	bradypepsia	消化緩徐	108
	bradyphagia	遅食(症)	103、153、154
	bradypnea	(緩)徐呼吸、呼吸緩徐	105
	brain	脳	82
	bronchus ǀ pl. bronchi	気管支	281、289、290
	bronchitis	気管支炎	293
	broncholith	気管支結石	293
	bronchorrhaphy	気管支縫合(術)	294
	bronchoscope	気管支鏡	293
	bronchoscopy	気管支鏡検査(法)	294
	bronchospasm	気管支痙攣	294
	bronchostomy	気管支造瘻術	294
	bursa ǀ pl. bursae	包、嚢	280
c	calcaneal	かかとに関する、踵骨の	315
	calcaneodynia	踵骨痛	315
	calcaneum ǀ pl. calcanea	踵骨	313、314、315
	carcinoma ǀ pl. carcinomata	癌(腫)	60、61、283
	cardialgia	心臓痛	40
	cardiocentesis	心臓穿刺	74
	cardiograph	心拍(動)記録器	18
	cardiography	心拍(動)記録(法)	18、19
	cardiokinetic	心臓運動(性)の	19

cardiologist	心臓病専門医	38、40
cardiometry	心臓計測(法)	79
cardiomyopathy	心筋症	19
cardiorrhexis	心臓破裂	148
carditis	心臓炎	38
carpal	手根(骨)の、手首の	316
carpectomy	手根骨切除(術)	316
carpus ｜ pl. carpi	手根、手首	314、315
carpoptosis	垂手(症)	316
cartilage	軟骨	70、337
cauda	尾	175
caudate	尾状の、有尾の、尾状核	175
cavity	腔	290
cecum	盲腸	140
cellular	細胞の	22
centesis	穿刺	73、76
cephalad	頭方向の	175
cephalalgia	頭痛	64、65
cephalic	頭部の	65、66
cephalodynia	頭痛	65
cephalodynic	頭痛の	65
cephalometer	頭蓋計測器	80、175
cerebellum	小脳	82
cerebral	大脳の	83
cerebroma	脳腫(瘤)	83
cerebropathy	脳障害、脳症	83
cerebrospinal	脳脊髄の	83、84
cerebrotomy	大脳切開(術)	83
cerebrum	大脳	81、82、83
cervical	子宮頸(部)の、頸の	287
cervicectomy	子宮頸(管)切除(術)	287
cervix ｜ pl. cervices	頸、子宮頸管	287
cervicitis	子宮頸(管)炎	287
cervicobrachial	頸腕の	288
cervicofacial	頸顔面の	288
cervicovesical	(子宮)頸膀胱の	288
cheilitis	唇の炎症、口唇炎	127
cheilosis	口角症、口唇症	127
cheilotomy	(口)唇切開(術)	127
chiromegaly	巨手症、大手症	341
chiroplasty	手(指)形成術	342
chiropodist	手足治療医	341
chiropody	手足治療(術)、手足あんま(術)	342
chirospasm	手痙掌	339
chloremia	萎黄病	347
chloropsia	緑(色)視(症)	198
cholecyst	胆嚢	91
cholecystitis	胆嚢炎	91、92
cholecystotomy	胆嚢切開(術)	92
cholelith	胆石	91
cholelithotomy	胆石摘除(術)	92
cholestasis	胆汁うつ滞	311
chondralgia	軟骨痛	70
chondrectomy	軟骨切除(術)	70
chondrocostal	肋軟骨の	70
chondrodynia	軟骨痛	70
chondrodysplasia	軟骨形成不全(症)、軟骨異形成(症)	161
chondrotome	軟骨刀	337
chromoblast	クロモブラスト、色素芽細胞	178

chromocyte	有色細胞	178
chromogenesis	色素形成	178
chromolysis	染色質溶解	178
chromometer	比色計	178
chromophilic	色素親和(性)の、好色素性の、好染性の	178
ciliary	線毛の、毛様体の	326、331
circumcision	環状切除	16
circumduction	循環運動	226
circumocular	眼周囲の	226
circumoral	口周囲の	226
circumscribed	限局(性)の	226
clavicle	鎖骨	314
coccus | pl. cocci	球菌	85、281
colocentesis	結腸穿刺(術)	139
colon	結腸	140
colopexy	結腸固定術	141
coloptosis	結腸下垂(症)	141
colostomy	人工肛門形成(術)、結腸造瘻(術)	141
colpectomy	膣切除(術)	204
colpitis	膣炎	204
colpodynia	膣痛	204
colpopathy	膣疾患	204
colpopexy	膣(壁)固定(術)	205
colpoplasty	膣形成(術)	205
colpoptosis	膣脱(出)症	205
colporrhaphy	膣壁縫合術	205
colposcope	コルポスコープ、膣鏡	205
colpotomy	膣切開(術)	205
conductivity	伝導性	345
condyle	顆	314、320
condylectomy	顆切除(術)	320
condyloid	顆(状)の	320
congenital	先天(性)の、先天的な	272、273
conjunctiva | pl. conjunctivae	結膜	280
consanguinity	血族、血縁	273
contraceptive	避妊薬	260、261
contraction	収縮、緊縮	344
contraindication	禁忌	260、261
contralateral	反対側の	260、261
contravolitional	不随意の	260、261
corectopia	瞳孔変位	330
coreometer	瞳孔計	330
coreometry	瞳孔の測定	330
coreoplasty	虹彩(瞳孔)形成(術)	330
cornea | pl. corneae	角膜	281、325、326、330
corneal	角膜の	325
corneoiritis	角膜虹彩炎	327
cortex | pl. cortices	皮質	285、286
cortical	皮質の	286
cowpox	牛痘	17
cranial	頭側の、頭の、上方の	81
craniectomy	頭蓋(骨)局部切除(術)	80
craniometer	頭蓋計測器	81
cranioplasty	頭蓋形成(術)	80
craniotomy	開頭(術)	80
craniomalacia	頭蓋骨軟化(症)	80
crisis | pl. crises	発作、分利、クリーゼ	285
cryptectomy	陰窩切除(術)	204
cryptitis	陰窩炎、腺窩炎	204

cryptogenic	原因不明の	204
cryptorchidism	潜伏(潜在)精巣(睾丸)(症)、停留精巣(睾丸)	202、203、343
cryptorrhea	内分泌異常	204
cyanoderma	チアノーゼ、青色症	198
cyanopia	青(色)視(症)	158
cyanopsia	青(色)視(症)	197
cyanosis	チアノーゼ	33
cycloplegia	毛様体筋麻痺	331、332
cycloplegic	毛様体筋麻痺の	332
cystitis	膀胱炎	100
cystocele	膀胱ヘルニア、膀胱瘤	75
cystoplasty	膀胱形成(術)	76
cystorrhaphy	膀胱縫合(術)	120
cystotome	膀胱切開刀、胆嚢切開刀	336
cystotomy	膀胱切開(術)、胆嚢切開(術)	74、79
cytology	細胞学	34
cytometer	血球計算器	80、338
cytometry	血球計算法	338
cytoscopy	細胞検査(法)	338
cytostasis	細胞性塞栓	338

d

dacryocystitis	涙嚢炎	335
dacryocystocele	涙嚢ヘルニア	335
dacryocystoptosis	涙嚢下垂症	336
dacryocystotome	嚢切開刀	336
dacryolith	涙(結)石	335
dacryopyorrhea	膿様流涙	335
dacryorrhea	涙流過多、多涙(症)	335
dactylitis	指炎	169
dactylomegaly	巨指(症)	168
dactylospasm	指痙攣	169
Darwinism	ダーウィニズム	344
datum | pl. data	情報(の個々の構成要素)	282
decalcification	脱灰	219、220
deciduous	落葉性の、脱落性の	218
dehydration	脱水(症)	219
delirium | pl. deliria	せん妄	282
dermatitis	皮膚炎	33
dermatologist	皮膚科医、皮膚病学者	29、101
dermatome	皮膚採取器、採皮刀	34
dermatomycosis	皮膚真菌症	124
dermatosis	皮膚病、皮膚症	33
dextrad	右方へ	296
dextral	右方の	296
dextrocardia	右胸心	297
dextrogastria	右胃症	297
dextromanual	右手利きの	297
dextropedal	右足利きの	297
diagnosis | pl. diagnoses	診断	164、227、284
diarrhea	下痢	165、227
diascope	ガラス圧診器	166
diathermic	ジアテルミーの、透熱性の	227
diathermy	ジアテルミー	165、166、227
digestible	消化可能な	346
diplobacteria	双細菌	158
diploblastic	二胚葉性の	157
diplocardia	二心臓体	157
diplococcus	双球菌	85、158
diplogenesis	重複奇形(形成)	157
diplophonia	二重音声	157

diplopia	複視、二重視	157
dipsesis	高度口渇	173
dipsomania	飲酒癖、渇酒癖	173
dipsotherapy	口渇療法	173
disease	病気	273
disinfect	消毒する	274
disinfectant	殺菌性の、消毒薬	274
disinfection	消毒(法)、殺菌	274
dissect	解剖する、切開する	273、274
dissection	解剖、切開	274
dorsocephalad	後頭方向へ	174
dromomania	徘徊癖、放浪癖	171
duodenal	十二指腸の	43、44、61
duodenitis	十二指腸炎	43
duodenocholecystostomy	十二指腸胆嚢吻合(術)	146
duodenotomy	十二指腸切開(術)	43
duodenum	十二指腸	41、43、44、61、140
dysesthesia	知覚不全、異感覚(症)、異常感覚	150
dyskinesia	ジスキネジー、運動障害、運動異常(症)	180
dysmenorrhea	月経困難(症)	16、107、181
dyspepsia	消化不良	107、179
dyspeptic	消化不良の、不消化の	179
dysphagia	嚥下困難、嚥下障害	107、153
dysphonia	発声障害、発声困難	153
dysphoria	不快気分	180、311
dysplasia	形成異常(症)、異形成(症)	161
dyspnea	呼吸困難	180
dystrophy	ジストロフィ、異栄養(症)、栄養失調(症)、形成異常(症)	107
e ectocystic	細胞外の	207
ectoderm	外胚葉	205、206、207
ectogenous	外因(性)の	207
ectopic	異所性の	208、209
ectoplasm	外質	208
edema	水腫、浮腫	183
electrocardiogram	心電図	40
electrocardiograph	心電計	40
electrocardiography	心電図記録(法)	40
electrophoretic	電気泳動の	20
electrotonic	電気緊張(性)の	21
encephalitis	脳炎	55、66
encephalocele	脳ヘルニア	66、67
encephaloma	脳腫瘍	66
encephalomalacia	脳軟化(症)	55、67
encephalomeningitis	脳髄膜炎	55
encephalomyelopathy	脳脊髄障害	55
encephalon ｜ pl. encephala	脳	284
endocardiac	心臓内の、心内膜の	208
endocardial	心臓内の、心内膜の	208
endochondral	軟骨内の	208
endocolitis	大腸粘膜炎、結腸粘膜炎	208
endocranial	頭蓋内の	208
endocystic	膀胱内の	207
endoderm	内胚葉	205、206、207
endoenteritis	腸粘膜炎	208
endogenous	内因(性)の	207
endometritis	子宮内膜炎	254
endometrium	子宮内膜	254
endoplasm	内質	208
enema ｜ pl. enemata	浣腸、注腸	283

	enterocele	腸瘤、腹腔、腸ヘルニア	139
	enterocentesis	腸穿刺(術)	139
	enterocholecystostomy	腸胆嚢吻合(術)、腸胆嚢造瘻術	145
	enteroptosis	腸下垂(症)	139
	enterorrhagia	腸出血	139
	enterorrhexis	腸破裂	148
	enteroscope	腸鏡	139
	enterostasis	腸内容うっ滞	312
	epicondyle	上顆	320
	epicranial	頭外被の	255
	epicystitis	膀胱周囲炎	255
	epidermal	表皮の	255
	epidermic	表皮の	255
	epigastric	上胃部の、上腹部の	254
	epinephritis	副腎炎	255
	episplenitis	脾臓より上の組織の炎症	254
	episternal	胸骨上の	255
	erythremia	赤血症、エリトレミー	348
	erythroblast	赤芽球	199
	erythrocyte	赤血球	35、199
	erythrocytopenia	赤血球減少(症)	35
	erythroderma	紅皮症	198
	erythropsia	赤(色)視(症)	198
	esophagogastroduodenoscopy	食道胃十二指腸内視鏡検査	146
	esophagogastrostomy	食道胃吻合(術)	145
	esophagus	食道	140、275
	esophoria	内斜位	310
	esthesia	感覚、知覚	149
	esthesiometer	触覚計、知覚計	149
	esthesioscopy	皮膚感覚領検査(法)	149
	eukinesia	運動正常	180
	eupepsia	消化良好	179
	eupeptic	消化良好の、良好な消化力を持つ	179
	euphoria	多幸(症)、多幸感、上機嫌	180、311
	eupnea	正常呼吸、安静呼吸	180
	excision	切除	16
	excretion	排泄	220、221
	exeresis	挖除(術)、切除(術)	220
	exhale	呼気する、呼息する、呼出する	220
	exophoria	外斜位	310
	expiration	呼息	263
	extra-articular	関節外の	255
	extracellular	細胞外の	22
	extracystic	胆嚢外の、膀胱外の、嚢腫外の	255
	extradural	硬膜外の	256
	extrahepatic	肝(臓)外の	256
	extranuclear	核の外の	255
	extrauterine	子宮の外の	255
f	femur	大腿骨	314
	fibroma | *pl.* fibromata	線維腫	109、283
	fibula	腓骨	314
	focus | *pl.* foci	焦点、病巣	281
	fornix | *pl.* fornices	円蓋	286
	fossa | *pl.* fossae	窩	280
	fungistasis	制菌剤	311
	fungus	真菌	124
g	gallbladder	胆嚢	91、140
	gallstone	胆石	91
	ganglion | *pl.* ganglia	神経節、結節腫、ガングリオン	283、321、322

gangrene	壊疽	229
gastralgia	胃の痛み	40
gastrectasia	胃拡張	138
gastrectomy	胃切除(術)	41
gastric	胃の	138
gastritis	胃炎	41
gastroduodenostomy	胃十二指腸吻合(術)	42、44
gastroenteric	胃腸の	138
gastroenteritis	胃腸炎	102
gastroenterocolostomy	胃腸結腸吻合(術)	145
gastroenteroptosis	胃腸下垂(症)	138
gastrorrhagia	胃出血	121、138
genesis	形成、創造	88
gingivectomy	歯肉切除(術)	127
gingivitis	歯肉炎	127
gingivoglossitis	歯肉舌炎	128
glossal	舌の	126
glossalgia	舌痛	126
glossectomy	舌切除(術)	126
glossitis	舌炎	126
glossoplegia	舌麻痺	127
glossoptosis	舌下垂、舌沈下	126
glycogen	グリコーゲン、糖原	201
glycogenesis	糖生成、糖原形成	202
glycolipid	糖脂質	201
glycolysis	解糖(作用)	202
glycorrhea	糖液漏、糖尿、糖排泄	202
gnosia	知覚力、認知力	163
gumma | pl. gummata	ゴム腫、梅毒性ゴム腫	283
h hemangioma	血管腫	110
hematologist	血液学者、血液病専門医	110
hematophilia	血液に対する異常な親和性	231
hematophobia	血液に対する異常な恐怖	231
hemianopsia	半盲	22
hemiatrophy	片側(半側)萎縮	272
hemicardia	片側(一側)心臓症	271
hemidystrophy	片側(半側)異栄養症	272
hemigastrectomy	胃半切除(術)	271
hemihypertrophy	片側(半側)肥大(症)	272
hemiplegia	半身麻痺(不随)	271
hemolysis	溶血	110
hemostasis	止血、血流遮断、うっ血	181、312
hepatectomy	肝切除(術)	144
hepatic	肝臓の	143
hepatocele	肝ヘルニア	144
hepatolith	肝結石	144
hepatomegaly	肝腫(大)	143
hepatopathy	ヘパトパシー、肝障害	143
hepatorrhaphy	肝縫合(術)	144
hepatorrhexis	肝(臓)破裂	149
hepatoscopy	肝(臓)検査	143
hepatotomy	肝切開(術)	143
heterogeneous	異質性の、不均質の	232
heterogenesis	異常発生	233
heterolysis	異種溶解	232
heteropia	異視症	232
heterosexual	異性愛の、異性愛者	232、233
hidrocystoma	汗腺嚢腫	199
hidrosis	多汗(症)	199

histoblast	組織芽細胞、組織芽球	299
histocyte	組織球	300
histogenous	組織原性の	299
histoid	組織様の	300
histologist	組織学者	299
histology	組織学	299
histoma	組織腫	299
histotome	組織刀	299、336
homogeneous	均質の	232
homogenesis	同種発生	233
homolateral	同側(性)の	231
homolysis	同種溶解	232
homosexual	同性愛の、同性愛者	232、233
homothermal	同じ体温の、恒温(性)の	231
humerus	上腕骨	314
hydrocephalic	水頭症の	20
hydrocephalus	水頭(症)	76
hydrochloric	塩酸の	21
hydrocyst	水嚢腫	76
hydrolytic	加水分解の	21
hydrometer	(液体)比重計	19
hydrophilia	親水性、吸水性	230
hydrophobia	恐水病	76、77、230
hydrotherapy	水治(療)法	20、77
hydrothorax	水胸(症)	20
hyoid	舌骨の	275
hyperalgesia	痛覚過敏	151
hyperemesis	悪阻	56、57
hyperemia	充血	56、347
hyperglycemia	高血糖(症)、過血糖(症)	202
hyperhidrosis	発汗過多、多汗(症)	200
hyperopia	遠視	158
hyperphagia	過食(症)、摂食亢進(症)	153
hyperphoria	上斜位	311
hyperplasia	過形成、増殖、増生、肥厚	161
hyperthyroidism	甲状腺機能亢進(症)	56、343
hypertrophy	肥大、肥厚、栄養過度、過栄養	56、57
hypesthesia	知覚減退、触覚減退	151
hypodermic	皮下の	57、58
hypogenesis	発育不全(症)	57
hypoglossal	舌下の	126
hypoglycemia	低血糖症	202
hypophonia	発声不全	153
hypophoria	下斜位	311
hypopituitarism	下垂体(機能)低下(不全)症	344
hypoplasia	発育不全、形成不全、減形成(症)	161
hypothalamus	視床下部	82
hysterectomy	子宮摘除(術)	114
hysterocele	子宮ヘルニア、子宮瘤	115、254
hysteropathy	子宮疾患	115、254
hysteropexy	子宮固定(術)	115
hysterorrhexis	子宮破裂	148
hysterosalpingo-oophorectomy	子宮卵管卵巣摘除(術)	102、115
hysterospasm	子宮痙攣	114
ileum	回腸	140
ilium	腸骨	314
implant	移植	23
incise	切開する	264
incision	切開(術)	16、264

incompatible	不適合な	263
incompetence	不全(症)	264
inferior	下の	39
inflammation	炎症	264
inflatable	膨張可能な	346
infracostal	肋骨下の	257
inframammary	乳腺下の	256
infrapatellar	膝蓋下の	256
infrapubic	恥骨下の	257
infrasternal	胸骨下の	256
inject	注入する、注射する	264
injected	注入された、注射された	264
injection	注入、注射	265
injector	注射器	264
insane	精神錯乱の、精神病の	265
insanitary	非衛生的な、不健全な	265
insomnia	不眠症	265
inspiration	吸息	263
interchondral	軟骨間の	71
intercostal	肋間の	70、71
intestine	腸	60、140
intra-abdominal	腹腔内の	278
intra-arterial	動脈内の	279
intracellular	細胞内の	278
intracranial	頭蓋内の	279
intracystic	嚢(胞)内の、膀胱内の	279
intradermal	皮内の	279
intraspinal	脊髄内の、脊椎内の	279
intrathoracic	胸(腔)内の	279
intravenous	静脈(内)の	278
iridectomy	虹彩切除(術)	328
iris | pl. irides	虹彩	326、327、328
iridocele	虹彩嚢胞	328
iridomalacia	虹彩軟化(症)	328
iridoparalysis	虹彩(括約筋)麻痺	328
iridoplegia	虹彩(括約筋)麻痺	328
iridoptosis	虹彩脱(出症)	328
iritis	虹彩炎	327
irritability	被刺激性	345
ischemia	虚血、乏血	347
ischium | pl. ischia	坐骨	314、316
ischial	坐骨の	317
ischiocele	坐骨ヘルニア	317
ischiopubic	坐骨恥骨の	317
ischiorectal	坐骨直腸の	317
isocellular	等細胞の	223
isodactylism	等指症	224、343
isometric	等尺(性)の、等張(性)の	223
isothermal	等温の	224
isothermic	等温の	224
isotonic	等張(性)の、等浸透圧(性)の	223
j jejunoileostomy	空回腸吻合(術)	145
jejunum	空腸	140
k keratectasia	角膜拡張(症)	331
keratocele	角膜瘤	331
keratoplasty	角膜移植(術)	331
keratorrhexis	角膜破裂	331
keratoscleritis	角膜強膜炎	331
keratotomy	角膜切開(術)	331

	kidney	腎臓	117、118
	kinesialgia	筋運動痛、運動時の痛み、運動痛	103、104
	kinesiology	運動学、キネジオロジー	104
l	laceration	裂傷	65
	lacrimal	涙液の	333、334
	lacrimation	流涙、催涙	335
	laparectomy	腹壁切除	184
	laparohysterosalpingo-oophorectomy	腹式子宮卵管卵巣摘除(術)	185
	laparorrhaphy	腹壁縫合	185
	laparotomy	側腹切開(術)	185
	laryngalgia	喉頭痛	63
	laryngeal	喉頭の	63
	laryngitis	喉頭炎	63
	laryngocele	喉頭気腫、喉頭ヘルニア	292
	laryngoscope	喉頭鏡	292
	laryngospasm	喉頭痙攣、声門痙攣	292
	laryngostomy	喉頭開口(術)	63、64
	larynx	喉頭	62、289、290
	lateral	側の	269
	lesion	病変	75
	leukemia	白血病	35、36、164、347
	leukoblast	白血球、白(血)球芽細胞	199
	leukocyte	白血球	35、198、199
	leukocytopenia	白血球減少(症)	35
	leukoderma	白斑	34、198
	lipoid	類脂	61
	lipoma | pl. lipomata	脂肪腫	60、283
	lithiasis	結石症	160、324
	lithogenesis	結石生成、結石形成	91
	lithometer	結石測定器	91
	lithotomy	切石術	91
	lithotripsy	砕石術	160
	liver	肝臓	140
	locus | pl. loci	位置、座	282
	lumbar	腰(部)の、腰椎の	77、78
	lung	肺	289、290
	lymphatics	リンパ管	72
	lymphostasis	リンパうっ滞	182
m	macroblast	大赤芽球	168
	macrocephaly	大頭(蓋)症	167
	macrocheilia	大唇(症)	168
	macrococcus	巨大球菌	168
	macrocyte	大赤血球	167
	macrodactylia	巨指(症)	168
	macroglossia	巨舌(症)	168
	macrophage	大食細胞	325
	macrorhinia	巨鼻症、巨大鼻	168
	macroscopy	肉眼(的)検査	167
	malacia	軟化(症)	67
	malaise	倦怠(感)	265
	malaria	マラリア	266
	malarial	マラリア(性)の、マラリア感染した	266
	malariology	マラリア学	266
	malariotherapy	治療的マラリア(マラリア療法)	266
	malformation	奇形、先天異常	265
	malnutrition	栄養失調	266
	malodorous	悪臭を放つ	265
	malposition	位置異常、偏位	266
	maxilla | pl. maxillae	上顎骨	287

medulla	髄質	82
megadactyly	巨指(症)	169
megalocardia	心臓肥大	36、38
megalogastria	巨大胃症	37、40
megalomania	誇大妄想	37、38
melanoblast	メラニン芽細胞	199
melanocyte	メラノサイト、メラニン(形成)細胞	123、198
melanoderma	黒皮症	123、198
melanoma	黒色腫、メラノーマ	123
melanosis	黒色症、メラノーシス	123
Mendelism	メンデリズム	344
meninges	髄膜	82、84
meningitis	髄膜炎	84、85
meningocele	髄膜瘤、髄膜ヘルニア	84
meningococcus	髄膜炎菌	84、85
menopause	閉経(期)、月経閉止期	180
menophania	月経初潮	181
menorrhagia	月経過多	180
menorrhalgia	月経痛	181
menostasis	一時的月経閉止	181
menses	月経	180
menstruation	月経	180
mesocardia	胸郭中央位心臓	209
mesocephalic	中頭の	209
mesocolic	結腸間膜の	209
mesoderm	中胚葉	206、207
mesoneuritis	神経中膜炎	209
metritis	子宮(筋層)炎	253
metrocele	子宮ヘルニア、子宮瘤	254
metroparalysis	子宮麻痺	253
metropathy	メトロパチー、慢性子宮症	254
metrorrhagia	子宮出血	254
metrorrhea	子宮漏	253
microcardia	小心症	167
microcephaly	小頭(蓋)症	166、167
microcyst	小嚢腫	167
microcyte	小赤血球	167
microphage	ミクロファージ、小食細胞、小食球	18、325
microscope	顕微鏡	18、125、166
microscopic	顕微鏡の	20
microspherocyte	小球状赤血球	18
microsurgery	顕微手術、顕微外科	167
monocyte	単球、単核細胞	23、213
monoma	孤立腫	213
monomania	偏執狂	213
monomyoplegia	単筋麻痺	213
mononeural	単神経の	214
mononuclear	単核(性)の	213
mononucleosis	単核細胞症	214
mortem	死	278
mouth	口	140
mucoid	ムコイド、ムコ蛋白	61、62
mucosa	粘膜	62
mucous	粘液(性)の	345
mucus	粘液	61、62
multicapsular	多被膜性の	214
multicellular	多細胞の	269
multiglandular	多腺性の	214
multipara	経産婦	214、215、270

multiparous	経産婦の	214、215
muscle	筋肉	337
myasthenia	筋無力症	155
mycology	(真)菌学	124
mycosis	真菌症	124
myelitis	脊髄炎、骨髄炎	160
myeloblast	骨髄芽球、骨髄芽細胞、ミエロブラスト	160
myelocele	脊髄瘤、脊髄ヘルニア	160
myelocytic	骨髄球の、骨髄(球)性の	160
myelodysplasia	脊髄形成異常(症)	160、161
myoblast	筋芽細胞、筋原細胞	108
myobradia	筋収縮遅滞	155
myocarditis	心筋炎	154、155
myocardium	心筋層	155
myofibroma	筋線維腫	109、156
myofibrosis	筋線維症	156
myofibrositis	筋線維膜炎、筋細合組織炎	156
myogram	筋運動(記録)図	155
myograph	筋運動記録器、ミオグラフ	155
myography	筋運動描記(法)	155
myoid	筋様の、筋組織様の、類筋、筋様体	156
myolipoma	筋脂肪腫	156
myopathy	筋障害	156
myosclerosis	筋硬化(症)	108
myospasm	筋痙攣	108
myotome	筋切開刀	337
narcolepsy	ナルコレプシー、睡眠発作	222、223
narcosis	昏睡	222
narcotic	催眠薬、麻酔薬、麻薬	222
naris｜pl. nares	外鼻孔	285
nasal	鼻の、鼻側の、鼻骨の	289、290
nasitis	鼻炎	289
nasofrontal	鼻前頭の	289
nasolacrimal	鼻涙の	291、333、334
nasomental	鼻および顎の	289
nasopharyngeal	鼻咽頭の	291
nasopharyngitis	鼻と咽頭の炎症	291
navel	臍、へそ	349、350
necrectomy	壊死部除去(術)	229
necrocytosis	細胞壊死	228
necrometer	検死計、死体計測器	228
necroparasite	死物寄生体、腐生菌	228
necrophilia	死体(性)愛	229
necrophobia	死体恐怖(症)	229
necropsy	剖検、検死	229
necrosis	壊死	228、229
necrotomy	死体解剖	229
neocyte	幼若白血球	300
neogenesis	新生	300
neonatal	新生児(期)の	300
neopathy	新病変	301
neophobia	新奇恐怖(症)	301
neoplasm	新生物	300
nephritis	腎炎	116
nephrolith	腎石、腎結石	117
nephrolysis	腎剥離術	117
nephromalacia	腎軟化(症)	117
nephromegaly	腎肥大(症)	117
nephropexy	腎固定(術)	117

nephroptosis	腎下垂(症)	116
nephrorrhaphy	腎縫着(術)	120
nerve	神経	337
nervous	神経の、神経質な、緊張している	346
neuralgia	神経痛	158
neuritis	神経炎	159
neuroarthropathy	神経性関節症	158、159
neuroblast	神経芽細胞	108
neurofibroma	神経線維腫	109
neurologist	神経学者、神経科医	159
neurology	神経学	159
neurolysis	神経溶解、神経剥離(術)	159
neuromyelitis	神経脊髄炎	162
neuroplasty	神経形成術	159
neurorrhaphy	神経縫合(術)	120
neurotome	神経切開刀	337
neurotripsy	神経挫砕術	159
noctambulism	夢遊病	307、308
noctiphilia	暗夜嗜好	309
noctiphobia	暗夜恐怖(症)	307、309
nocturia	夜間多尿(症)、夜間頻尿(症)	309
nose	鼻	289、290
nostril	外鼻孔	290
nucleus ｜ pl. nuclei	核	282
nullipara	未産婦	215、216
nulliparous	未産婦の	216
nyctalbuminuria	夜間アルブミン尿(症)	308
nyctalgia	夜間痛	308
nyctalopia	夜盲(症)	308、309
nyctophilia	暗夜嗜好	309
nyctophobia	暗夜恐怖(症)	309
nycturia	夜間多尿(症)、夜間頻尿(症)	309
O omphalectomy	臍切除(術)	350
omphalic	臍の	349
omphalitis	臍炎	349
omphalocele	臍ヘルニア	350
omphalorrhagia	臍出血	350
omphalorrhea	臍リンパ液漏	350
omphalorrhexis	臍破裂	350
onychocryptosis	爪(甲)嵌入(症)	351
onychoid	爪状の、爪様の	350
onychoma	爪腫	351
onychomalacia	爪(甲)軟化症	351
onychomycosis	爪(甲)真菌症	351
onychopathy	爪障害	351
onychophagia	爪咬み	351
onychophagy	爪咬み	325
oogenesis	卵子形成、卵子発生	111
oophorectomy	卵巣摘出(術)	112
oophoritis	卵巣炎	112
oophoropexy	卵巣固定(術)	112、113
ophthalmalgia	眼(球)痛	200
ophthalmia	眼(結膜)炎	200
ophthalmic	眼の	200
ophthalmologist	眼科医	201
ophthalmology	眼科学	201
ophthalmometer	角膜曲率計、眼球計	200
ophthalmopathy	眼障害、眼症	200
ophthalmoplegia	眼筋麻痺	201

ophthalmoscope	検眼鏡	201
ophthalmoscopy	検眼鏡検査	201
orchialgia	睾丸痛	202
orchiectomy	精巣(睾丸)摘除(術)	202
orchiocele	精巣(睾丸)ヘルニア	203
orchiopexy	精巣(睾丸)固定(術)	203
orchioplasty	精巣(睾丸)形成(術)	203
orchiotomy	精巣(睾丸)切開(術)	203
osteitis	骨炎	68
osteoarthropathy	骨関節症	68、69
osteochondritis	骨軟骨炎	69、70
osteochondrodysplasia	骨軟骨異形成症	161
osteomalacia	骨軟化症	68
osteopathy	骨障害、骨症	67、68
osteotome	骨切りのみ、骨刀	336
otalgia	耳痛	89
otitis	耳炎	89
otodynia	耳痛	89
otorrhea	耳漏	89
ovary	卵巣	111
overdosage	過量投与	16
overhydration	過水症	16
overstimulation	刺激過度	17
overweight	過体重	16
ovum ǀ pl. ova	卵、卵子	282

p

palatoschisis	口蓋(披)裂	313
pancreas	膵臓	140
pancreatectomy	膵切除(術)	145
pancreatic	膵臓に関する	144
pancreatolith	膵石	144
pancreatolysis	膵組織崩壊	144
pancreatopathy	膵疾患	144
pancreatotomy	膵切開(術)	145
para-appendicitis	虫垂傍囲炎	210、211
paracentral	中心付近の	210、211
paracolpitis	腟傍結合組織炎	211
paracystitis	膀胱傍結合組織炎	152、211
paralgesia	痛覚異常(症)、錯痛覚(症)	152
paralysis	麻痺	33、152
paranephritis	副腎炎	152
paraphasia	錯語(症)	153
paraplegia	対麻痺	152
parasalpingitis	卵管傍(結合)組織炎、耳管傍(結合)組織炎	152
patella	膝蓋骨	314
pelvimetry	骨盤計測(法)	79
pelvis ǀ pl. pelves	骨盤	79、285
pericolic	結腸周囲の	225
percussion	打診(法)	228
perforate	穿孔する、穿通する	227
perforated	穿孔した、有孔の	227
perforation	穿孔、穿通	227、228
periadenitis	腺周囲炎	225
periarticular	関節周囲の	225
pericardiectomy	心嚢(心膜)切除(術)	226
perichondral	軟骨膜の	225
peridental	歯周の、歯根膜の	225
perihepatitis	肝周囲炎	225
peritonsillar	扁桃周囲の	225
phagocyte	(貪)食細胞	324、337

phagocytoblast	食芽細胞	337
phagocytosis	食(菌)作用、貪食作用(能)	324、337
phalangectomy	節骨切除(術)	319
phalanx ǀ pl. phalanges	指(趾)節骨	314、319
phalangitis	指骨炎	319
pharyngitis	咽頭炎	291
pharyngocele	咽頭ヘルニア	291
pharyngolith	咽頭結石	291
pharyngoplasty	咽頭形成(術)	292
pharyngoscope	咽頭を検査する器械(咽頭鏡)	292
pharyngotomy	咽頭切開(術)	291
pharynx	咽頭	289、290
phenomenon ǀ pl. phenomena	現象、徴候	284
phlebectasia	静脈拡張(症)	148
phlebectomy	静脈切除(術)	147
phleboplasty	静脈形成(術)	148
phlebosclerosis	静脈硬化	147
phlebostasis	静脈(血)うっ滞(法)	181、312
phlebotomy	静脈切開、瀉血	148
phonic	音声の、音の	154
phonocardiography	心音図検査(法)	154
phonology	音声学	154
phonometer	音声計	154
phonomyography	筋音描写(法)	154
phorometer	眼位計	310
pituitary	下垂体の	82
pleura ǀ pl. pleurae	胸膜	281、289
pleural	胸膜の	294
pleuralgia	胸膜痛	294
pleurectomy	胸膜切除(術)	295
pleurisy	胸膜炎	295
pleuritis	胸膜炎	294、295
pleurocentesis	胸膜穿刺	294
pleurodynia	胸膜痛	294
pleurolith	胸腔結石	295
pleurovisceral	内臓胸膜の	295
pneumococcus	肺炎球菌	85
pneumoderma	皮下気腫	124
pneumohemothorax	気血胸	125
pneumonectomy	肺切除術	122
pneumonia	肺炎	85、122、123
pneumonitis	肺(臓)炎、肺実質炎	122、123
pneumonocentesis	肺穿刺(術)	123
pneumonopathy	肺症(肺の病気)	122
pneumonopexy	肺固定(術)	123
pneumonorrhagia	肺出血	122
pneumonotomy	肺切開(術)	122
pneumoserothorax	水気胸	125
pneumothorax	気胸(症)	124
podalgia	足痛	339、341
pododynia	足痛	341
podogram	足底像	341
polyarthritis	多発(性)関節炎	170
polycystic	多嚢胞の	170
polydactyly	多指(趾)(症)、指(趾)過剰症	169
polydipsia	多渇症	172、173
polyneuralgia	多発(性)神経痛	170
polyneuritis	多発(性)神経炎	169
polyneuropathy	多発(性)神経障害	169

polyotia	多耳(症)	170
polyphagia	多食(症)、大食性	170
polyuria	多尿症	169
postcibal	食後(性)の	275
posteroexternal	後外側の	174
posterointernal	後内側の	174
posterolateral	後外側の	174
postesophageal	食道後(方)の	275
postnatal	生後の	275
postoperative	術後(性)の	276
postparalytic	麻痺後の	276
postpartum	分娩後に、産後に	277
postuterine	子宮後(方)の	277
practitioner	開業医	345
preanesthetic	麻酔前の	275
precancerous	前癌の	277
prefrontal	前頭葉前部の	277
prehyoid	舌骨前(方)の	275
prenatal	出生前の、出産前の	276
preoperative	(手)術前の	277
primipara	1回経産婦、初産婦	216
procephalic	前脳の、前頭の	164
proctoclysis	直腸灌注	142
proctologist	直腸病専門医、肛門病専門医	142
proctology	直腸病学、肛門病学	142
proctoparalysis	肛門括約筋麻痺	142
proctopexy	直腸固定(術)	143
proctoplegia	肛門括約筋麻痺	142
proctorrhaphy	直腸縫合(術)、肛門縫合(術)	143
proctoscope	直腸鏡	142
proctoscopy	直腸鏡検査(法)	143
prodromal	前駆の	172
prodrome	前駆症(状)、前徴	172
prognosis ǀ pl. prognoses	予後	163、164、285
prognostic	予後の、予後徴候	164
protoplasm	原形質	208
protozoon ǀ pl. protozoa	原生動物、原虫	284
pseudocyesis	想像妊娠、偽妊娠	182
pseudocyst	偽嚢胞	182
pseudoedema	偽浮腫	182
pseudoesthesia	偽感覚、触覚錯誤(症)	182
pseudohypertrophy	偽(性)肥大	183
pseudomania	偽(性)精神病	182
pseudoparalysis	偽(性)麻痺	182
pseudotuberculosis	偽結核病	183
psychiatric	精神医学の	163
psychiatrist	精神(科)医、精神医学専門医	162、345
psychiatry	精神医学	162、345
psychoanalysis	精神分析	162、163
psychogenesis	心因、精神発生学、精神作用	163
psychologist	心理学者	162
psychology	精神と精神過程を研究する科学	162
psychoneurosis	精神神経症	163
psychoneurotic	精神神経症(性)の	163
psychosis	精神病	163
psychosomatic	心身の、精神身体の	162
psychosurgery	精神外科	162
psychotherapy	精神療法、心理療法	163
pubic	恥骨の	79、317

pubis	恥骨	78、79、314、317
pubofemoral	恥骨大腿骨の	318
pulmonary	肺の	39
pupil	瞳孔	326、330
pus	膿	87
pyelitis	腎盂炎	119
pyelonephritis	腎盂腎炎	119
pyeloplasty	腎盂形成術	119
pyocele	膿瘤	87
pyogenic	化膿(性)の	87、88
pyorrhea	膿漏(症)	87、88、89
pyothorax	膿胸	87、88
pyrexia	発熱	185
pyrolysis	熱(分)解	186
pyromaniac	放火癖者	185
pyrometer	高温計	186
pyrophilia	火に対する異常な親和性	231
pyrophobia	火恐怖(症)、恐火症	186、231
pyrosis	胸やけ	185
pyrotoxin	熱毒素	186
rachiodynia	脊柱痛	348
rachiometer	脊柱彎曲計	348、349
rachioplegia	脊髄麻痺	349
rachiotomy	脊柱切除(術)	348
rachischisis	脊椎披裂	313、349
radius / pl. radii	橈骨	287、314
rectal	直腸に関する	141
rectocele	直腸ヘルニア、直腸瘤	141
rectoclysis	直腸注入(法)	141
rectopexy	直腸固定(術)	143
rectoplasty	直腸肛門形成(術)	142
rectorrhaphy	直腸縫合(術)	142
rectoscope	直腸鏡	141
rectoscopy	直腸鏡検査(法)	141
rectourethral	直腸尿道の	142
rectum	直腸	140
reducible	整復可能な	346
relaxation	弛緩、緩和	344
renal	腎臓の	340
renogastric	腎胃の	340
renogram	レノグラム	340
renointestinal	腎腸の	340
respiration	呼吸	263
retina	網膜	326、329
retinal	網膜の	329
retinitis	網膜炎	329
retinopexy	網膜復位術	329
retinoscope	レチノスコープ	329
retinoscopy	検影法	329
retrocolic	結腸後(方)の	210
retroflexion	後屈、反屈	210
retromammary	乳腺後(方)の	210
retroperitoneum	腹膜(後)腔	210
retroperitonitis	腹膜後炎、後腹膜炎	210
retrosternal	胸骨後(方)の	210
retroversion	後傾(症)	210
rhinolith	鼻石	90、93
rhinoplasty	鼻形成(術)、造鼻術	90
rhinorrhea	鼻漏	89、90

rhinotomy	鼻切開(術)	90
rib	肋骨	314
S sacrum	仙骨	314
salivary	唾液の	140
salpingectomy	卵管摘除(術)	113
salpingitis	卵管炎、耳管炎	113
salpingo-oophorectomy	卵管卵巣摘除(術)	113
salpingo-oophoritis	卵管卵巣炎	114
salpingo-oophorocele	卵管卵巣ヘルニア	114
salpingostomy	卵管開口術	113
sanguinal	血液の、血液に関する	273
sarcoma ǀ pl. sarcomata	肉腫	286、300
scapula	肩甲骨	314、319
schistocyte	分裂赤血球、シスサイト	312、313
schistoglossia	舌裂	312
schistothorax	胸裂	313
schizophrenia	精神分裂病(統合失調症)	312
sclera	強膜	325、326
scleral	強膜の	327
sclerectomy	強膜切除(術)	327
scleroderma	強皮症、硬皮症	34
scleroiritis	強膜虹彩炎	327
sclerosis	硬化症	108
sclerotome	強膜(切開)刀	336
semicircular	半円の、半輪の	271
semicomatose	半昏睡の	271
semiconscious	半意識の	271
semilunar	半月状の	39
seminormal	半規定の	271
sensitivity	感受性	345
sepsis	セプシス、敗血症	257
septum ǀ pl. septa	中隔、隔壁	39、286
septic	敗血(症)(性)の	258
septicemia	敗血症	258
septicopyemia	膿敗血症	258
serous	漿液(性)の、血清の	345
sinistrad	左方へ	295
sinistral	左側の	296
sinistrocardia	左心症、心左方偏位	296
sinistrocerebral	左脳半球の	296
sinistromanual	左手利きの	296
sinistropedal	左足利きの	296
sinus	洞	290
skull	頭蓋	82
sperm	精子	110
spermatogenesis	精子形成、精子生成、精子発生	110
spermatozoon ǀ pl. spermatozoa	精子、精虫	284
spinal	脊髄の	82、278
spleen	脾臓	61、233
splenalgia	脾臓の痛み、脾痛	234
splenectomy	脾摘出(術)	233
splenic	脾臓に関する、脾臓の	61、234
splenomegaly	巨脾腫(症)	233
splenopathy	脾障害	234
splenopexy	脾固定(術)	233
splenoptosis	脾下垂(症)	233
splenorrhagia	脾出血	234
splenorrhaphy	脾縫合(術)	234
spondylitis	脊椎炎	348

staphylectomy	口蓋垂切除(術)	87
staphylococcus	ブドウ球菌	85、86、88
staphyloplasty	口蓋垂形成術	87
sternal	胸骨の	318
sternalgia	胸骨痛	318
sternocostal	胸肋の	318
sternodynia	胸骨痛	318
sternopericardial	胸骨心膜の	318
sternum ǀ pl. sterna	胸骨	314、318、319
stethoscope	聴診器	18
stigma ǀ pl. stigmata	標徴、徴候、スチグマ	283
stomach	胃	140
stomatalgia	口腔痛	125
stomatitis	口内炎	125
stomatomycosis	口腔真菌症	125
stomatopathy	口内病、口腔病	125
stomatorrhagia	口内出血、歯肉出血	125
stomatoscope	口腔鏡、口内鏡	126
streptococcus	連鎖球菌	85、86
subabdominal	腹腔下の	256
subaural	耳下の	256
subcostal	肋骨下の	257
subpubic	恥骨下の	257
substernal	胸骨下の	256
superciliary	眉毛の	236
superficial	表在性の	236
superinfection	重感染	236
superior	上の	39
superiority	優越	236
superlethal	致死量以上の	236、237
supernumerary	過剰の	237
supracostal	肋骨上の	78、257
supracranial	頭蓋上の	237
supralumbar	腰上の	78、236
suprapelvic	骨盤上の	80
suprapubic	恥骨上の	78、79、237、257
suprarenal	腎上の、副腎の	237
suprarenoma	副腎腫	237
suprarenopathy	副腎機能障害	238
suprasternal	胸骨上の	257
symbiosis	共生	235
symblepharon	眼瞼(間)癒着(症)	235
sympathectomy	交感神経切除(術)	235
sympathy	交感、共感	235
symphysis	結合	235
sympodia	合足症	235
synarthrosis	不動結合	234
synchondrosis	軟骨結合	171
syndactylism	合指症	234
syndactyly	合指(症)	170
syndrome	症候群	171、234
synergistic	共力(協力)作用の、相乗作用の	170、171、234
tachycardia	(心)頻拍、頻脈	104
tachypnea	頻呼吸、呼吸頻数	105
thalamus	視床	82
thermal	熱(性)の、温熱の	165
thermalgesia	温熱性痛覚過敏	165
thermoesthesia	温覚	165
thermogenesis	熱発生、熱産生、産熱、高温発生	166

thermometer	温度計、寒暖計、体温計	165
thermotherapy	(温)熱療法	166
thorax ǀ pl. thoraces	胸郭	285
thoracic	胸郭の	75
thoracocentesis	胸腔穿刺	76、286
thoracometer	測胸器	80
thoracopathy	胸病質	76
thoracoplasty	胸(郭)形成(術)	76
thoracotomy	開胸(術)	75
thrombectomy	血栓切除術	322
thromboangiitis	血栓(性)血管炎	322
thrombocyte	血小板、栓球	323
thrombocytopenia	血小板減少(症)	323
thrombogenic	血栓形成の、トロンボゲン形成の	323
thromboid	血栓様の	323
thrombolymphangitis	血栓(性)リンパ管炎	322
thrombolysis	血栓崩壊	323
thrombophlebitis	血栓(性)静脈炎	322
thrombosis	血栓症	323
thrombus	血栓	322
thyroid	甲状の	56
tibia	脛骨	314
tongue	舌	140
tonsil	扁桃	61
tonsillar	扁桃の	16、61
tonsillectomy	扁桃摘出術	16
tonsillitis	扁桃炎	16
trachea	気管	289、290、337
tracheal	気管の	293
trachealgia	気管痛	292
tracheocele	気管瘤	293
tracheolaryngeal	気管喉頭の	293
tracheorrhagia	気管出血	292
tracheoscopy	気管鏡検査(法)	293
tracheotome	気管切開刀	337
tracheotomy	気管切開(術)	293
transfusion	輸血	262
transpiration	蒸散	263
transplant	移植する	22
transplantable	移植可能な	22
transplantation	移植	22
transplanted	移植された	22
transposition	転位	261
transthoracic	胸郭を経由して	263
transurethral	経尿道の	263
transvaginal	経膣の、経膣的な	262
trauma	トラウマ、外傷、損傷、障害	352
traumatic	外傷(性)の	352
traumatology	外傷学	352
traumatopathy	外傷性疾患	352
traumatotherapy	外傷治療	352
triceps	三頭の	268
trichiasis	睫毛乱生(症)、逆さ睫毛	324
trichogenous	発毛の、毛髪成長促進の	323
trichoglossia	毛舌症	324
trichoid	毛髪様の、毛に似た	324
trichopathy	毛髪病	324
trichophagy	食毛(症)	325
trichophobia	毛髪恐怖(症)	324

	tricuspid	三尖の	39、268
	trigeminal	三叉の	267、268
	trilateral	三側の	269
	tripara	3回経産婦	270
	tuberculous	結核性の	84、85
	tumor	腫瘍	59
	tympanal	鼓室の、鼓膜の	339
	tympanectomy	鼓膜(全)切除(術)	340
	tympanic	鼓室の、鼓膜の	339
	tympanites	鼓脹(症)	340
	tympanocentesis	鼓室穿刺(術)	338
	tympanotomy	鼓膜切開(術)	339
	tympanum	鼓室、鼓膜	338
U	ulna	尺骨	314
	ultrafilter	限外ろ過器	23
	umbilicus	臍、へそ	349、350
	undernutrition	栄養不足	17
	unicellular	単細胞の	269
	unicorn	単角の、一角の	268
	unilateral	一側の、片側の	269
	unioval	一卵(性)の	268
	unipara	1回経産婦	270
	universal	全体の	269
	uranoschisis	(硬)蓋(披)裂	313
	uremia	尿毒症	347
	ureter	尿管	117、118
	ureterocele	尿管瘤	119
	ureterocystostomy	尿管膀胱吻合(術)	120
	ureteropyelitis	尿管腎盂腎炎	119
	ureteropyosis	尿管化膿症	119
	ureterorrhagia	尿管出血	121
	ureterorrhaphy	尿管縫合(術)	120
	urethra	尿道	117、118、120
	urethrorrhaphy	尿道縫合(術)	121
	urethrospasm	尿道痙攣	121
	urethrotomy	尿道切開(術)	121
V	varix ｜ pl. varices	静脈瘤	286
	vasal	(脈)管の	298
	vasectomy	精管切除(術)	299
	vasoconstriction	血管収縮	297
	vasodilatation	血管拡張	297
	vasomotor	血管運動の	298
	vasospasm	血管痙攣	298
	vasostomy	精管造瘻術	298
	vasotomy	精管切開(術)	298
	vein	静脈	39
	venostasis	静脈うっ血	312
	ventrad	腹側へ	175
	ventricle	室、心室	39
	ventroscopy	腹腔鏡検査(法)	175
	ventrotomy	開腹(術)、腹腔切開(術)	175
	vertebra ｜ pl. vertebrae	脊椎、椎骨	82、281、314
	vesical	膀胱の	340
	vesicocele	膀胱ヘルニア、膀胱瘤	339、341
	vesicoclysis	膀胱洗浄(法)	341
	vestibule	前庭	290
	viscus ｜ pl. viscera	身体の内臓器官	183
	viscerad	内臓の方向の	183
	visceral	内臓の	184

	visceralgia	臓器痛	184
	viscerogenic	内臓起源の	183、184
	visceromotor	内臓運動神経の	183
	visceroparietal	内臓腹壁の	183
	visceropleural	内臓胸膜の	183
	visceroptosis	内臓下垂症	184
	viscerosensory	内臓感覚の	184
	visceroskeletal	内臓骨格の	184
X	xanthemia	黄色血(症)	347
	xanthoderma	皮膚黄変	198
	xanthopsia	黄(色)視(症)	197
Z	zoon ǀ pl. zoa	個虫	284

■参考文献

『ステッドマン医学大辞典(英和・和英)改訂第5版』
メジカルビュー社、2002

『Terminology A.M.R』
1963

大藤道衛
『意外に知らない、いまさら聞けない バイオ実験超基本Q&A』
羊土社、2001

チャールズ・ベルリッツ、 中村保男 訳
『ベルリッツの世界言葉百科〈新潮選書〉』
新潮社、1983

スーザン・ソンタグ、 富山太佳夫 訳
『隠喩としての病い』
みすず書房、1982

■著者紹介

田淵 アントニオ（たぶち あんとにお）

1973年生まれ。日本・福島県出身。
地元の名門高校を経て早稲田大学第一文学部に進学。研究テーマは「Ouvroir de litterature potentielle」（潜在的文学工房）。1996年にフランス留学。帰国後、自然科学分野を中心に執筆活動を行っている。
2001年よりオノレ・シュブラック探索委員会々長。2006年より西荻窪錆倶楽部を主宰。

カバーデザイン＆イラスト：伊坂スウ ／ 本文デザイン：kimiyasu (breathgraphic)

『トシ、1週間であなたの医療英単語を100倍にしなさい。
　　　できなければ解雇よ。』

2009年 6月29日　第 1 刷発行
2020年 9月 4日　第12刷発行

著　者　　田淵　アントニオ
発行者　　落合　隆志
発行所　　株式会社 SCICUS（サイカス）
　　　　　〒167-0042　東京都杉並区西荻北4-1-16-201
　　　　　電話（代表）：03-5303-0300
　　　　　ホームページ：http://www.scicus.jp

定価は表紙に表示されます。　　Printed and Bound in Japan
落丁・乱丁の場合はお取り替えいたします。
本書の無断複写は法律で認められた場合を除き禁じられています。
ISBN978-4-903835-50-1 C3047

『トシ』シリーズ、好評発売中!

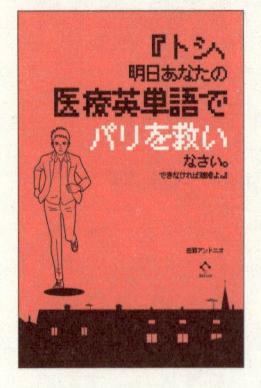

解剖学・人体にまつわる英単語を解剖図でまるっと覚えよう

『トシ、明日あなたの医療英単語でパリを救いなさい。できなければ離婚よ。』

著:田淵アントニオ
2色刷／四六判変型／292ページ／赤チェックシート付
ISBN 978-4-903835-77-8　2015年4月発売

定価:1,800円+税

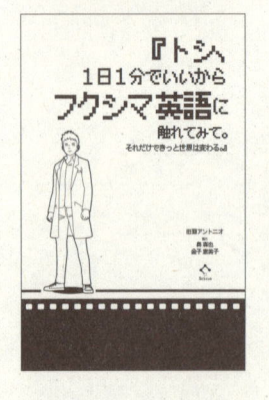

放射線問題をテーマにした英語表現を学び、
世界に語れることばを増やす

『トシ、1日1分でいいからフクシマ英語に触れてみて。それだけできっと世界は変わる。』

著:田淵アントニオ、協力:奥真也・金子恵美子
2色刷／四六判変型／296ページ
ISBN 978-4-903835-84-6　2016年4月発売

定価:1,300円+税

音声CD2枚付き

リラックス・マインドフルネス・ノーストレス!
聴くだけで医療英単語が効率よく覚えられる

『トシ、聴くだけであなたの医療英単語が100倍になるCDブックよ。』

著:田淵アントニオ
フルカラー／四六判変型／96ページ・コデックス装
ISBN 978-4-903835-99-0　2017年6月発売

定価:2,680円+税